WAY of the TURTLE

伝説のトレーダー集団

タートル流投資の魔術

カーティス・フェイス 著
Curtis M. Faith

飯尾博信+常盤洋二 監修
Hironobu Iio　Yoji Tokiwa

楡井浩一 訳
Koichi Nirei

徳間書店

WAY OF THE TURTLE
by
Curtis M. Faith

はじめに

Foreword

伝説のトレーダー集団〝タートルズ〟の最高エリートが書いた傑作

ちょうどわたしが、自著『魔術師たちの心理学　トレードで生計を立てる秘訣と心構え』の第2版を脱稿したときだった。編集者から、マグローヒル社に誰か新しい著者を紹介してほしいと依頼があった。そのとき、まっ先にわたしの頭に浮かんだのが、カーティス・フェイスの名だ。カーティスは、今や伝説となったエリート・トレーダー育成塾〝タートルズ〟で、最年少にして最優秀の成績をおさめた鋭才トレーダーだ。

最初の訓練期間が終了したとき、期間中に生じた最大のトレンドをそっくりとらえたのは、カーティスただひとりだった。ウォールストリート・ジャーナル紙に掲載されたスタンリー・アングリストの記事によると、カーティスはタートルであるあいだに師匠リチャード・デニスの最高額の口座を運用し、デニスに3100万ドルを超える利益をもたらした。またタートルとしてのキャリアを終える

がわかる。

と、彼はわたしと同じように、あまり人の通らない独自の道を歩み始めた。今その道を振り返ると、彼が自分自身をいかによく理解し、メインストリートやウォールストリートに心惑わされなかったか

マグローヒルが出す新刊の著者に、これほどぴったりの人物がほかにいるだろうか。その後、この件については忘れていた。『タートル流投資の魔術』と題された新刊を、わたしのオンライン・ニューズレターの引用欄で取りあげてほしいと依頼されるまでは……。なんとそれは、カーティスの著書だった。未編集のゲラを70ページほど読んだところで、わたしは、この本には序文が必要だ、しかもそれを書くのはわたししかいないと思った。なぜか？　わたしにとって**本書は、これまでに書かれたトレーディング本の中で5指に入る傑作**であり、わたしの顧客には、精読することをおすすめしたいと思うからだ。

わたしはあと一歩のところで、タートル1期生になりそこねた。だからタートルたちの成功を、いつも格別の興味を持って見守ってきた。1983年9月、わたしはトレーダーを指導する仕事を始めた。まだ本業は研究専門の心理学者だったのでそれは副業に過ぎなかったが、そのころまでには、わたしはトレーダーのコーチとしての力量に自信を深めていた。また、トレーダーの取引能力を測定し、トレードでの成功・不成功を予測するテストを開発して、それに〝投資心理検査〟と名づけた。このテストを受けたトレーダーの多くが、結果に現われた自分の強み、弱みに納得していた。

ちょうどそのころ、著名なトレーダー、リチャード・デニスが主要新聞各紙に全面広告を打った。

それによるとデニス氏は、トレーダーを10人ほど選抜し、彼の手法を伝授したうえで、ひとりひとりに100万ドルの運用資金をあたえるということだった。うますぎる話だったので、何千人もの応募者があるだろうと思われた。そしてわたしはこれを、自分の〝投資心理検査〟を売り込む絶好の機会だと考えた。何千人もの応募者をふるいにかける際、この検査がきっと役に立つ。わたしはシカゴのC&Dコモディティィーズ社にあるデニスのオフィスと連絡を取り、心理検査を一部、郵送した。デール・デラトゥリ（C&Dの営業部長）とリチャード・デニスのふたりがそれを試したが、そこでわが検査の命運は尽きた。

ところが、今度は彼らのほうから予備選考テストの書類が送られてきた。テストは63問の○×式問題と、11問の短い記述式問題から成っていた。問題は、たとえば次のようなものだ。

◎トレーダーの大多数は、いつも間違っている。「はい・いいえ」（い
つ
も
の一語が、問題を答えづらくしている）

◎これまでにしたリスクの高いことを挙げ、それをした理由を述べよ。

好奇心をおぼえたので、答えを書いて送り返した。驚いたことに、タートル候補生として面接を受けにシカゴに来るよう連絡を受けた。シカゴではたくさんの質問をされた。たとえば、「市場がランダムなとき、どうやってトレードで稼ぐか？」

これにどう答えたか記憶は定かではないが、今だったら、おそらく別の答えをするだろう。そのときの説明では、面接に残った40人の候補者からさらに10人が選ばれて、リチャード・デニスとウィリアム・エックハートの訓練を受ける。その後、5年間の契約が結ばれるが、成績がふるわなければ、それはいつでも打ち切られるということだった。

わたしは最終の10人には残れなかった。理由はわかっている。タートルの座を射止めることにためらいがあったのだ。そもそもわたしが応募したのは、自分が開発した心理検査がC&Dコモディティーズ社の役に立つと考えたからだ。住んでいた南カリフォルニアを離れて、5年間シカゴで暮らすことにも抵抗があった。今となっては仮定の話だが、もしタートルに選ばれていたら、妻と息子をカリフォルニアに残し、単身でシカゴに移らなければならなかっただろう。わたしは自分の目標――トレーディング・コーチとしての新規事業を発展させる――に向かってはりきっていた。確かに、タートルのひとりに選ばれればキャリアに箔がついただろうが、コーチ業を中断したくなかった。結論としては、年末年始の2週間（クリスマスから新年にかけて）をシカゴでの訓練でつぶされたくなかった。そんなこんなの葛藤《かっとう》が、面接中のわたしの態度にはっきり現われていたのだと思う。わたしは選ばれなかった。

とはいえ、選ばれなかったことを残念に思う気持ちもあった。特に、タートルたちの成功を知ったあとで、その思いは強まった。だからわたしは、タートルたちが講座で何を学んだのかを知ろうと、絶えず耳をそばだてていた。その後長年のあいだに、数人のタートルといろいろな話をする機会があり、わたしは彼らのトレーディング法の真髄を学び取った。そしてわかったのは、わたしが自著『期待値とポジション・サイジングの決定ガイド』で論じ、自分のクラスで教えたことは、タートルのポジション・サイジング（持ち高管理）をもっと一般化したものだということだ。

わたしは、彼らのシステムが特別なものだとは思わない。わたしに言わせれば、タートルの成功はひとえに、その心理作戦とポジション・サイジングにあった。10年間の秘密保持契約に縛られていたことも、タートルの謎をさらに神秘のベールで包む役割を果たした。ほとんどの人が、タートルには秘密の魔法があり、それを誰も外部にもらすつもりはないと信じていた。

なぜわたしは、本書をトレーディング関連の書籍の中で5指に入る傑作と考えるのか？

第1の理由として、本書を読めばトレーディングで成功をおさめるのに何が必要かを、明確に把握できることが挙げられる。カーティスは実に簡潔な言葉で、成功に必要なのはトレーディングシステムではなく、トレーダーのそのシステムを執行する能力だと述べる。カーティスは最初の実習期間に7万8000ドル稼いだ。彼もほかのタートルも、みな同じことを教わったのに、彼だけがほかのトレーダーの3倍もの利益をあげたのだ。

固定ポジション・サイジング・ルールを含め、いくつもの同じルールを教わった10人が、どうして異なる成果に行き着いたのか？　カーティスによると、リチャード・デニスが彼だけに特別な情報を流したのではないかと疑う者が、タートルの中にもいたという。しかし、カーティスもわたしも真実を知っている。成果の差をもたらすのは、取引を行なう際の心理なのだ。

わたしが心理学を学んだ1960年代後半は、学問の主流は行動主義にあった。心理学のカリキュラムは、あるひとつの問いに答えるルールを作るためだけに組まれていた。その問いとは、誰かにある特定の刺激をあたえたとき、その人物はどういう反応を示すかというものだ。つねづねそのようなアプローチ法をナンセンスに感じていたわたしは、研究者たちが新たに〝リスク心理学〟を研究し始めたと知って、快哉を叫んだ。研究者たちの結論は、人間は意思決定の際、あちこちで近道をし、そのせいでかえって効率の悪い意思決定者になっているというものだ。以来、行動経済学は全分野にわたり、この研究をもとにして発展してきた。

本書を、ほんとうに魅力ある作品にしているふたつ目の理由は、行動経済学の原理をどのように取引にあてはめれば、どんな影響があるかをわかりやすく解説している点だ。この点では類書の追随を許さない。カーティスは、支持線と抵抗線についても長い論考を試み、それらが現われる理由を、人間の意思決定の非能率性に帰している。このくだりは必読だ。

そしてわたしが本書を気に入った3つ目の理由は、ゲーム理論に重きを置き、ゲーム理論の観点から、トレーダーはこう考えるべしと説明している点だ。たとえば、過去や未来のことは忘れ、目の前の取引に集中せよという。なぜか？　トレーダーは、おそらくほとんどの取引ではずすが、結局は損失をはるかに上回る利益を得られることが過去のテストからわかっているからだ。これが正の期待値となる。カーティスは読者に、自分のシステムが持つ期待値を理解し、自信を持つようにと訴える。長期で見た勝者をつくるのは、この自信だからだ。

ほかにも優れた点を挙げよう。

- タートルたちがどのように訓練され、実際には何を学んだか。
- タートルたちのほんとうの〝秘密〟。
- システム開発にまつわるさまざまな問題についてのすばらしい論考と、トレーダーがシステム開発で間違いを犯すのは、サンプリング理論における基本的な統計学的原理を理解していないことに原因があるとした点。
- ほとんどのシステムが、なぜ適切に機能しないかについての優れた論考。最善のシステムでさえ、心理的要因から機能が低下する。また、実際には悪いシステムなのに、最初はよく見えるというケースが山ほどある。なぜ最初はよく見えるのか、またそれらを見分ける方法を知りたければ、本書を読んでいただきたい。
- 最後に、システムを計測する堅固な尺度についての興味深い論考がある。この部分を理解できたら、利益が出てなおかつ長期に機能する自分専用のシステムを設計できるまで、あと一歩だ。

これらすべてをひとつにし、カーティスのタートルとしての経験談を散りばめ、さらにそこに彼のすばらしい才能（トレーダーとしての経験を統合して、ものごとの本質に迫る才能）を加味すれば、あらゆるトレーダー、あるいは市場に自分の資金を投入しようと考えるあらゆる人にとっての必読書ができあがる。

タートル・プログラムは、トレーダーは養成できるか否かという、リチャード・デニスとウィリアム・エックハートの賭けから生まれた。リチャード・デニスは養成できるほうに、進んで金を賭けた。本書でカーティスは、賭けの結果についての彼自身の考え（異論をとなえる人がいるかもしれないが）を示している。

しかし、その意見を読む際に、もうひとつ考慮してもらいたい点がある。それは、１０００人を超える応募者の中から、面接に選ばれたのはわずか40人、最終的に残ったのはそのごく一部だったという点だ。この点と、カーティスのサンプリングについての論考を頭に入れて読み進んでいただければ、トレーダーは養成できるか否かという問いに対する答えは、おのずと見つかるだろう。

バン・K・タープ博士（トレーディング・コーチ）
バン・タープ・インスティテュート社長

タートル流投資の魔術●目次

装丁●熊澤正人＋中村　聡（パワーハウス）

まえがき

Preface

トレーディングの物語であり、人生の指南書として

今から20年と少し前、わたしは、トレーダーや投資家のあいだでやがて伝説となる、壮大な実験の被験者だった。〝タートルズ〟の名で知られるこの集団実験は、友人どうしでもあるふたりの有名なトレーダー、リチャード・デニスとウィリアム・エックハートの賭けに始まった。

本書は、当時のわたしの物語であり、またあれ以来、わたしが学んだことの記録でもある。タートルの中から誰か、当時のわたしたちの、もっと全体的な物語を書く人物が現われてくれるとうれしい。本書は、そういう路線には属さない。当時わたしは19歳、ほかのタートルたちから年が離れすぎていたため、タートルの集団としての経験を語ることができない。また若すぎたせいで、タートルとしてともに働き、かつ生き残りをかけてしのぎを削るあいだに生まれた交流のほとんどを、充分に楽しむことができなかった。

本書には、わたしがタートルとして経験し、学んだことが書かれている。わたしたちが何を教わり、どんな取引をしたかを正確に記すことで、実験の全貌がうきぼりになるようにした。また、タートルが手がけた最大の取引を数例と、取引のタイミングの裏にあるルールを詳述し、市場で数百万ドル稼ぐのに必要な資質への理解を深めた。わたしにとって本書は、トレーディングの物語であると同時に、人生の指南書でもある。とりわけ、一流トレーダーの人生観を身につければ、人生の喜びはいや増し、経験の幅も広がり、後悔することも少なくなる。

本書では全章にわたってこの考えかたを検証すると同時に、次のテーマについても考えていく。

- **タートルたちはどうやって儲けたか**――タートルのトレーディング・アプローチ法の真髄を探る。わたしはこのアプローチ法のおかげで、4年を超えるタートル・プログラムの期間中、100パーセント以上のリターンを維持できた。
- **一部のタートルが、ほかのタートルより稼いだ理由**――タートルのアプローチ法は、まったく同じ知識を持つタートルたちの、ある者を成功に導き、ある者には損をさせた。どうしてそうなったのか、理由を探る。
- **タートル流トレーディング法を、株式や外国為替にどのように応用するか**――どんな市場でも機能する中核的戦略を見つけるのに、既知のルールをどう使っていくか。
- **タートル流トレーディング法を、取引と実人生に応用するには。**

序　章

Introduction

ピットのプリンスに拝《はい》謁《えつ》した日

人生に、その後の運命をがらりと変える瞬間など、５回もあればいいほうだろう。19歳のある日、わたしはそんな瞬間を2度も経験した。シカゴ商品取引所（ＣＢＯＴ）がある、アールデコ様式の美しい建物を初めて目にした瞬間と、伝説の商品トレーダー、リチャード・デニスに会った瞬間だ。

ビルの谷間からＣＢＯＴを真正面に遠望する――それがシカゴでいちばん有名な景色だ。ＣＢＯＴの建物は、ローマ神話の豊穣の女神、ケレスの像をてっぺんにいただき、ウェストジャクソン大通り１４１番地にそびえている。はるか１マイル向こうからも目に入る、群れ建つ摩天楼の中でもひときわ高い45階建てのこのビルは、世界有数の取引所にふさわしい威風を備えている。

建物内部の各ピットでは、トレーダーたちがひしめき合い、声を張り上げ、複雑な手ぶりをまじえて、何百万ドルもの穀物や食肉、通貨を秒単位で売買している。組織化されたこの修羅場は、毎年ピットに訪れる何万人もの観光客に畏敬の念を植えつけてきた。トレーダーにとって、そこは聖地だ。

ジャクソン大通り141番地でエレベーターに乗り込んだとたん、てのひらに汗をかき始めた。わたしは19歳で、世界で最も有名な投機家のひとり、リチャード・デニスの面接を受けようとしていた。ータートルの実験が広く知られるようになる前から、デニスはすでに伝説のトレーダーの地位にあった。その称号〝ピットのプリンス〟は、数千ドルを元手に、30代半ばで何億ドルもの資産を築いた偉業にたいして奉《たてまつ》られたものだった。

そのエレベーターに乗る機会を得たことがいかに幸運だったかを、のちになって知った。わたしが受けようとしていた面接に、1000人以上の応募者があったが、その中でデニスの前にたどり着いたのは40名のみだった。そこからさらに絞り込まれ、最終的に残ったのはたった13人。それは100人にひとりに満たない割合だった。次の年の研修プログラムには、また10人が選ばれた。

不動産王のドナルド・トランプが司会をつとめる人気リアリティ番組『ジ・アプレンティス（内弟子修行）』や、そのほかの勝ち抜きショーがテレビで放映されるずっと前に、デニスはみずから勝ち抜き戦をプロデュースしたことになる。きっかけは、親友で、やはり成功したトレーダーであるウィリアム・エックハートとのあいだに持ち上がった論争だった。ふたりは、有能なトレーダーは養成できるか否かと論じ合った。デニスには、誰でも訓練すれば勝てるトレーダーになれるという信念があり、エックハートには、教育ではなく素質だという信念があった。デニスが養成できるほうに賭けるといい出し、ふたりの賭けが決まった。

賭けに入るには、人材を募集しなければならない。ふたりは「トレーダーの研修生を募集中。興味のある人は誰でも歓迎」という旨の広告を《ウォールストリート・ジャーナル》、《バロンズ》、《ニューヨーク・タイムズ》に大きく掲載した。その広告は、研修生にはデニスがじきじきにトレーディング手法を伝授し、実習に入る際、ひとりにつき100万ドルの口座の運用を任せると謳《うた》っていた。

当時のわたしには、この広告の持つ意味がわからなかった。こんな広告を出して賭けをするなんて、デニスは大向こうに見得を切ったも同然だった。自分が成功した理由を自分なりに分析できていたデニスは、自分なら他人に――たとえそれが、これまで取引などしたこともないズブの素人でも――取引のしかたを教えられると考えた。また、その考えに自信があったので、それを立証する好機とばかりに、喜んで何百万ドルもの金をリスクにさらしたのだ。

デニスの研修生――そのひとりがわたしだ――は、成功ののちに〝タートル〟として知られるようになり、トレーディングの世界の伝説になった。4年半を超えるプログラム期間中にタートルが稼いだリターンは、年平均80パーセント以上に達した。

しかし、〝タートル〟の名はどこから来たのか?

それは、長い議論が真剣な論争に変わったころ、デニスとエックハートが訪れていた場所――シンガポールの亀《タートル》の養殖場に由来する。養殖場を見学して、デニスはこう口走ったといわれている。

「シンガポールで亀を育てるように、わたしたちはトレーダーを育てよう」

というわけで、わたしはそこにいた。19歳で、てのひらを汗で湿らせ、〝ピットのプリンス〟に会いに行くために。

廊下を歩きながら、両側に並んだオフィスの実用一点張りの外観にわたしは驚きを隠せなかった。重厚なエントランスもなければ、しゃれたロビーもない。訪ねてくるクライアントやブローカー、その他あらゆる業界の大物を圧倒してやろうという気負いもない。デニスは、人目を引くためのディスプレーなどにむだ金を使わないことで知られていた。だから、つましい雰囲気にもうなずけた。とはいえ、わたしはもう少し期待していたのだ。何もかも、思い描いたより小さく見えた。〝C＆Dコモディティーズ〟と表札のかかった扉を見つけ、わたしはその扉を開いた。


デニスの部下の営業部長デール・デラトゥリがわたしを出迎え、ひとつ前の面接がもうすぐ終わると告げた。雑誌などの記事で何度か写真を目にしていたので、デニスの顔はわかっていた。だが人柄までは把握していなかったので、それをあれこれ考えて時間をつぶした。

面接に備えて、わたしはデニスについて書かれたものを手当たりしだいに読んだ。だから、ある程度は手がかりがあったものの、満足できるほどではなかった。デニスの40問のテスト（これを受けるのが応募の決まりだった）を受けたので、彼がトレーダーの何を重視しているか、多少は見当がついた。

デニスのオフィスにつながる扉が開き、わたしのひとり前の志願者が出てきた。面接の模様をちらりと話し、わたしの幸運を祈ってくれた。彼の面接はうまく運んだにちがいない。２、３週間後、養成クラスの初日にわたしたちは再会することになる。わたしはオフィスに入り、リチャード・デニスとそのパートナーのウィリアム・エックハートに対面した。のちにタートルたちはふたりを〝リッチとビル〟と呼ぶようになり、それはわたしの場合、今も変わらず続いている。リッチは堂々とした体格で、親しみやすい顔をした物静かな男だった。ビルのほうは細身の中背で、シカゴ大学の応用数学の教授といっても通用するような身なりと雰囲気をしていた。

面接は、リッチのC&Dコモディティーズから出願手続きのひとつとして送られてきた筆記テストに沿って行なわれた。リッチはわたしの市場論と、トレードで金が儲かると考える理由に興味を示した。ふたりは、わたしの一風変わった経歴にもそろって強い関心を示した。今振り返ると、わたしは変わり者だった。わたしが19歳で身につけていた独特の経験知は、今日といえど、あまり多くの人に期待できるものではない。わたしの場合、少なくともその経験知が、のちに教わることになるトレーディング手法に生かされることになる。

１９８３年の秋、個人向けコンピュータを持つ者は限られていた。パソコンそのものが、発明されてまだ日が浅かった。にもかかわらず、わたしはそれまでの2年間、放課後のアルバイトにアップルⅡのプログラミングをしていた。その当時、システムと呼ばれていたトレード戦略――株や商品の値動きを基準にした特定のルールによって、売り買いの正確なタイミングをはかる戦略――を分析する、アップルⅡ向けのプログラムを作っていたのだ。

その2年間に、わたしはトレーディングシステムをテストするプログラムを、30種類から40種類作成した。プログラムに過去のデータを放り込めば、さまざまな市場でそのシステムが稼ぎ出す額が算出できる。これが当時の最先端を行く研究だったとは、あとになって知ったことだ。

放課後のおもしろいアルバイトとして始めたことが、情熱を傾ける仕事になった。わたしは〝ハーバード投資サービス〟という会社で働き始めた。会社は、マサチューセッツ州ボストンの西およそ40マイルに位置する小都市ハーバードの、小さな家のキッチンにあった。ハーバードは、りんごの果樹園が広がり、こぢんまりとした図書館、市役所、町広場を持つ典型的なニューイングランドの町だ。ハーバード投資サービスの社員はわずか3名。ジョージ・アルント（キッチンと会社のオーナーで、命令系統の頂点に立つ）、わたしの友人のティム・アーノルド、そしてわたしだ。ティムとわたしはこき使われた。

ジョージは、わたしを最初にトレーディングの世界に導いた人物だ。エドウィン・ルフェーブルによる、有名な投資家ジェシー・リバモアの伝記小説『欲望と幻想の市場』を貸してくれたのだ。ルフェーブルのすばらしい語り口にひかれたのか、リバモアの並はずれた個性にひかれたのかはわからないが、わたしはその本を読んで、とりこになった。トレーダーになりたくなった。わたしなら一流のトレーダーになれる、なってみせると心に決めた。わたしはその思い込みを、わずか19歳の若造に可能な範囲で、リッチとビルの面接に持ち込んだ。

トレーディングシステムを分析する仕事は、面接とそれに続く訓練期間の、すばらしい準備作業だったことがわかった。その経歴があったからこそわたしは、リッチとビルの手法をほかの研修生より速く習得し、自信を持って使えるようになった。また、最終的にほかのタートルたちより多額の利益を稼ぐことができた。わたしは最初から、リッチたちのアプローチ法と、系統的に取引をするという概念に、ほかのタートルより深い信頼を置いていた。

この信頼があったからこそ、リッチは、いずれわたしがトレーダーとしての能力を開花させ、最終的には成功するという確信を持てたのだろう。わたしの経歴は、ほかのタートルには不可能なことを可能にするものだった。２週間の講座で概略が示された単純なルールを、わたしひとりが守り抜いたのだ。最初の１カ月に、ほかのタートルが誰ひとりそのルールに従えなかったのは、今思えば奇妙な話だが、この点についての考察はのちの章にゆずることにする。

最初わたしは、実際のトレーディング経験がないことでみんなの足をひっぱるのではないかと不安だった。システムテストのプログラマーという経歴が強みになって、少々のことは打ち消されるだろうが、とにかく、経験のなさがいちばんの気がかりだった。面接での質問から、リッチとビルが候補者の、持って生まれた知性と推理力を測ろうとしていたことは明らかだった。さして驚かなかった。面接前の調査票には、ずばりＳＡＴ（大学進学適性試験）の点数を尋ねる質問があったし、こちらの思考力を問う質問がいくつも含まれていたからだ。驚いたのはふたりが、トレーディングに関してわたしが信じていることに興味を示したのと同じくらい、信じていないことにも興味を示した点だった。

面接中に、合格間違いなしと思えた瞬間をおぼえている。実に多くのトレーダーが、市場の動きをぴたりと当てる秘密の〝賢者の石〟の存在を信じているという話を聞いて、わたしはまさかと思った。小麦や金《ゴールド》のような複雑な事象には、あまりに多くの変数が働いていて、予測することなどとうてい無理だし、〝賢者の石〟を探すトレーダーは、がっかりするのが落ちだろう。

わたしはたとえ話に、かつてジョージから聞いたガラスのディスクの話をした。ディスクには曲線、直線がたくさん書き込まれていて、それを価格チャートにあてがうと、あら不思議、まるで市場が何か秘密の理法に反応したかのように、チャートのてっぺんと底がディスク上の線とぴったり重なるのだ。この話は、リッチとビルを喜ばせたようで、その瞬間、わたしは思った。

「よし、タートルの座をつかんだぞ」

わたしは正しかった――2、3の点では。タートルの座は手に入れたし、リッチとビルは候補者の知性と適性をテストしていた。ふたりは、儲かるトレーダーに必須と思われる特性を共有する人材を、研修生として集めたかった。また、のちに〝タートルズ〟の名で知られるようになる集団の多様性を、故意に高めて実験することで、優秀な科学者ぶりを発揮した。タートル第1期生には、たとえば次のようなメンバーがいた。

●ギャンブルとゲーム全般に、並々ならぬ興味を持つ人物。この人物はたまたま、1980年代初めに爆発的に流行したロール・プレイング・ゲーム「ダンジョンズ&ドラゴンズ」の手引書『ダンジョン・マスターズ・マニュアル』の編集者でもあった。

- シカゴ大学の言語学博士号をもつ人物。
- 米国最大手の穀物企業、カーギル社のトレーダー。学生時代にはマサチューセッツ州のチェス・チャンピオンの座に輝いた人物。
- トレーディング経験のある人物が数名。
- 会計士。
- ブラックジャックとバックギャモンのプロ・ギャンブラー。

こうした人物の多くは、わたしがこれまでに会った中で最高に頭の切れるグループに属する。リッチとビルは間違いなく、高い知性の持ち主だけを選抜していた。とりわけ、数学的能力と分析力が重視された。リッチはのちにインタビューで、応募者が殺到し、選り好みする贅沢がゆるされたので、〝第一級の知力〟を持つ人物だけを選んだと答えた。この特徴は、タートルの全員とはいわないが、多くに当てはまった。

ところがわたしは、知力は必ずしも最終的な成功や失敗に関係するとは考えていない。もうひとつ、タートルに共通して見られる特徴は、ゲーム理論とゲーム戦略の知識があること、および偶然が支配するゲームに大きく関わる確率論に造詣《ぞうけい》が深いことだ。なぜふたりが、これらの知識が成功に関係すると考えたのかは、すぐにはっきりする。

面接から2、3週間して、リッチから訓練プログラムへの合格を知らせる電話があった。電話口のわたしは、あまりうれしそうではなかったようだ。のちにリッチから、合格の知らせに喜びを爆発させなかった研修生はわたしひとりだったと言われた。クラスが始まっても、わたしは現われないのではないかと、リッチは思ったらしい。

リッチの話では、年末の2週間を講習プログラムにあて、そのあと、小額の口座でトレーディングの実習を始める。この、小額口座での最初のテスト期間に実績をあげれば、タートルひとりひとりに100万ドルの口座を任せるということだった。

リッチがわずか2週間でトレーダー集団を育成できると考えたことに、びっくりするかたも多いだろう。今のわたしは、リッチがそんなに長くかかると考えたことのほうに、驚きをおぼえる。事実、2年目に新しくタートルを募集したリッチとビルは、今度は講習プログラムを、わずか1週間で終えた。トレーディングのむずかしさは、その概念にはなく、それを応用する部分にある。取引で何をどうすべきかを学ぶのは比較的簡単だ。学んだことを実際の取引に生かすのが、とてもむずかしい。

1カ月のトレーディング実習期間の最後には、リッチによる成績評価が待っていた。タートルの中には100万ドル満額の口座を任された者もいれば、もっと小額の口座をあたえられた者もおり、もともとの口座の残高で取引するよう申し渡された者もいた。わたしはリッチから、200万ドルの口座を任された。以来、タートル・プログラムが終了するまで、わたしはリッチの最高額の口座で取引をした。

本書では、なぜリッチがたった1カ月で、わたしたちタートルの相対的能力を見きわめ、自分が探していたものを見つけたのか、なぜリッチが、ほかのタートルたちよりはるかに大きな口座をわたしに用意してくれたのか、その理由のいくつかでも解明できたらと思う。リッチが早い時期にわたしの中に認め、最終的にはほかのタートルの多くにも見つけた能力――わたしはそれを、〝タートル流トレーディング法〟と呼ぶ。

〝タートル流トレーディング法〟の特質を掘り下げる前に、トレード一般について論じながら、さまざまな問題を整理していく。それから、タートルがなぜ大金を稼ぎ出したのか、有能なトレーダーはなぜ儲かるのか、という問題を心理面から探る。第1章、第2章は第3章への基礎となっている。3章ではまずタートルの物語から始め、その後〝タートル流〟の詳細について紹介していくことにする。

ONE

RISK JUNKIES

リスク中毒

ハイリスク・ハイリターン。このゲームに勝つには鋼《はがね》の肝っ玉が要《い》る。

――タートル養成プログラムを開始する前に、友人に語って

トレーダーと呼ばれる人種は、投資家とどこがどう違うのだろうか。この両者の境目がしばしばあいまいになるのは、投資家を自称する人の多くが、実際にはトレーダーのような行動をとるからだ。

投資家とは、数年ないし数十年の長期的な視野に立って、自分の投資が価値を生むという見込みのもと、〝もの〟を買って長く保有する人のことだ。

投資家は〝もの〟を、つまり現物を買う。ウォーレン・バフェットは投資家だ。彼は企業を買う。株を買うわけではない。株が象徴するもの――経営陣や製品、市場シェアをひっくるめた企業そのも

のを買うのだ。株式市場が、買った企業の〝正当な〟値段を反映していなくても気にしない。逆に、それを自分の儲けに結びつける。買おうとしている企業が、株式市場のつけた値段よりはるかに価値が高いと見ればその企業を買い、株式市場のつけた値段よりはるかに価値が低いと見れば売却する。お得意のこの方法で、バフェットは巨万の富を築いた。

トレーダーは、企業のような物理的な〝もの〟は買わない。穀物や金、銀は買わない。株式を買い、先物を買い、オプションを買う。経営陣の資質や、極寒の米国北東部における石油消費量の見込みや、世界のコーヒー産出量などは、あまり気にかけない。トレーダーが気にするのは市場価格だ。突き詰めると、**トレーダーはリスクを売買する**。

ピーター・バーンスタインは、示唆に富む好著『リスク――神々への反逆』の中で、市場の発展によって、ひとつの利益集団から別の利益集団へのリスクの受け渡しが可能になったと論じている。それがまさに、金融市場が誕生した理由であり、今なお市場が担《にな》いつづける役目でもある。

今日の金融市場では、企業は通貨を先渡《さきわたし》、または先物契約で買って、原料供給国の為替相場の変動からビジネスを守ることができる。また、原油や銅、アルミニウムなどの原材料を先渡、先物契約で買って、将来の価格上昇に備えることができる。

原料、または外国為替相場の価格変動が生むリスクを、先物契約を売買して相殺《そうさい》する手法を**「ヘッジ」**と呼ぶ。適切なヘッジは、原油などの原料費に敏感な企業に、莫大な差額効果をもたらす。たとえば航空産業は、原油価格と高い相関性を持つ航空燃料費に非常に敏感だ。原油価格が上がると、航空運賃を値上げしないかぎり収益が下がる。運賃を値上げすると航空券の売り上げが落ち、収益も下がりかねない。ところが運賃を据え置くと、今度は原油の値上がりがコストを押し上げ、収益が下がる。

これを解決するのが、原油市場でのヘッジだ。何年もこの手法を使ってきたサウスウエスト航空は、原油価格が１バレル25ドルから60ドル以上に値上がりした際に、たいしてコストを増やさずにすんだ。巧みなヘッジ戦略のおかげで、原油価格が上がり始めてから何年もあとまで、燃料の85パーセントを１バレル26ドルで買うことができたのだ。

サウスウエスト航空がこの数年間、アメリカで最も収益の高い航空会社のひとつでいられたのは、偶然のたまものではない。その経営陣は航空会社の本業を、原油価格の上げ下げにやきもきすることではなく、ある場所から別のある場所に人を飛行機で運ぶことだと心得ていた。そこで金融市場を利用して、原油価格が変動しても純利益がそこなわれないようにしたのだ。賢明な戦略だった。

ビジネス上のリスクを回避《ヘッジ》したいサウスウエストのような企業に、誰が先物契約を売るのか？ そう、トレーダーだ。

トレーダーはリスクを取引する

トレーダーはリスクを扱う。リスクには多くのタイプがあり、それぞれのタイプに対応するトレーダーがいる。ここでは本書の趣旨に従って、リスクを大きくふたつのグループに分けることにする。流動性リスクと価格リスクだ。

多くのトレーダー――おそらく大半――が、**流動性リスク**と呼ばれるリスクをごく短期で売買する。流動性リスクとは、トレーダーが売ることも買うこともできなくなるリスクである。つまり、売りたいときに買い手がなく、買いたいときに売り手がいないリスクを指す。流動性と聞いてぴんと来なくても、流動資産という会計用語なら耳にしたかたも多いだろう。流動資産とは、即座に現金化できる資産をさす。銀行預金はその最たるもので、株式の中でも優良銘柄は比較的流動性が高く、不動産は非流動資産だ。

たとえば、XYZ社の株を買うつもりだとする。そして、その直近の株価が28ドル50セントだったとする。XYZ社の建値を見ると、**ビッド（買い呼値《よびね》）**と**アスク（売り呼値《よびね》）**があり、ビッドが28ドル50セント、アスクが28ドル55セントだとわかった。これはつまり、XYZ株を買うなら1株28ドル55セント払わねばならないが、売る場合は28ドル50セントにしかならないことを意味する。このふたつの価格の差が**値鞘《ねざや》（スプレッド）**だ。流動性リスクを扱うトレーダーはこの値鞘で稼ぐので、よく**鞘取《さやと》り人（スカルパー）**、あるいはマーケットメーカーと呼ばれる。

この種の取引の一変種に、**裁定取引（アービトラージ）**がある。アービトラージには、ある市場の流動性を別の市場の流動性と取引することが含まれる。アービトラージをするトレーダーは、ロンドンで原油を買ってニューヨークで売ることがある。あるいは複数の株式を**一括（バスケット）**で買い、それとよく似た株式のバスケットの指標である株価指数先物を売ることがある。

価格リスクとは、価格が上か下に大きく変動する可能性をいう。農家の人は、原油価格の上昇を気にする。というのも、原油が上がれば、肥料の値段とトラクターの燃料費が上がるからだ。また、作物（小麦、トウモロコシ、大豆など）の価格が下落して、収穫物を売っても利益が出なくなることを心配する。航空会社の経営陣が気にするのは、原油価格が上がって金利が上がり、飛行機に関わる金融費用がかさむことだ。

価格リスクの回避《ヘッジ》を重視するヘッジャーは、価格リスクを扱うトレーダーにリスクを移転する。価格リスクに飛び乗るこの種のトレーダーを、**投機家（スペキュレーター）**、または**ポジション・トレーダー**と呼ぶ。スペキュレーターは、まず買って値が上がったところで売るか、まず売って値が下がったところで買い戻す**空売り**の手法で金を儲ける。

トレーダー、投機家《スペキュレーター》、鞘取り人《スカルパー》――ああ、ややこしい

市場は、相互に売り買いする複数のトレーダー集団から成る。そこには、買い呼値と売り呼値のささやかな値鞘を繰り返し取って稼ぐ短期スカルパーの集団があれば、価格変動で利益を得るスペキュレーターの集団があり、さまざまなリスクをヘッジしようとする企業の集団がある。それぞれの集団には、なすべきことを心得た海千山千のトレーダーと駆け出しトレーダーがひしめき合っている。実

際の取引を例に取り、異なるトレーダー集団の持ちつ持たれつの関係を見てみよう。

ACME株式会社は英国の研究施設のコスト増というリスクを回避《ヘッジ》するために、シカゴ・マーカンタイル取引所（CME）で英ポンド先物契約を10枚《コントラクト》購入しようとしている。研究施設のコストを英ポンドで支払うACME社は、ポンドの値上がり相場を迎えてリスクを抱えていた。英ポンドの対ドル為替レートが上昇すると、研究施設のコストが上がる。これを、英ポンド先物を10枚購入してヘッジしておけば、為替レートが変動して対ドル英ポンドが上がっても、それによって生じたコスト増は先に購入した先物契約の利益が相殺するので、ACME社は為替変動の影響を受けずにすむ。ACME社は、鞘取りが専門のシカゴ取引所のフロアトレーダー、サムと、1英ポンドを1・8452ドルで買う契約を結んだ。

実際の取引は、ACME社のブローカーでシカゴ取引所のトレーディング・フロアに社員を置くMANファイナンシャル社が行なう。MAN社の社員には、フロアを囲むデスクで電話にはりつく者と、英ポンドのトレーディング・ピットでMAN社の代理人としてトレードを行なう者がいる。注文を受けた電話番は、〝伝達係（ランナー）〟を使ってピットのトレーダーに注文を伝え、このトレーダーが直接サムと取引を行なう。大口注文が入ったときや市場の値動きが活発なとき、ピットのトレーダーは電話番からの売買注文を手ぶりで受けることもある。

先物契約は、**契約仕様書**と呼ばれる文書にもとづいて行なう取引だ。契約仕様書には品物の数量や種類、場合によっては商品の品質まで定められている。かつて先物契約1枚の**サイズ（規模）**は、貨車1台に積める商品の重量と定められていた。穀物なら5000ブッシェル、砂糖なら11万2000ポンド、原油なら1バレルという具合。契約をときに英語でカー（訳注：car 貨車のこと）と呼ぶのは、このためだ。

取引は1枚を単位に行なわれ、それ以下では売ることも買うこともできない。契約仕様書には変動価格の最小単位も定められていて、これを業界で**きざみ値（ティック）**と呼ぶ。

シカゴ・マーカンタイル取引所では、英ポンド先物契約1枚を6万2500英ポンド、ティックを100分の1セント、すなわち0・0001ドルと定めている。つまり1ティックの値動きは6ドル25セントに相当する。サムが売るのは10枚なので、彼はスプレッドの範囲内で1ティックごとに62ドル50セント稼ぐことになる。サムがACME社に先物契約を10枚売った時点では、買い呼値が1・8450ドル、売り呼値が1・8452ドルで、スプレッドは2ティックだった。

サムは売ったその場で売買を転じ、買い呼値1・8450ドルで10枚の買いに入る。運よくその値で買うことができれば、それは2ティック、すなわち100ドルを超える儲けがあることを意味する。サムは先物10枚を大口スペキュレーター、アイス氏から購入する。アイス氏は相場が下がることを見込んでいて、相場が下がったら**持ち高（ポジション）**を増やすつもりでいる。これを**売り持ち（ショート・ポジション）**という。アイス氏は取引したあとの市場の動きによって、手持ちの契約を10日でも10カ月でも保有することができる。

というわけで、この取引にからむトレーダーには次の3つのタイプがある。

●ヘッジャー……ACME株式会社ヘッジ部門のトレーダー。為替レートの変動による価格リスクを、ヘッジ取引によって市場で相殺しようとする。
●スカルパー……フロアトレーダーのサム。流動性リスクを専門に扱う。ヘッジャーとすばやく取引を繰り返し、値鞘を稼ぐ。
●スペキュレーター……アイス氏。ACME社が解消しようとしている価格リスクを最終的に引き受ける人物。この取引では、数日から数週間のうちに価格が下落するともくろんでいる。

ピットのパニック

視点を少し変えて、値動きのからくりを見ることにしよう。サムが英ポンド先物契約10枚の〝売り持ち（ショート・ポジション）〟を買い戻して、手じまいしようとした矢先に、1・8452ドルの売り呼値でカリヨン・ファイナンシャル社のブローカーが買いに入ったとする。このブローカーが大量の買い注文を入れるので、フロアトレーダーはこぞって神経をとがらせ始める。

フロアトレーダーの中には**買い持ち（ロング・ポジション）**の者もいるが、たいていはすでに、10枚、20枚、場合によっては100枚もの売り持ち（ショート・ポジション）を取っている。これはつまり、価格が上がれば損をするということだ。カリヨン社には大勢の大規模スペキュレーターとヘッジファンドが顧客についており、そのためカリヨン社の買い動向は、他のトレーダーたちの不安材料になる。

　フロアのスカルパーたちが口々に尋ねる。

「カリヨンはあと何枚、買いに入るつもりだ?」

「この注文の裏には、誰がいる?」

「こいつは序の口で、これからもっと大口の注文が入るのか?」

　あなたがフロアトレーダーで、すでに先物を20枚空売りしているとすれば神経をとがらせるのも無理はない。カリヨン社が買おうとしているのが、500枚か1000枚だとする。この動きは、価格を1・8460か1・8470ドルに押し上げる可能性がある。あなたは1・8452ドルでは、これ以上1枚も売るつもりはない。できれば何枚かは、1・8453か8455で売りたいところだ。だが、1・8452ドルで買い戻して、取引を手じまう頃合いとも考えられる。あるいは、もともと買いどきと見ていた1・8450はあきらめて、損を覚悟で1・8453か54で買い戻すべきかもしれない。

　こういうケースでは呼値スプレッドが拡大して、買い1・8450、売り1・8455になる可能性がある。あるいは、1・8452ドルで空売りしていたスカルパーが、同額で売り持ちを解消し始めて、買い呼値と売り呼値の双方を押し上げ、買い呼値が1・8452ドル、売り呼値が1・8455ドルになる可能性もある。

　何が変わったのか? 価格はなぜ上昇したのか? 値動きは、市場の売り手と買い手が集団としてその市場をどう見ているかを示す関数だ。つまり、1日単位で数ティックの値鞘を何十回と取って稼ぐ者と、1日のうちの小さな値動きを見て売買する者、数週間から数カ月のあいだの大きな値動きを見て売買する者、そして事業リスクをヘッジしようとする者、それぞれの立場の当事者の集合的な思惑の表われだといえる。

その集合的な思惑が変わると、値動きが起こる。たとえば、なんらかの理由で売り手が時価で売るのをいやがり、もっと高くしか売らなくなったとしても、買い手にそれを払うつもりがあるなら価格は上昇する。また、なんらかの理由で買い手が時価で買うのをいやがり、もっと安くしか買わなくなったとしても、その価格で売り手さえいれば価格は下がる。

集合的な思惑は、まるで独立した生命体のような動きを示すことがある。もし、相当数のフロアトレーダーが売り持ちでいるときに、ふいに大口の買い注文が入ったりすると、パニックが起こりかねない。大口注文は価格を押し上げ、それが他の市場からのさらなる買い注文を誘って、価格をいっそう吊り上げる。このため経験豊富なスカルパーは、価格が上がり始めたと見るやさっさと売り持ちを手じまいして、今度は買いからの鞘取りに入る。

このケースを例に取れば、動きに乗り遅れたトレーダーは、ふと気づくと、契約1枚につき10、20、あるいは50ティックの損をしているかもしれない。もし50ティックの損を出した契約を50枚抱えていたら、損失の総額は1万5625ドル（50×50×6・25ドル）にのぼる。

これは、そのトレーダーが過去1週間、あるいは1カ月に稼いだ額より大きいかもしれない。目の前でそれだけ多額の金が消えていくのを見守るしかないフロアのスカルパーは、心理的苦痛に耐えきれなくなった時点でパニックにおちいり、時価での買いに飛びつきかねない。値動きの速い市場では、わずか1、2分のあいだにそういう事態になる。値動きの遅い市場でも、せいぜい10分か20分というところだろう。

熟練トレーダーは、早い時期に買いに入って売り持ちを手じまいするだけでなく、上がり相場でさらに稼ぐために契約を数枚買い増しする。経験の浅いトレーダーが大あわてで買い始めたら、そのときがまた熟練トレーダーのチャンスだ。彼らはふたたび売りに転じ、取ったばかりの買い持ちを手じまいして、さらにひと稼ぎする。

次章では、負けが見込まれる未熟なトレーダーと、勝ち経験の多い熟練トレーダーをへだてる見解と行動の違い、およびその違いを生み出す〝心理のゆがみ〟について掘り下げることにする。また、さまざまなタイプの取引スタイルと、それぞれのスタイルが得意とする市場の状態についても考察する。もっとあとの章では、リッチの訓練がいかに新米トレーダーを、わずか数週間で高い運用成績を誇るトレーダーに変身させたかを紹介する。

ピットの死

わたしたちがタートルとして取引していたころ、先物契約の売買は、もっぱら商品取引所のトレーディング・ピットで行なわれていた。そこは、トレーダーとトレーダーの戦いの場だった。取引を成立させようと、トレーダーたちが手ぶりと大声でわたり合う。そのようすは、部外者の目にはときに狂気の沙汰に映っただろう。

ピットは消滅しようとしている。あらゆる市場で、電子取引がピットに取って代わりつつある。電子取引の利点は数々あるが、まずコストが低く、取引がスピーディーなこと、分単位でなく1000分の1秒単位の売買が、トレーダーの裁量で選択できることが挙げられる。こうした利点が、先物を扱うピットの消滅を早めている。電子取引とピットでの取引が共存している市場はどこも、電子市場のほうに取引高が移行した。それどころか本書が絶版になるころには、先物契約をピットで扱う取引所は米国内に存在しなくなっているだろう。

電子取引が誕生する前からトレーディングに携わってきたわたしたちは、ピットの消滅に哀惜の念をおぼえる。シカゴ・マーカンタイル取引所には、貧しい境遇から身を起こし、ピットでの取引で財をなしたリチャード・デニスのようなトレーダーが大勢いる。腕におぼえのあるトレーダーにとって、ピットほど取引にうってつけの場所はない。ピットに立ってトレーダー仲間の顔を見わたせば、市場の心理が読み取れる。スクリーン上の数字からは、この種の情報は得られない。多くのトレーダーが、電話の列からピットに売買注文を伝えるランナーとして、キャリアをスタートさせた。そういう仕事は、今やなくなりつつある。

とはいえ、ピットを懐かしんでノスタルジーに浸ってばかりはいられない。新しい電子市場は、新しいチャンスをもたらしてくれた。売買注文にかかるコストが下がったおかげで、これまでより頻繁に取引を繰り返す戦略でトレードに参入するチャンスが増えた。電子市場の中には、取引高があまりに膨大なために、数百万ドルの先物契約を売買してもすぐには値動きに影響が出ないものもある。

本書でトレーダーといえば、ピットに立って取引をするトレーダーをさすと思ってほしい。もしかするとこれは、現在、多くの市場で行なわれている取引の実情とはかけ離れているかもしれない。しかし、ゲームの参加者とゲームの方法は、今も変わらない。電子取引だろうが、ブローカーとの電話取引だろうが、ピットでの立会い取引だろうが、トレードで損を出したときの痛みは同じだ。ヘッジャーもスカルパーもスペキュレーターも、役者はみんなそろっている。スクリーンの向こうで、隙あらばあなたを餌食《えじき》にしようと待ちかまえている。

two

TAMING THE TURTLE MIND

タートルの心をなだめる

人間の感情は、取引のチャンスが生まれる源《みなもと》であり、同時に人間の最大の敵でもある。
感情を支配すれば成功する。感情を無視すれば危機におちいる。

取引をうまく運ぶこつは、人の心を読むことだ。市場は人で構成され、人は誰もが希望を、恐怖を、弱みをかかえている。トレーダーは人間の感情からチャンスが生まれるのを、虎視眈々《こしたんたん》と待ちかまえていなければならない。

ありがたいことに明敏な学者たち——行動ファイナンスのパイオニアたち——によって、人は意思決定の際に感情に左右されやすいことが明らかになった。行動ファイナンスという学問分野が脚光を浴びるきっかけを作ったのは、ロバート・シラーのすぐれた著作『根拠なき熱狂』だった。その後、ハーシュ・シェフリンが名著『行動ファイナンスと投資の心理学』で、踏み込んだ考察を行なっている。この分野の研究のおかげで、トレーダーや投資家は市場の動く理由について理解を深めることができた。

いったい、何が価格を上下させるのだろう？（価格変動は、ほかのことでは我慢強い人を泣き言の亡者に変身させかねない）行動ファイナンスは、売買決定に影響をおよぼす認知的、心理的要因に着目することで、市場現象と相場動向を説明しようとするものだ。この研究により、人は不確実な状況で体系的にあやまちを犯すことがわかった。

大きなストレスを受けると、人はリスク評価を誤り、リスクの発生率を読み違える。金銭的な損得以上にストレスの大きいことが、この世にあるだろうか？　行動ファイナンスによれば、人は大きなストレスを受けると、めったに完璧で合理的な決断を下せなくなるという。成功するトレーダーは、人間のこうした傾向を踏まえ、そこから利益を得る。彼らは、他人の判断ミスがチャンスにつながることを知っている。そして有能なトレーダーは、そういうミスが市場の値動きにどう現われるかを理解している。タートルたちはそのことを心得ていた。

心を救え

長年にわたり、経済、金融理論は〝合理的行為者〟という仮説を土台に発展してきた。これは、人間は意思決定の際、合理的に行動し、手に入るあらゆる情報を精査するという前提だ。トレーダーにすれば、そういう前提はナンセンス以外の何ものでもない。勝つトレーダーは、ほかのトレーダーの一貫して不合理な行動パターンを読み、それを出し抜くことで金儲けをする。研究者たちは、いざとなるとほとんどの人が合理的な行動をとれないことを示す証拠を、山のように集めてきた。不合理な行動と繰り返される判断ミスを、何十というカテゴリーに分類し、記述した文献もある。トレーダーとしてはむしろ、人間は合理的な行動をとると考える人がいたら、大きな当惑をおぼえるだろう。

タートル流トレーディング法は、今もこれからもうまく機能する。というのは、このトレーディング法が基礎にする市場の動きは、**すべての人間が心に持ち、それゆえに繰り返し発現する体系的な不合理さ**から生まれるものだからだ。

トレーディングの際、あなたはどれくらいの頻度で次のような感情に襲われるだろう?

- **希望**……これを買ったら、すぐ上がり相場になりますように。
- **恐怖**……これ以上は損を出せない。ここはパスしよう。
- **貪欲**……たくさん稼ぐために持ち高(ポジション)を倍にしよう。
- **絶望**……このトレーディングシステムは機能していない。損ばかりしている。

タートル流トレーディング法では市場の動きを、人間の普遍的な特性から生まれた機会を示すものとしてとらえる。この章では、なぜ人の感情と不合理な思考が、金儲けのチャンスの前兆となる市場パターンを繰り返し生じさせるのかを、具体例を挙げて検証する。

人々がこれまで築きあげてきた処世観は、もっと単純な環境でなら有用だが、取引の場では障害となることがある。学者たちは人々の現実認識の曲折を、**認知のゆがみ**と呼んでいる。ここに、取引に影響をあたえる認知のゆがみをいくつか挙げよう。

- **損失回避**……利益を得るより損失を避けることを優先しようとする傾向。
- **埋没費用効果**……これから支払うことになる費用より、すでに支払ったか、支払うことが決まっている費用のほうを重視する傾向。
- **処理効果**……利益は早く確定し、損失はできるだけ長くしのごうとする傾向。
- **結果偏向**……ある決断の良し悪しを判定するのに、どんな時点でどんな決断を下したかではなく、決断がもたらした結果から判定しようとする傾向。
- **直近偏向**……過去のデータや経験より、最近のデータや経験に重きを置く傾向。
- **係留**《アンカリング》……簡単に手に入る情報に頼りすぎる傾向、あるいはそれに縛《アンカー》られる傾向。
- **バンドワゴン効果**……あるものごとを、大勢が受け入れているという理由で受け入れる傾向。
- **〝小数の法則〟信仰**……少なすぎる情報から、不適切な結論を導き出す傾向。

包括的とはいいがたいリストだが、ここに挙げた認知のゆがみの中には、そこから生じた誤解が取引と価格に大きな影響をおよぼすものが含まれている。ひとつずつ見ていこう。

損失回避が作用すると、人は儲けを得るより損失を出すまいとする心理が強くなる。ほとんどの人にとって、１００ドルを失うことと１００ドルを儲けないことは同じでない。しかし合理的な観点からすれば、どちらも総額１００ドルの負《マイナス》の交換であり、同じ意味になる。研究によると、損失を出したときの心理的影響力は、どうやら儲けが出たときの2倍になるらしい。

取引の上で損失回避は、トレーディングシステムに機械的に従おうとする心理を妨げる働きをする。というのも、システムに従ってこうむった損失は、そのシステムを使って得たはずの利益より大きく感じられるからだ。システムのルールに従っているのに損をしたときは、チャンスを見逃したりルールを無視したりして損をしたときよりも、受ける心の痛みが強い。つまり1万ドルの損失が、チャンスを見逃して儲けそこなった2万ドルに匹敵する心の痛みをもたらすのだ。

いっぽう、ビジネスで埋没費用というと、すでに発生していて回収できない費用をさす。たとえば、新技術の開発にかけた費用がそれにあたる。**埋没費用効果**とは、すでに支払った費用——埋没費用——に意思決定を左右される傾向をいう。

たとえばＡＣＭＥ社が、ノートパソコンのディスプレー製造用特殊技術を開発するのに1億ドルかけたとしよう。さて、資金をそれだけ投入したあとで、別の技術のほうが優れていて、要求時間内に望ましい結果を出すことが判明したとする。この場合、純粋に合理的な解決法は、新技術に乗り換えるのにかかる費用と、すでに開発済みの技術を採用しつづける場合にかかる費用を天秤にかけ、すでに投入した費用は完全に度外視して、今後得られる利益と経費だけを基準に判断することだ。

しかし、意思決定に埋没費用効果が作用すると、先に投入した資金のほうに意識が向かい、代替技術に乗り換えたら1億ドルがむだになると考えてしまう。そして、ノートパソコンのディスプレー製造にこの先2倍から3倍の費用がかかることになっても、元の決断をくつがえさない選択肢を選びがちだ。埋没費用効果は意思決定を誤らせる傾向があり、その傾向はしばしば、集団での意思決定の場で強くなる。

この現象は取引にどう影響するか？ 2000ドルの儲けを期待して取引を始めた、典型的な新米トレーダーがいるとしよう。このトレーダーは取引に参入するにあたり、価格が下落して1000ドルの損失を出したら持ち高を解消すると決めた。数日後、持ち高は500ドルの損失となった。さらにその数日後、損失は1000ドルを超えた。取引口座の1割以上にあたる額だ。口座の価値は1万ドルから下がって9000ドルを割り込んだ。これはこのトレーダーが、持ち高を解消するとあらかじめ決めていた額でもある。

1000ドルの損失を出した時点で取引を降りるという当初の決意を守るべきか、守らずに持ち高を維持すべきか。二者択一を迫られたトレーダーに、認知のゆがみはどう作用するだろう。

損失回避が作用すると、このトレーダーは持ち高を解消しづらくなる。なぜなら、持ち高の解消は損失の確定にほかならないからだ。取引を降りないかぎり、いつか市場が活況を取り戻し、損失が利益に転じるという希望を持ち続けることができる。

埋没費用効果の作用を受けると、トレーダーは、今後市場がどう動くかではなく、すでに取引で支払った1000ドルをむだにしないためはどうすべきかという観点から決断を下すようになる。つまりこの新米トレーダーは、市場が今後どう動くかではなく、損失を確定して1000ドルをむだにしたくないという思いから持ち高を維持することになる。価格がさらに下がって損失が2000ドルに膨らんだら、このトレーダーはどうするつもりだろうか。

合理的思考に従うなら、取引を降りるべきだ。初めのころの思惑がどうであれ、もともと取引を降りると決めた価格をさらに下回ったということは、その思惑の誤りを市場から告げられたようなものだ。あいにくこの時点で、損失回避と埋没費用効果はどちらもこれまで以上に強くなっている。避けたかった損失は今や膨れ上がり、考えるのもつらい。多くのトレーダーはそのままずるずると取引を続け、有り金をそっくり失うか、口座の30パーセントから50パーセント、つまり最初の計画のおそらく3倍から5倍の損失を出し、パニックにおちいってようやく取引を降りる。

世間がインターネット熱に沸いていたころ、わたしはシリコンバレーで働いていて、友人にはエンジニアやハイテク企業のマーケティング担当者が大勢いた。そのなかには、株式を公開したばかりの企業のストック・オプションを、数百万ドルも保有している者が数人いた。1999年後半から20

00年にかけて、オプションの価格は連日上昇した。下落は2000年に始まり、わたしは友人たちに、いつになったらオプションを売るつもりかと尋ねた。多少の違いはあったものの、返事はおおむね次のようなものだった。

「株価がXドルに回復したら売ることにするよ」

この回復額Xドルというのは、わたしが尋ねた時点の市場水準をはるかに上回る額だった。オプションを保有する友人のほとんど全員が、株価が以前の10分の1、あるいは100分の1に下がっても、売らずにただ眺めているだけだった。株価が下がれば下がるほど、待つことを正当化しやすくなった。「まあ、すでに200万ドルも損しているわけだから、あと数十万ドル損をしたところで、どうってことはない」

これが彼らの決まり文句だった。

処理効果とは、上がり相場にある株を売り、価格の下落した株は保有したくなる投資家心理をさす。これを埋没費用効果と結びつけて考える者もいる。過去の決断がよい結果をもたらさなかった場合、人間にはその現実を直視したがらない心理があることを示すからだ。同様に、勝ちトレードをすぐ確定したがる傾向は、儲けを失うのを避けたいという心理から来る。この傾向を持つトレーダーは、勝ちトレードから降りる時期を早まって潜在的利益をふいにしてしまい、大きな損失の埋め合わせができないことになる。

結果偏向とは、ある決断の良し悪しを判定するのに、どの時点でどういう決断を下したかではなく、それがもたらす結果によって判定する傾向をいう。人生は不確かなものだ。たとえ合理的で正しい決断を下しても、思いもかけないことに巻き込まれて望む結果を得られないことがある。

結果偏向によって人は、決断そのものの良し悪しより、実際に起こったことのほうを重視するようになる。取引の場では、たとえアプローチのしかたが正しくても負けトレードになることがある。それも、立て続けに何度もだ。そうなるとトレーダーは自信を失い、意思決定プロセスに問題があるのではないかと疑い始める。そして、結果が思わしくないからという理由で、使っていたアプローチ法を否定するようになる。この問題をとりわけ深刻にするのが、次に挙げる認知のゆがみだ。

直近偏向とは、より新しいデータと経験に重きを置く傾向をいう。きのうの取引は先週の、あるいは去年の取引より重視される。2カ月続いた負けトレードは、その前に6カ月続いた勝ちトレードと同等か、それ以上の重みがあると見なされる。つまりたいていのトレーダーは、最近行なった一連の取引の結果を見て、自分の手法や意思決定プロセスに疑念を抱くようになる。

係留（アンカリング）とは、不確実さが支配する意思決定の場面で、容易に手に入る情報に頼りすぎる傾向をいう。人は最近の価格を意識に刻みつけ（係留）、現在の価格がその価格とどういう関係にあるかを基準に、意思決定を行なう。わたしの友人たちがストック・オプションを売り渋ったのは、ひとつにはこれが理由だった。最近の高値を意識に刻みつけ、現在の価格をそれと比較していたのだ。そんな比べかたをすれば、現在価格はいつだって低すぎる。

人はしばしば、大勢が支持するからという理由で、あるものごとを支持するようになる。これを**バ**

ンドワゴン効果、あるいは群れ効果と呼ぶ。バブルの最後に訪れる青天井の価格上昇は、バンドワゴン効果が一因のこともある。

小数の法則の魔術にかかると、ある集団から取り出した小量のサンプルには、その母集団の特性がそっくり現われているように思わされてしまう。小数の法則とは、統計学でいう〝大数の法則〟をもじったもので、これは、大量のサンプルにはそれが取り出された母集団の特性がそっくり現われるという法則だ。世論調査はすべて、この考えをもとに行なわれる。ランダムに抽出された500人は、2億人かそれ以上の母集団の動向を探るよいバロメーターになる。

これとは対照的に、あまりに少ないサンプルには、元になる母集団の特性があまり反映されない。たとえばある取引戦略が、6回のテストのうち4回成功したとする。たいていの人はこれを有効な戦略と見るが、統計学的証拠に照らし合わせると、確信のある結論を引き出すには情報量が充分でないということになる。3年連続で市場平均指数を上回る業績をあげたファンド・マネジャーは英雄視されるが、あいにく2、3年間の業績では、長期的な期待値がどの程度かはほとんど予測がつかない。〝小数の法則〟の影響を受けると人間は、安易に過大な信頼を寄せたり、そっくりそれを失ったりする。ここに直近偏向と結果偏向が加わると、せっかくトレーダーが有効なアプローチ法をとっていても、そのアプローチ法が機能し始める前にそれを放りだしかねない。

認知のゆがみはトレーダーに、計り知れない影響をおよぼす。認知のゆがみに惑わされなければ、ほぼすべての〝ゆがみ〟が金儲けのチャンスにつながるからだ。以下の章では、タートル流トレーデイング法の特質を個別に紹介しながら、これらのゆがみを避けることで、取引をどれほど優位に運べるかを明らかにしていく。

タートル流トレーディング法

トレーダーの心構えについて論じたあとは、実際に利益を出すためのいくつかの取引法に目を向けよう。取引の戦略とスタイルはさまざまで、そのひとつひとつにそれを支持するトレーダーがいる。それどころか、特定のスタイルにこだわるあまり、ほかのスタイルを軽視するトレーダーもいる。わたしにはそういうこだわりはない。うまくいくものは、うまくいく。ひとつの手法に固執して、ほかには目もくれないというのは馬鹿げている。ここでは、現在、トレーダーたちのあいだで人気の高い取引スタイルをいくつか紹介していく。まず、**トレンドフォロー（順張り）**と呼ばれるアプローチ法について述べよう。

トレンドフォロー

トレンドフォローでは、トレーダーは数カ月のあいだに起こる大きな値動きを利用しようとする。トレンドフォロー派は、市場が過去の最高値、あるいは最安値をつけたときに市場に参入し、その価格に反発する方向への値動きが数週間続いたときに退出する。

トレーダーは、トレンドの始まりと終わりを正確に見きわめる手法を開発することに、多くの時間を割く。しかし、効果的なアプローチ法は、どれも似たようなパフォーマンス特性を持つ。トレンドフォローは、先物契約取引においてずっと変わることなく、大きなリターンを生んできた。が、いくつかの理由から、誰にでも気軽に利用できる戦略とは言いがたい。

第1の理由は、大きなトレンドなどめったに起こらないことだ。このためトレンドフォロー戦略では普通、勝ちトレードより負けトレードになる確率のほうが高い。典型的なトレンドフォロー・システムでは、65～70パーセントが負けトレードになると見てよい。

第2の理由は、トレンドフォロー・システムでは、トレンドがないときばかりか、トレンドが逆転したときにも損失が出ることだ。タートルやほかのトレンドフォロー派がよく言うのは、「トレンドは友《フレンド》だち、ただしお辞儀《ベンド》されたらおしまい《ジ・エンド》」だ。トレンドの最後《エンド》に訪れるお辞儀《ベンド》（急下降）は、損失の面でも心理の面でも大打撃だ。トレーダーはその後の損失期間を**ドローダウン**と呼ぶ。ドローダウンは通常、トレンド期間が終わってから始まるが、方向感のない市場が何カ月も続くことがある。トレンドフォロー戦略をとっていると、そのあいだは負けトレードが続く。

一般にドローダウンの大きさは、それが続いた期間（日数、あるいは月数）と下落幅（普通はパーセント表記）のふたつの数値で示される。原則としてトレンドフォロー・システムでは、ドローダウンはリターン水準に近づくこともあると想定しておくべきだ。つまり年間30パーセントのリターンが望まれるトレンドフォロー・システムでは、いずれピーク時の口座額の30パーセントが消える損失期間が来ると覚悟したほうがいい。

第3の理由は、トレンドフォローでの取引で、リスクの上限を適切な水準に設定しても、資金がかなり必要になること。というのも、取引への参入価格と、取引がうまくいかなかった場合に退出する損切り価格との値幅が大きいからだ。

乏しい資金でトレンドフォロー戦略を使うと、破産の確率が高くなる。この問題については、第8章「リスクと資金管理」で詳しく掘り下げることにする。

カウンタートレンド（逆張り）

カウンタートレンドとは、市場がトレンドを形成していないときに、トレンドフォローとは逆の戦略を使って儲ける取引スタイルをいう。カウンタートレンド戦略を使うトレーダーは、市場が新高値をつけたときに買うのではなく、新高値付近で空売りをする。というのは、新高値はトレンドを形成しないだましのブレイクアウトであることが多いからだ。第6章では、カウンタートレンド派の金脈である市場メカニズム、支持線と抵抗線について見ていく。

スイングトレード

スイングトレードは、本質的にはトレンドフォローと同じだ。違うのは、ターゲットにする市場の動きが短期である点。たとえば、スイングトレードに適しているのは数カ月ではなく、せいぜい3日か4日というところだ。スイングトレーダーは、上下どちらか一方向への大幅な短期的価格変動を予想させるパターンを、値動きの中に読み取ろうとする。

スイングトレーダーは、5分、15分、あるいは1時間ごとの値動きを価格バーで表わした、ごく短期のチャートを好んで使用する。そういうチャートでは、3日間、あるいは4日間の大きな値動きは、日足チャートの3カ月から6カ月の値動きに相当する。

デイトレード

デイトレードとは取引スタイルではなく、きわめて短期間に行なう取引全般をいう。デイトレーダーは狭義には、毎日、市場が引ける前に取引を手じまうトレーダーをさす。このため、夜のうちに事件が起こって値動きが大きく反転しても、デイトレーダーには影響がない。彼らは通常、売り持ち・買い持ち（ポジション・トレード）か鞘《さや》取り（スカルピング）、あるいはアービトラージという3つの取引スタイルのいずれかを用いる。

スカルピングは、かつては取引所のフロアに立つトレーダーだけが使った特殊な取引スタイルだ。スカルパーは、ビッド（買い呼値）とアスク（売り呼値）の値開き、すなわちスプレッドで稼ごうとする。金《ゴールド》のビッドが550ドル、アスクが551ドルだとすると、スカルパーは550ドルで買って551ドルで売ろうとする。売買注文のバランスを保とうとして売り注文と買い注文を同時に出すので、スカルパーは市場に流動性をもたらす。

またアービトラージは同一商品、あるいはよく似た商品の価格差を利用する取引形態だ。異なる取引所で扱われる同じ商品の価格差を利用することも多い。たとえば、アービトラージのトレーダーは、価格ギャップで稼ぐためにCOMEX先物取引所のフロアで金《ゴールド》を550ドルで買い、CBOT（シカゴ商品取引所）のGLOBEX（グローバル・エレクトロニック・エクスチェンジ）で555ドルのe－ミニゴールド5枚を売る。

市場の状態を観察する

以上の戦略は、うまく機能するときがそれぞれ異なる。ある戦略は市場がある特定の値動きを示したとき、別の戦略は市場がある特定の状態にあるとき、という具合だ。

図1に示すように、投機市場には次の4つの状態がある。

●全体に安定し変動小……価格は比較的小さな変動幅にとどまり、それを超えても上下ともにわずかな状態。

●全体に安定し変動大……1日、あるいは週ごとに見れば大きな値動きがあるが、数カ月単位で見ると目立った変化のない状態。

●トレンドありで変動小……数カ月単位で見ると、一方向に向かうゆっくりとした値動きがあるが、

図1　市場の4つの状態

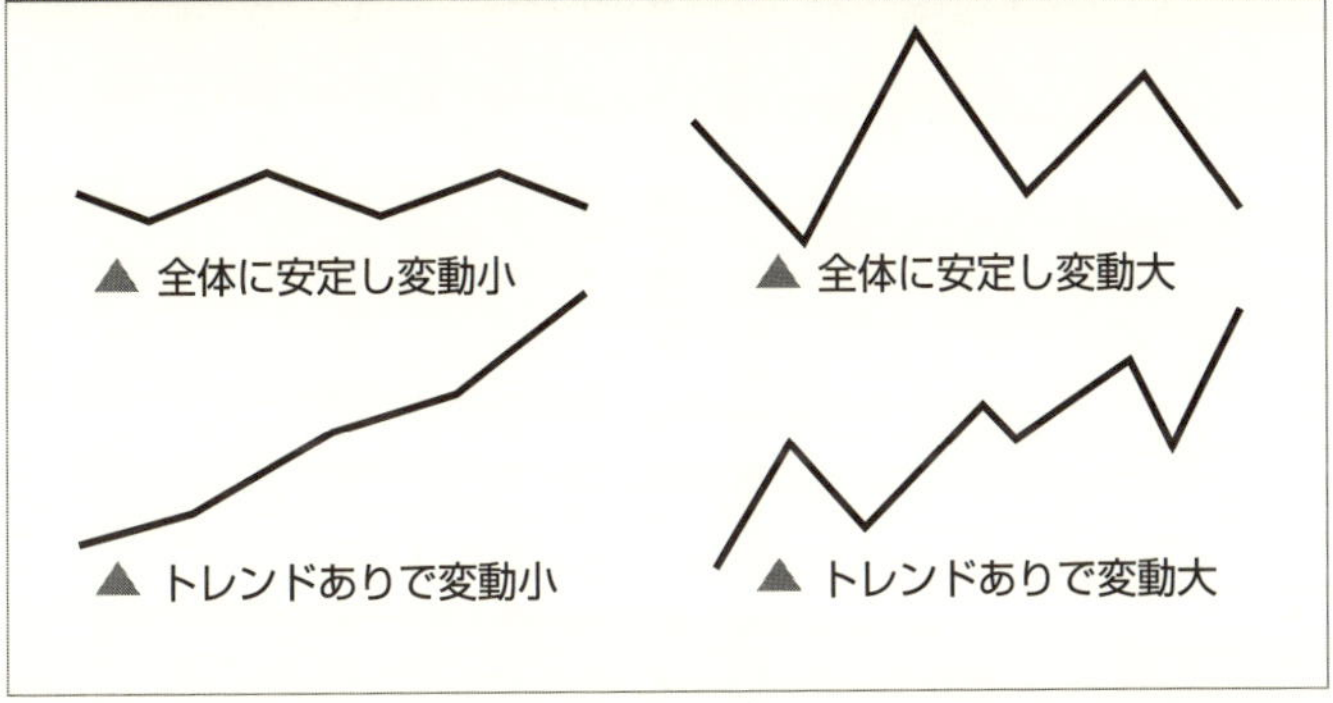

急激な戻し、つまり反対方向への値動きのない状態。

●トレンドありで変動大……一方向に向かう大きな値動きが見られると同時に、ときどき短期間の、逆方向への大幅な戻しが起こる状態。

トレンドフォロー派が好むのは、〝トレンドありで変動小〟の市場だ。こういう市場では、反対方向への大幅な値動きがないので儲けが出る。取引のあいだ、利益が市場に還元されてしまう恐れもなく、安心して取引を続けていられる。トレンドフォロー派にとってきびしいのは、変動の大きな市場だ。何日も、何週間も利益を食われ続けて、手じまいできずに取引を続けなくてはならないこともある。

カウンタートレンド派が好むのは、〝全体に安定し変動大〟の市場だ。このタイプの市場は、比較的大きな値動きがあるものの、かなり狭い価格帯におさまる。

スイングトレーダーは、トレンドがあろうがなかろうが変動の大きな市場を好む。短期の値動きで稼ぐスイングトレーダーにとって、変動の大きな市場にはそれだけ多くのチャンスが転がっていることになる。このタイプの値動きが特徴的に現われる市場を、〝変動大〟の市場と呼ぶ。

市場がこれら4つのうちのどの状態にあるのか、たやすく見分けられるときもあるが、トレンドの程度と変動性は時間とともに変化する。つまり、市場にはふたつの状態の特徴が同時に現われることが多い。ひとつの市場の特性がかすかに現われてしだいに顕著になることもあれば、その逆のこともある。たとえば、〝トレンドありで変動小〟で始まった市場が、トレンドが進むに連れて変動性が高まり、値動きも〝トレンドありで変動小〟から〝トレンドありで変動大〟に変化する。

タートルはけっして、市場の動向を予測することをしない。そのかわり、**市場がある特定の状態にあるという兆候を探す**。これは重要なコンセプトだ。よいトレーダーは、市場がどう動くか予測しないが、市場が**今どういう動きをしているか**を示す兆候に目を向ける。

three

THE FIRST $2 MILLION IS THE TOUGHEST

いちばんきついのは、最初の２００万ドルだ

優位性《エッジ》のある取引、リスク管理、首尾一貫性、シンプルさ。
タートル養成講座で教わった、トレードを成功に導く原則は、要約すればこの4つである。

タートル養成講座は、ＣＢＯＴ（シカゴ商品取引所）から東2ブロックのところにあるユニオン・リーグ・クラブの会議室で開かれた。そこでの経験は、のっけから矛盾に満ちていた。たとえば、ユニオン・リーグ・クラブにはドレスコードが定められていて、わたしたちは上着を着るよう指示されたが、それはリチャード・デニスの人柄とは相容れないものだった。リッチは、他人にドレスコードを課すようなタイプの人間ではなかった。

また、わたしたちがどういう経緯からあの部屋にたどり着いたかはいまだに謎だが、あれほどわた

したちの訓練にふさわしくない場所は、ほかになかっただろう。ユニオン・クラブ・リーグは、究極の紳士のためのクラブだ。初期のメンバーには、食肉加工業者として巨万の富を築いたフィリップ・ダンフォース・アーマーや、豪華な鉄道寝台車、プルマン式車両の設計者であるジョージ・プルマン、そして世界最大の農業機械メーカー、ディア社の創立者ジョン・ディアなど、シカゴの大立者が名を連ねている。葉巻の香りがしみついた部屋を想像すれば、1983年当時のユニオン・リーグ・クラブの様子がイメージできるだろう。C&Dコモディティーズの、なんの変哲もないオフィスとは雲泥の差があった。

わたしたちタートル養成講座第1期生は13人、うち11人が男性で女性はふたりだった。参加者の多くがトレーダーの経験者だったが、なかにはまったくの素人もいた。わたしは生徒の中で飛びぬけて若かった。20代半ばとおぼしきトレーダー研修生がふたりいたが、わたしの知るかぎり、ほとんどが30代だった。わたしはそのとき19歳だったが、ほかのタートルたちと対等にふるまった。年齢やトレーダーとしての経験の差に、わたしがおじけづくことはなかった。

講座で教わったことを紹介する前に、わたしの個性と考えかたが、リッチの授業で学んだことにどんな影響をあたえたかを理解してもらうため、わたし自身について少し書くことにしよう。わたしはあらゆる概念を単純化するのが好きで、ものごとの核心、つまり本質に迫るのが得意だ。講座の期間中、わたしは教わることをいちいちメモに取る必要がなかった。しっかり耳を傾けていれば、何がいちばん大事な概念——理論の要《かなめ》——なのかがわかったからだ。わたしはリッチの言葉に注意深く耳を傾け、なぜそれが語られるのかを考えた。取引を始めた最初の月にわたしが好成績をあげたのは、ひとえに、リッチの教えの中から最も大切なものを選り出す、この才能のおかげだと確信している。

講座、始まる

講座はリッチとビルの双方が受け持ち、わたしはふたりの革新的なものの見かたに、初日から圧倒された。彼らは科学的に、そして理性をもって市場にアプローチし、自分たちに成功をもたらした諸原理を深く理解していた。リッチもビルも勘には頼らなかった。勘のかわりに、実験と調査にもとづいた手法を使った。何がうまくいって何がうまくいかなかったかを決めるのに事例証拠は用いず、もっぱらコンピュータによる分析に頼った。そのとことん科学的な調査によってふたりは、ほかのトレーダーとは異なるタイプの自信を持って取引を考察できるようになり、それによって成功への扉が開かれたのだった（そもそもリッチが、〝初心者の集団でも鍛《きた》えれば優れたトレーダーになる〟というほうにぽんと大金を賭けたのは、この自信のなせるわざだった）。

リッチとビルにはまず、ゲーム理論と確率論の基本を教わった。ハイスクールで確率と統計を学んだわたしにとって、それは目新しい内容ではなかった。またわたしたちは、資金管理や破産の確率、期待値といった、ギャンブル理論で広く知られている概念の、数学的な原理も教わった。タートルの中にはプロのギャンブラーだった者も数名いて、彼らはそういう原理にすでに明るかった。それぞれの理論についてはのちの章で詳しく述べることにして、ここでは講座で学んだことを、簡単に振り返ることにする。

破産の確率

インターネットで〝破産の確率〟を検索すると、ギャンブルとブラックジャック関連のホームページがたくさん挙がってくる。それもそのはず、この概念は、トレーディングよりギャンブルの世界で一般的だからだ。しかし、ある市場で契約を何枚購入するか、あるいは、ある時点である株をどれくらい取引するかを決めるとき、破産の確率はトレーダーがまっ先に考慮すべき問題となる。

ギャンブルで破産の確率というと、負けが続いて有り金をそっくりすってしまう可能性をいう。たとえばサイコロを振って4、5、6のうちのいずれかの目が出たら、1ドルの賭け金に対し2ドルの払い戻しを受ける賭けをしたとする。オッズ（賭け率）がいいので、可能なかぎりたくさん賭けたくなるのが人情だろう。サイコロには6面あり、したがって4か5か6が出る確率は50パーセント、しかもこの3つの目には、賭け金の2倍の額が支払われる。計算上は、4回サイコロを振ると、2回負けて2回勝つ公算が大きい。4回の勝負で毎回100ドル賭けたとすると、2回勝って2回負け、正味200ドルの儲けが見込まれる。

手持ちの金が1000ドルしかないとすると、賭け金はいくらにするのがいいだろう。1000ドル？ 500ドル？ 100ドル？ 問題は、たとえ有利な賭けでもやはり負ける可能性があることだ。まったくの運次第のゲームでは、あまり賭け金を高くして立て続けに負けると、有り金をすべてなくし、賭けを続けられなくなる。500ドル賭けて2回立て続けに負けると、すってんてんだ。最初の2回の勝負で立て続けに負ける確率は25パーセント。つまり、賭け金500ドルだと、2回だけで破産する確率は25パーセントになる。

破産の確率でいちばん大事なのは、**賭け金の額を大きくすると、破産の確率が急に増大する**ことだ。一般的に、ひとつの取引でリスクにさらす額を倍にすると、破産の確率もぴったり2倍になるとは限らない。トレーディングシステムが持つ特性によっては、3倍、4倍、ときには5倍になることもある。

リスクコントロール術

資金管理とは、トレードをやっていれば必ず巡ってくる不運な期間を、取引を降りずにしのいでいける程度に、市場リスクの規模を抑えることをさす。具体的には、収益率を最大限に高める一方で、破産の確率を許容レベルにとどめる技術のことだ。

タートルの資金管理には、ふたつのアプローチ法がある。ひとつは、持ち高（ポジション）を複数の小さな単位に分散する方法だ。そうすることで負けトレードになっても、損失の発生はポジションの一部に限定される。リッチとビルは、分散したこの小さな単位を**ユニット**と呼んだ。

ふたつ目は、それぞれの市場に適したポジション・サイズを算出することで、タートルはこれに、リッチとビルが考案した革新的な手法を用いた。この手法は、金額ベースでの日々の市場の上下動を基準にしている。リッチとビルは各商品の値動きが金額ベースでほぼ同額になるようにそれぞれの契約枚数を決定した。ふたりはこの変動性尺度をNと名づけたが、今では、**ATR（アベレージ・トゥルー・レンジ）**、すなわち、**真の値幅《レンジ》の移動平均**と呼ぶほうが一般的だ。この語は、J・ウェルズ・ワイルダーの著書『ワイルダーのテクニカル分析入門　オシレーターの売買シグナルによるトレード実践法』で初めて紹介された。

わたしたちが各市場で取引する契約数を、変動性尺度Nで調整するので、どの商品についても日々の市場変動は、ほぼ同じような額に落ちつく。取引単位（ポジション・サイズ）を変動性で調整するという概念は、さまざまな書物で扱われているが、いちばん有名なのが、1998年に出版され、2007年に改訂されたバン・タープの著書、『魔術師たちの心理学　トレードで生計を立てる秘訣と心構え』だ。

だが、1983年当時は、この概念はきわめて革新的だった。あのころトレーダーの多くは、さまざまな市場のポジション・サイズを、大まかで主観的な尺度かブローカーの証拠金率をもとに決めており、これらは変動性とは大まかに関係しているにとどまっていた。

タートルのエッジ

タートルの中にはトレーディング経験がまったくない者もいたので、リッチとビルは、注文処理と取引手順の説明に多くの時間を割いた。またふたりの講義には、トレーディング経験のある者も改めて耳を傾けるべき、重要な概念が含まれていた。というのも、やがてリッチから任されるような巨額の資金を、クラスの誰も扱かった経験がなかったからだ。大規模な口座で取引することには、独特のむずかしさがある。注文規模の大きさが市場の値動きを招き、取引価格を吊り上げるからだ。発注のしかたでこのような影響を最小にすることが重要だ。

タートルは成り行き注文より指値注文を行なうべしと教わり、わたしたちは律儀にこれを守った。成り行きで大量の注文を入れると、必ず値動きが生じる。いっぽう指値注文では、買い注文は指定した価格かそれ以下で執行される。たとえば、金《ゴールド》を買うとする。現在の価格が５４０ドルで、価格はこの10分間に５３８ドルから５４２ドルのあいだを推移したとする。指値注文なら、「５３９ドル指値買い」と指定すればよい。この場合、成り行きで注文を入れると、執行時には５４１ドルか５４２ドルという高値になるかもしれない。わずかな違いも、積もり積もれば巨額の損失になる。

タートル流トレーディング法の最も重大な要素であり、勝つトレーダーと負けるトレーダーを分かつアプローチ法および考えかたの大きな差は、おそらく、**タートルが取引に際して長い目で見て考え**

るよう訓練され、〝エッジ（優位性）〟のあるシステムをあたえられたことにある。

長期にわたって機能するトレーディング手法には、ギャンブルでいう**エッジ（優位性）**がある。エッジとは、賭けの相手であるBに対し、Aが構造的に持つ強みをいう。一般的に、カジノは客に対しエッジを持つ。

が、カジノゲームの中にはプレーヤーがエッジを持つものもある。記憶力のいいブラックジャックのカードプレーヤーは、低位のカードがほぼ出尽くしたと気づいたとき、ハウス（カジノ）に対し一時的なエッジを持つことができる。つまり、残り札からカードを1枚引くと、それが高位のカードである確率が高いということだ。

こういうときプレーヤーは、ハウスより有利な立場にある。つまりハウスに対し一時的なエッジを持つ。ハウスは、絵札をルールどおりに読み替えても、手札の数の合計が17になるまでは、必ずカードを引かねばならないからだ。場に高位のカードがたくさん残っているということは、その中の1枚がハウスをバースト（破産）に追い込む可能性が高いことを意味する。なぜなら、手札の合計が21を超えた時点で、ハウスが負けるからだ。

だから、腕のいいカードプレーヤーはエッジがハウスにあるあいだ、つまりゲーム中のほとんどの時間を小さな賭け金でプレーする。チャンスが巡ってきて、エッジが一時的にプレーヤー側に移るのをじっと待つのだ。そのときが来たら、プレーヤーは賭け金を増額して、ハウスに対する優位性を生かそうとする。実際には、事はそれほど簡単には運ばない。最小限の賭け金でゲームに参加していたプレーヤーが、風向きが有利になったとたん賭け金を最大にすると、たいていはハウスに気づかれ、カジノから蹴り出されるはめになるからだ。

このため、勝ち組ギャンブラーの多くが、チームを組んで仕事をする。ひとりがテーブルでカードをカウントし、形勢が有利になった時点でほかのメンバーに合図を送る。合図を受けたメンバーは何食わぬ顔でテーブルにやってきて、新しいプレーヤーとして最初から高額の賭け金でプレーする。チームのメンバーは、カジノの夜が終わると儲けた金を持ち寄って山分けにする。この手法が有効なのは、つまり、プロのギャンブラーたちがエッジのあるシステムを持っているからだ。

リッチとビルに期待値を教わったおかげで、わたしたちは、どんな戦略で取引をしようと必ず巡ってくる負け基調の時期に、自分なりの手法で取引を続ける確固とした知的基盤を築くことができた。わたしたちは、取引をしているあいだ、市場に対し非常に大きなエッジを持つシステムを教わった。このエッジを計測するひとつの数値が、期待値だ。それはまた、結果偏向を避ける知識の土台ともなる。

結果偏向とは、先に述べたように、ある決断の良し悪しを判定するのに、決断を下した時点の良し悪しではなく、それがもたらした結果によって判定する傾向のこと。わたしたちタートルは結果偏向を避けるよう、すなわち個々のトレードの結果は無視して期待値にだけ意識を集中するよう、きびしく訓練された。

期待値――エッジを計測する

期待値とは、これもギャンブル理論から拝借した言葉で、「このままゲームを続けたら、この先どうなるだろう？」という問いに数値で答えるものだ。正の期待値ゲームとは、勝つ可能性がプレーヤー側にあるゲームをいう。プレーヤーがテーブルでカードを記憶する、先述のブラックジャックの例などは、正の期待値ゲームだ。負の期待値ゲームとは、ルーレットやクラップスのようにハウス側に強みがあって、長期的にはプレーヤー側が負けるゲームをいう。

カジノの経営者は期待値を知り尽くしている。偶然が支配するゲームでは、わずか数パーセントでもハウス側に正の期待値があれば、多数のプレーヤーが何日もプレーするうちにカジノ側に巨額の金が転がり込む。カジノの経営者は、一時的な損失を出すことを恐れない。経営者側の損失は、客のギャンブル熱をあおるからだ。経営者にとって損失は、ビジネス上の経費にすぎない。彼らは、長い目で見れば自分たちが得をすることを知っている。

タートル流トレーディング法も、損失を同様にとらえる。損失はビジネス上の経費であって、取引上のミスや決断に誤りがあったことを示すものではない。損失をこのようにとらえるには、損失を生んだ手法でも、長期的に見ればいずれ利益を生むことを理解していなければならない。**タートルたちは、正の期待値を持つ取引は、長期的には必ず成功すると信じていた。**

リッチとビルが、あるシステムの期待値は0・2だと言ったとする。これはつまり、その取引でリスクにさらしたすべての1ドルが、やがて20セントの利益を生むことを意味している。ふたりは、トレーディングシステムの過去の取引を分析することで、さまざまなシステムの期待値を測定した。期待値は、取引ごとに儲かった平均金額を、リスクにさらした平均額で割って求める。このリスク額は、参入価格と損切り価格（損失が出たときに取引を降りる価格）の差額に、取引した契約枚数を掛け、さらに契約1枚のサイズ（規模）を掛けて求める。

タートルがどのようにリスクを測定するか、例を挙げて説明しよう。金《ゴールド》の取引に350ドルで参入、扱う枚数を10枚とし、損切り価格は320ドルに置いたとする。参入価格と損切り価格の差額30ドルに、持ち高サイズ10枚を掛け、契約1枚のサイズ、すなわち100オンスを掛ければ、リスクの数値が出る。ここでは30ドル×10×100となり、合計で3万ドルのリスクとなる。

タートルたちは、特定のアプローチ法が長期的にもたらす結果に着目し、そのアプローチ法を使って取引を行なった場合に発生が予測される損失は、無視するよう指導された。それどころか、損失期間のあとには必ず、良好な取引期間が続くと教わった。この考えを叩き込まれたおかげで、タートルたちの成功への可能性は高まり、長引く損失期間にも、特定のルールに従って取引を維持する気力が養われたのだ。

タートルの心

- 取引をする際は、長い目で見て考えること。
- 結果偏向を避けること
- 正の期待値を持つ取引の効果を信じること

トレンドにつく

トレンドとは、数週間、あるいは数カ月間、持続して見られる値動きをいう。トレンドフォローの基本概念は、高値に向かうトレンドが始まると同時に買い、そのトレンドが終わる直前に市場を退出するというものだ。市場のトレンドは、次の3つの方向、つまり上向きか、下向きか、横ばいのうちのどれかひとつに形成される傾向がある。タートルは、市場の値動きが横ばいから上向きに転じると買い、下向きの値動きが生じると空売りし、トレンドが終わったとき、つまり上向きか下向きの値動きが横ばいに戻ったら、市場を退出するよう教わった。

おもしろいことに、タートルの秘密のルールを解き明かそうとする議論が何年も続けられ、それを教えるという触れ込みで、講演料に数千ドルをふっかける者まで現われた。実際には、わたしたちが使ったルールなど、わたしたちに成功をもたらしてくれたほかの要素に比べれば、取るに足らないものだ。広く世に知られたトレンドフォロー手法で、タートルのそれに劣らずうまく機能するものなら数多くあり、もしかすると、もっとうまく機能するものだってある。そもそもわたしたちが取引に使った手法は、その当時から秘密でもなんでもなかった。

わたしたちの取引、および成功に秘密があるとすれば、それは、昔からよく知られた身近にある見解や概念を使って取引しても、成功するというものだ。ただし、ルールには、どんなときにも首尾一貫して従わなければならない。

わたしたちが用いたのは**「ブレイクアウト」**として知られる手法で、これはブレイクアウト手法を一般に広めたリチャード・ドンチアンの名を取って、「ドンチアン・チャネル」とも呼ばれる。この手法の根本概念は、市場価格が過去の特定の日数のなかの最高値を超えたら、つまり過去の特定期間つけてきた価格レベルを〝ブレイクアウト〟したら買う、というものだ。

このシステムには中期システムと長期システムがあり、リッチとビルが**システム1**と名づけた中期システムでは、ブレイクアウトしたかどうかを決める高値と安値の観察日数を20日間（つまり４週間の取引）とし、より長期の**システム2**では、この期間を60日間（12週間の取引）とする。どちらのシステムを使うにしろ、１日が終わるごとに最高値と最安値を決める。

普通これは、データをさかのぼり、その間の値動きを眺めて、目についた高値をひとつかふたつピックアップする作業をさす。だいたいは、対象期間の高値は変わらず、何も行動を起こさない。どちらのシステムにも、ふたつのタイプの退出法がある。そのひとつが損切りによる退出法で、市場参入ポイントから最大で2N（〝真の値幅の移動平均《ATR》〟ふたつ分）離れた価格に損切りポイントを置く退出法である。2Nはまた、口座額の2パーセントにあたる。なぜならタートルはそれぞれの市場の取引枚数を、このNを基準に決定するからだ。

タートルのクラスで教わったことをまとめると、次の4つになる。

1　**エッジ（優位性）のある取引をせよ**……正の期待値を持つトレード戦略、すなわち、長期で見てプラスのリターンを生むトレード戦略を見つけること。

2　**リスクを管理せよ**……損失期間にも取引を手じまいせずにすむよう、リスク管理すること。でなければ、正の期待値を持つシステムから利益を得られない。

3　**首尾一貫せよ**……計画は、首尾一貫して遂行すること。そうすれば正の期待値を達成できる。

4　**シンプルであれ**……タートルのアプローチ法は、煎じ詰めれば、〝あらゆるトレンドをつかむ〟のひと言に尽きる。2、3件のトレードが利益のすべてを稼ぎ出すかもしれないのだから、トレンドをつかみそこねてはならない。さもないと、まる1年を棒に振ることになるかもしれない。たやすく納得できるシンプルな戦略だが、実行するのはむずかしい。

実際の取引について書いた次の節を読めばわかることだが、右の4つの中では最後のポイントがいちばん大切だ。タートルのアプローチ法のこまごました点など、いったん取引が始まると、わたしにはたいして重要でなくなる。わたしがいつも心がけているのは、首尾一貫することとトレンドをつかみそこねないことだ。しかし、この単純なコンセプトも、自分の金を使って取引を始めると、たやすく意識から脱け落ちる。

過熱する実習

2週間の訓練期間が終わると、クラスの誰もが取引をしたくてうずうずし始めた。正月休みをはさんでシカゴに戻ったわたしたちは、ジャクソン大通りに面したシカゴ商品取引所のすぐ隣、保険証券取引所の8階にある広大なオフィスに、机をひとつずつあてがわれた。

机はふたつ1組で6組並べられ、各組は長さ6フィートのパーティションで仕切られていた。わたしたちには机を選ぶ権利があり、それは今後しばらくのあいだ、隣に座る相方を選べるということだった。机にはそれぞれ、外線と直接つながった電話が1台引かれていた。

タートルたちは週に1度、取引口座100万ドルあたりの各市場の契約枚数が記されたリストを受け取った。だが、わたしたちは、実習の手順を簡単にするために、各市場3枚分を1ユニットにして取引するよう申し渡された。どんな商品を取引するにしても、わたしたちの持ち高は最大で4ユニット、つまり契約12枚が限度であり、これは口座金額にしておよそ5万ドルから10万ドルにあたった。
売買の理由をきちんと説明できて、なおかつ大まかな流れがシステムに沿っていれば、わたしたちは口座の資金をどう使おうが、どんな取引をしようが自由だった。最初の1カ月間は取引をするたびに、その理由を記録につけた。わたしの記録は、ほぼ次のような書き込みで埋められている。

「システム2のルールに照らし、過去60日間のブレイクアウトと見る。よって4万ドルの買い持ち参入」

年が改まって数日後、2月限灯油が0・8ドルから0・84ドルに値上がりした。そこでわたしは、システムに従い、契約を3枚購入した。この取引はすぐに利益を出し、わたしはわずか2、3日で、限度枠いっぱいの12枚を購入した。続く数日間、われらが〝トレーディング・ルーム〟には、注文を入れる声や、すぐさま利益が出てはしゃぐ声が響いていた。灯油価格は1週間もしないうちに0・98ドルを超えた。

当時はまだ、コンピュータが自動的にチャートを作成してくれる時代ではなかった。わたしたちが参考にしたのは、タブロイドサイズの新聞《コモディティーズ・パースペクティブ》に掲載されるチャートで、その月に活発に取引された先物契約が、ほぼ網羅されていた。ただしチャートは週に1度しか更新されず、わたしたちは毎日、市場が引けると新しい価格を書き足さなければならなかった。

灯油市場では、このアプローチ法にさらに工夫が必要だった。というのも、《コモディティーズ・パースペクティブ》は、契約決済期日まで残すところわずか2週間になった2月限灯油市場の、チャートの掲載を取りやめたからだ。問題は、古いチャートを使わなければならないところにあった。昨年の高値は0・89ドル止まりだったので、チャートには0・9ドルまでしか書き込めず、それ以上の価格は文字どおり〝チャート外〟になった。この問題に対処するためにわたしは、先週号のチャートの中から価格の書き込みのないものを切り抜き、元のチャートに継ぎ足した。価格は、元のチャートの上方30センチあたりを推移した。

この作業をしているとき、わたしは奇妙なことに気づいた。今も、その思いは変わらない。タートルの中で、そのときもまだ限度枠いっぱいに持ち高を維持していたのは、わたしひとりだったのだ。ほかのタートルはみな不可解な理由から、リッチとビルから教わったシステムに従うのをやめていた。始まったばかりの実習で、失敗するのがいやだったからなのか、2月限灯油があと数週間で期日を迎えるからなのか、あるいは単に、もっと保守的なトレーディングスタイルを好んだためだったのかはわからない。しかし、ほかのタートルたちは、どうしてわたしと同じ講座を受けながら、2月限灯油をロードしなかったのだろう。わたしにはどうしても解せなかった（〝ロードする〟とは、タートルたちの符牒《ふちょう》で、最大4ユニットの持ち高を持つことを指す）。

トレンドをつかみそこねるな。わたしたちはこれを、耳にたこができるほど聞かされた。なのに、どうだ。講座修了後わずか数週間で、タートルの多くがむざむざチャンスを見逃した。もし口座総額の100万ドルをそっくりこの取引につぎ込んでいたら、ユニット・サイズは3枚でなく18枚となり、利益は50万ドル、すなわち口座額の50パーセントにのぼっていただろう。

限度枠いっぱいの持ち高を維持しているのは自分だけと気づいてから数日間、市場は大きく変動した。灯油価格は0・98ドルの高値から0・94ドルに、つまり契約1枚につきおよそ1200ドルも下落した。2日連続で価格が下落したあと、わたしはおもしろいことに気づいた。

リッチとビルに教わって、肝に銘じたことがある。一時的な下落に見舞われ、利益に逃げられても、じたばたせずにそれに耐えろということだ。だから、わたしはそのとおりにした。価格が下落しても、12枚の契約すべてを持ち続けた。たった2、3日で、利益はおよそ5万ドルから3万5000ドルに目減りした。利益が消えるのを目の当たりにして、大きなポジション（持ち高）を取っていたほかの数名のタートルたちは、契約を手じまいした。

すると、市場が目を覚ました。翌日、価格がふたたび上がり始めたのだ。すぐに、以前の最高値0・98ドルを超えて上がり続け、1・05ドルを突破した。契約が期日を迎える1日か2日前に、価格は天井を打った。

リッチのオフィスにいる営業部長のデールから、リッチは12枚分の灯油を現物で受け取るつもりはないとの連絡が入った。そこでわたしは、1・03ドルですべてを手じまいした。2月限の最高値1・053ドルに非常に近い価格だ。わたしたちはたいてい、契約の期日が迫ってきても、期日を理由に手じまいすることはない。限月に退出して翌月に新しいポジションを取ることで、流動性の高い次の契約にポジションを移転する。しかし、灯油市場は事情が異なった。トレンドが現われたのは1984年2月限だけで、したがって翌月限に乗り換える理由はなかった。これはまた、トレンドに乗るた

図2　1984年2月限灯油（タートル初経験の大トレンド）

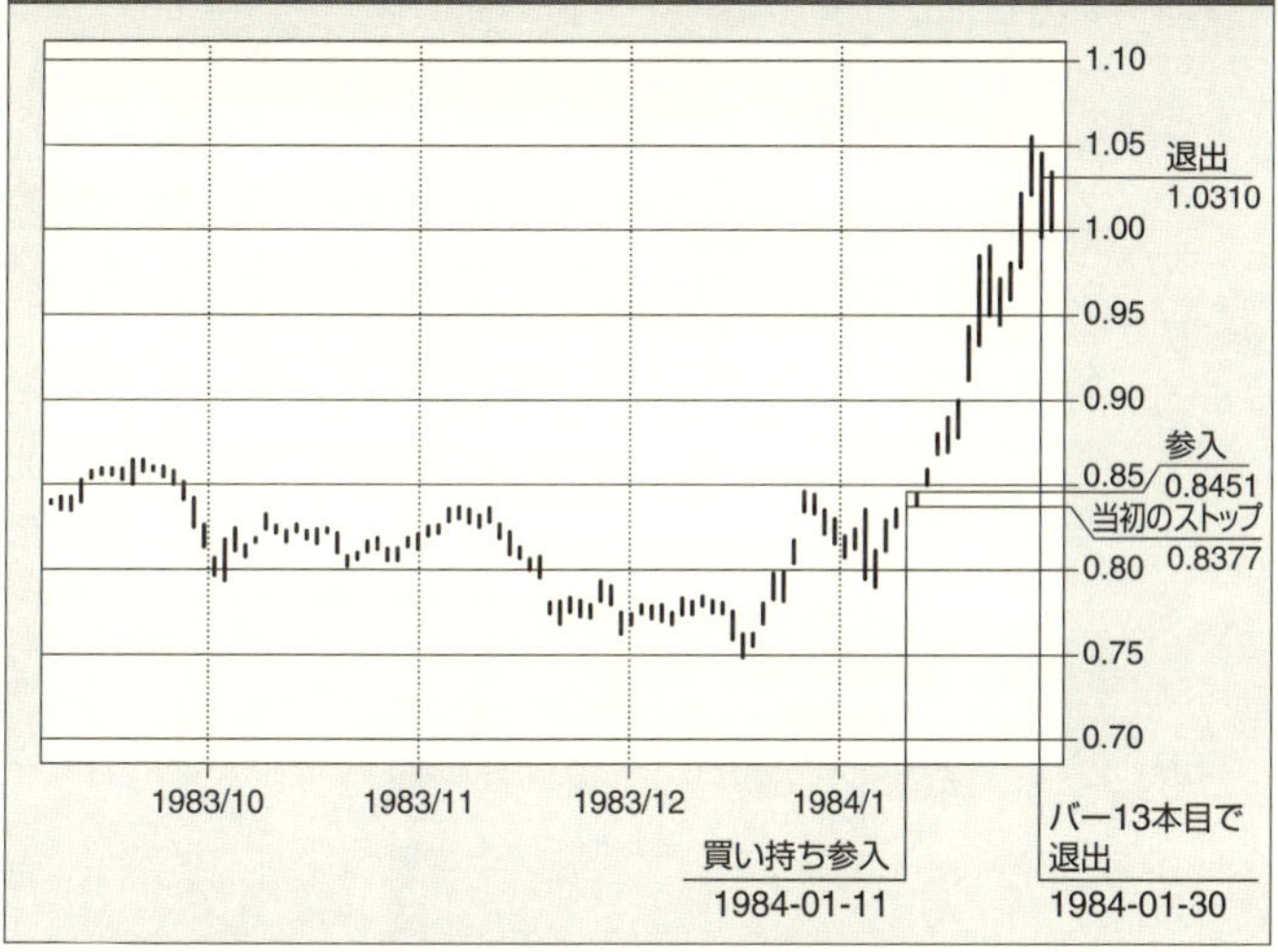

めには、2月限にしがみついている必要があることを意味した。

図2には、1984年2月限灯油の値動きと、わたしがタートルとして初めて経験した大きなトレンドでの参入、退出価格が示されている。

取引が終わってみると、わたしは口座額を7万8000ドル増やしていた。この取引で、ほかのタートルが稼いだ額のほぼ3倍を稼ぎ、わたしは教わった手法を貫いたことで報われた。そこそこのポジションを残していた2、3のタートルも、最後の下落の安値付近でみんな手じまいし、上げ幅の半分を逃していた。そもそも取引に参入しなかったタートルたちは、1セントも稼ぐことができなかった。

リターンの違いは、知識とは無関係だっ

た。すべては感情的、心理的要因にあった。馬鹿げた話ではないか。わたしたちはみんな、まったく同じことを教わったのに、1月のわたしのリターンは、ほかのタートルたちの3倍かそれ以上にもなった。当時最も有名なトレーダーの教えを受けた、飛びぬけて聡明な人たちが、こうなのだ。中にはその後数年で、世界で指折りのトレーダーにのし上がった者もいた。そんなトレーダーでも、実習期間には計画どおりに取引を執行できなかったということだ。

それから何年か経つうちに、わたしは、**取引で成功するには、感情的、心理的な強さが肝心だ**という確信を深めた。そういう考えに達したのも、その実例を目の当たりにしたのも、実習期間のこのときが最初だった。

初めての成績評価

取引を始めた最初の1カ月間、リッチとビルは週に1度か2週に1度の割合で、わたしたちのところに顔を出した。1カ月目が終わると、ふたりはわたしたちのために、長時間におよぶ質問会を開いてくれた。その席でリッチはタートル全員に、どうしてもっと灯油を買わなかったのかと尋ねた。タートルたちからは、リスクが高すぎると思っただの、相場の上がり具合が速すぎると思っただの、また、期日まであと数日しかない相場では、もうこの値動きも終わりだと思っただのという声があがった。

わたしは違ったふうに考えていた。当時のわたしは、教わったシステムをきちんと実行できるかどうかでリッチの評価は決まると考え、その考えのもとに戦略を立てていた。また、たとえ損失を避けるためでも、取引すべきときに取引しないよりは、教わったとおりに取引して損失を出したほうが、リッチのおぼえはめでたくなるとも思っていた。

わたしの考えでは、いちばんリスクが高いのは、灯油の取引をしないことだった。質問会で、リッチはタートル全員を前に、正解は取引をすることだと明言した。生徒に貴重な教えを授けるのに、これほどもってこいのシナリオはなかっただろう。取引を始めて1カ月もしないうちに、わたしたちは、実際の取引の中でトレンドを逃さないことの大切さを実感したばかりか、リッチの補講でそれを、二度と忘れられない形で再学習したのだった。

リッチの話では、最初の1カ月が終わった時点で成績のよかった者に100万ドルの口座を任せるということだった。実際に取引に入る前に、100万ドルの口座は、クラスの数名にしかあたえられないこと、大きな取引をしたければ、みずからその能力があることを示さなければならないことなどが明らかにされていた。リッチは約束どおり、能力があると見た数名のタートルたちに100万ドルの口座をあたえた。その他大勢のタートルたちは、1月から使っている口座の残高で、あと数カ月、取引することになった。

驚いたことに、リッチはなんとわたしに200万ドルの口座を用意してくれた。灯油の値動きへのわたしの対処のしかたを、リッチが気に入ったことは間違いなかった。

four

THINK LIKE A TURTLE

タートルのように考える

正しい人間がよい取引をするわけではない。正しく取引すれば、それがよい取引になる。成功したければ、長期的展望に立ってものごとを考え、個々の取引の結果は無視することだ。

トレーダーは育成できるか否かという賭けで、育成できるほうに賭けたリチャード・デニスがウィリアム・エックハートに勝った。タートルたちの華々しい成功に、トレーダーや投資家の多くはそう結論づけた。わたしはそうは思わない。賭けは引き分けだったと思う。

多くのタートルたち――おそらく3分の1から2分の1ほど――が、やり手のタートルほどには利益があがらないか、そもそも成功と無縁だったことはあまり知られていない。タートルのほとんどが最初のひと月の経験から多くを学び、その後数カ月で勝つトレーダーに成長したのに、負け記録を更新しつづけてプログラムから落ちこぼれたタートルもいた。最高の成績を誇ったタートルと、最悪の成績を残したタートルの違いは、つまるところその心理構造にあった。なるほどトレードには習い覚えるべき部分もあるが、苦もなくタートルの流儀になじんで、もともとトレーダー向きの人間がいることを証明する者もいた。

勝つトレーダーとはどんなトレーダーか。この問題を理解するには、トレーダーの感情がどのように取引に影響するかを理解することが大切だ。トレーダーとしての適性があれば、労せずして取引のこつをつかめるだろう。なければ、適性を身につけなければならない。それが先決問題だ。では、トレーダーの適性とはなんだろう。

誰が正しいかは問題ではない

勝つトレーダーは現在のことを考え、先々を思いわずらうのを避ける。とかく初心者は、あすの取引を予測したがる。勝てば自分を正しいと考えて英雄気取りになるが、負ければ自分をくずだと思い込む。考え違いもはなはだしい。

タートルは、正しいかどうかなどは気にしない。気にするのは、金を稼げるかどうかだ。タートルは、先が読めるふりもしない。市場を眺めて「金《ゴールド》は上がる」などとはぜったいに言わない。タートルは未来を、細かいところまではわからないが、大まかなところは予見可能と見る。言い換えれば、

市場がこれから上がり相場になるのか下がり相場になるのか、トレンドが止まるのは今なのか2カ月後なのかはわからない。わかっているのはトレンドは生まれるということ、そして人間の感情と認知のしかたが変わらないかぎり、値動きの特徴も変わらないということだ。

失敗が続くときのほうが、結局は楽に金儲けができる。負けトレードが重なるとき、人は先を読もうとしない。そのため、取引の結果にこだわることがなくなる。どうせまた損失が出ると思うからだ。また、損失が出るとわかっているとき、取引の結果はトレーダーの知的レベルを示すものでないことも自覚している。要するに勝つためには、自分自身と自分の思考を結果偏向から解放してやらなくてはならない。ある取引がどんな結果になったかは問題でない。たとえ連続10回の負けトレードでも、なお最初の計画を貫こうとしているなら、あなたは取引の達人だ。ただ、不運が続いているだけなのだ。

過去にひきずられるな

皮肉なことに、ほとんどのトレーダーは、先のことを思い悩むばかりでなく、過去のことにもくよくよしすぎる。やってしまったことや犯してしまったあやまち、損を出した取引を思って気を揉むのだ。

タートルは過去から学びこそすれ、気を揉んだりはしない。犯したあやまちで自分を責めることもなければ、取引で損をして自分を追い込むこともない。それもゲームの一部と承知しているのだ。

タートルは過去を全体的にとらえ、最近の出来事だけを特に重視することはない。重要度においては直近の過去も、もっと古い過去も変わらない。変わるような気がするだけだ。タートルは直近偏向を避ける。彼らは市場のトレーダーのほとんどがこの傾向を示していること、したがって、市場にもしばしばこの偏向が現われることを知っている。**直近偏向を避ける能力を持つこと、それがトレーディングで成功する秘訣だ**。

わたしが直近偏向の有害な影響を初めて肌で知ったのは、タートル・プログラム修了後、かなり経ってからだった。わたしたちタートルは秘密保持契約を結んでいたため、プログラムが終了しても6年経たなければ、取引で使用した手法を人に教えてはいけないことになっていた。わたしの友人には、タートルのシステムがわたしに有効だったことを知り、ぜひその手法を学びたいと、興味を示した者が何人かいた。

1998年、わたしは友人のひとりに、一貫性こそが鍵だと警告をあたえたうえで、タートルの手法を伝授した。あらゆる取引を厳正に行なうこと。さもなければ成功しないと釘を刺した。それでその友人はどうなったか。直近偏向の犠牲になったのだ。

1999年の2月ごろ、わたしはその友人に、ココア市場でどんな取引をしているか尋ねた。相場には、下方への大きなトレンドが生じていた。友人は、大損をしてココア相場のリスクの高さが身にしみたので、取引するのは控えたと答えた。図3には、1998年4月のブレイクアウトから、大きな下降トレンドが形成されたココア相場での取引のようすが示されている。注目してもらいたいのは、この市場では17回も負けトレードが続いたのち、１９９８年11月になってからようやく、かなりの規模の勝ちトレードが出るようになったことだ。

取引をしていれば、こんなことはしょっちゅうだ。ひとつの市場を特定の一時点だけで判断しようとすると、かなりきびしい状況に見えることがある。市場によっては、よいトレンドをひとつ見つけるのに数年を要することもある。直近の過去にとらわれていると、取引不能と考えたくなるような市場もあるだろう。

そう考えたのは、わたしの友人だけではなかった。ほとんどのトレーダーが直近の過去に影響された。タートルの中にも、プログラムの最中に直近の過去に惑わされ、利益をあげられずに最終的に取引から降ろされた者もいた。皮肉なことに、とりわけ収益性が高く、乗り心地のいいトレンドは、ほかのトレーダーがみんなあきらめたころを見計らって現われるようだ。この現象

（単位・ドル）

%	利益	合計
(2.4)	(1,197)	
(2.1)	(1,026)	
(2.2)	(1,036)	
(2.4)	(1,133)	
(2.3)	(1,061)	
(2.4)	(1,053)	
(3.0)	(1,317)	
(2.5)	(1,066)	
(1.9)	(777)	
(2.7)	(1,104)	
(2.2)	(848)	
(3.0)	(1,155)	
(2.4)	(874)	
(2.1)	(756)	
(2.4)	(845)	
(2.2)	(779)	
(2.1)	(722)	(16,750)
75.0	24,940	
(2.4)	(799)	
(3.0)	(975)	
(2.7)	(834)	
67.2	20,575	
(3.5)	(1,075)	
(2.4)	(709)	
46.7	13,468	
(2.1)	(608)	
(2.1)	(605)	
42.8	19,275	55,903

図3　ココアのブレイクアウト・トレード

ナンバー	ユニット数	参入	買い(L)、売り(S)	価格	枚数	退出
1	1	4/27	L	2,249	6	2,234
2	1	5/6	LL	2,261	6	2,246
3	1	12	LL	2,276	6	2,261
4	1	14	LL	2,283	6	2,268
5	1	6/23	S	2,100	6	2,114
6	1	25	S	2,094	6	2,108
7	1	29	S	2,085	6	2,099
8	1	7/15	S	2,070	6	2,084
9	1	27	S	2,069	5	2,083
10	1	8/3	S	2,050	5	2,064
11	1	13	S	2,036	6	2,049
12	1	17	S	2,024	6	2,036
13	1	24	S	2,024	6	2,035
14	1	9/16	S	2,014	5	2,026
15	1	10/1	S	1,979	5	1,992
16	1	13	S	1,976	5	1,988
17	1	28	S	1,967	5	1,979
18	1	11/6	S	1,961	5	1,438
19	2	20	S	1,918	6	1,928
20	2	24	S	1,903	6	1,914
21	2	30	S	1,892	5	1,903
22	2	12/8	S	1,873	5	1,438
23	3	21	S	1,824	5	1,836
24	3	1/4	S	1,808	5	1,820
25	3	15	S	1,798	4	1,438
26	4	25	S	1,748	4	1,760
27	4	27	S	1,742	4	1,754
28	4	2/8	S	1,738	7	1,438

については第13章のポートフォリオと市場分析に関する考察で、詳しく述べることにする。

未来を予測するな

第2章では、認知のゆがみがいかに才能あるトレーダーの判断をそこなうかを明らかにした。直近偏向や、自分を正しいと思いたいという強い欲求、および先のことを予測する癖を持つことは、なんとしても避けたいものだ。

3つ目の悪癖を克服するには、未来を〝予測するもの〟としてとらえるのではなく、可能性と確率の観点からとらえなおす必要がある。わたしの親しい友人たちは、わたしがタートルとして成功したことを知ると、市場の今後の値動きがどうなるか、ことあるごとにわたしに聞きに来た。名高いトレーダー集団の一員で、先物取引で何百万ドルも稼いだからには、相場の先行きを読む力が備わっているにちがいないと思ったのだ。

わたしの標準的な答え――「さっぱりわからない」――に、友人たちはさぞや面食らったことだろう。事実、わたしにはさっぱりわからなかった。確かに推測することはできたが、市場を予測する自分の能力に、わたしはまったく自信が持てなかった。それどころか、市場の先行きを読むことを、わたしは意図的に避けていた。

あいにく保険会社に勤めているのでもなければ、普通は確率という観点でものごとを考えることはない。見込みがある、見込みがないという観点で考えることはあっても、確率を尺度にして考えることはない。だからこそ保険会社は、不確実なリスクに対し保険を設定する。ハリケーンで自宅が損壊するというのは、そういうリスクの一例だ。熱帯地方の海岸ぞいの住民は、一定の確率でハリケーンに襲われて自宅に被害を受ける。家屋が損壊するほど強いハリケーンに襲われる確率は、それよりいくぶん低い。全壊するほど強力なハリケーンがやってくる確率は、もっと低い。

自宅が100パーセント確実にハリケーンで全壊するとわかっていたら、保険は買わずに引っ越すだろう。幸運にもそうしたことが起こるリスクは100パーセントに満たず、人は家にとどまり、自宅に保険を掛けることを選ぶ。

ハリケーン被害に対応する保険を扱う保険会社は、顧客の住む地域で発生しうる被害レベルを把握したうえで、そういう被害を補償する証書を発行する。保険会社はどうやって儲けるのか。リスクの補償額が、その証書の見積もり支払金を超えない証書を売るのだ。

取引も、不確実なリスクに保険を掛けるのと変わらない。取引には不確実さがつきものだ。その取引が儲かるかどうかは、最後までわからない。できることといえば、いずれ必ずリターンがリスクを上回ると信じることぐらいだ。

確率で考える

本書の読者で、高校か大学で確率と統計を学んだかたは多いだろう。そんなかたなら間違いなく、図4のようなグラフを目にしたことがあるはずだ。

図4のグラフは、**正規分布**と呼ばれる。特にこのグラフでは、女性の身長分布が示されている。横軸の数値は身長をインチで表わしたもの、左右の縦軸にはそれぞれ、確率を表わす数値があてはめられている。

1　確率密度グラフ……グラフの影になった部分は左の縦軸の数値を使って読む。これは、ある身長が分布のどこにあるかを示している。この例では平均身長は64インチ、すなわち5フィート4インチだ。平均値に近づけば近づくほど、ある女性がその身長である確率は高まり、平均値から離れれば離れるほど、その確率は低くなる。グラフの山のてっぺんは最も確率の高い身長を表わし、両サイドにかけて山がしだいに低くなっていく部分は、確率も低くなっていくことを示している。たとえば、グラフの70インチのところは、68インチのところよりかなり低くなっている。これは、女性の身長が70インチ、すなわち5フィート10インチである確率が、5フィート8インチである確率より低いことを意味している。

2　累積確率曲線……図の中の実線は、右の縦軸の数値、0から100パーセントを使って読む。これは、ある身長以下の女性の累積確率を示す。たとえば、実線を見ると、およそ70インチのところでほぼ100パーセントに達していることがわかる。70インチでの実数値は99・18パーセントで、これは逆に身長が70インチ、すなわち5フィート10インチ以上ある女性は、全体の1パーセントに満たないことを意味している。

このグラフ、およびこれに似たグラフを作成するには、数学の複雑な公式が必要だが、グラフが表わす概念は単純だ。平均を表わす中央の数値から離れれば離れるほど、女性がその身長である見込みは減少するということだ。

図4　女性の身長の正規分布

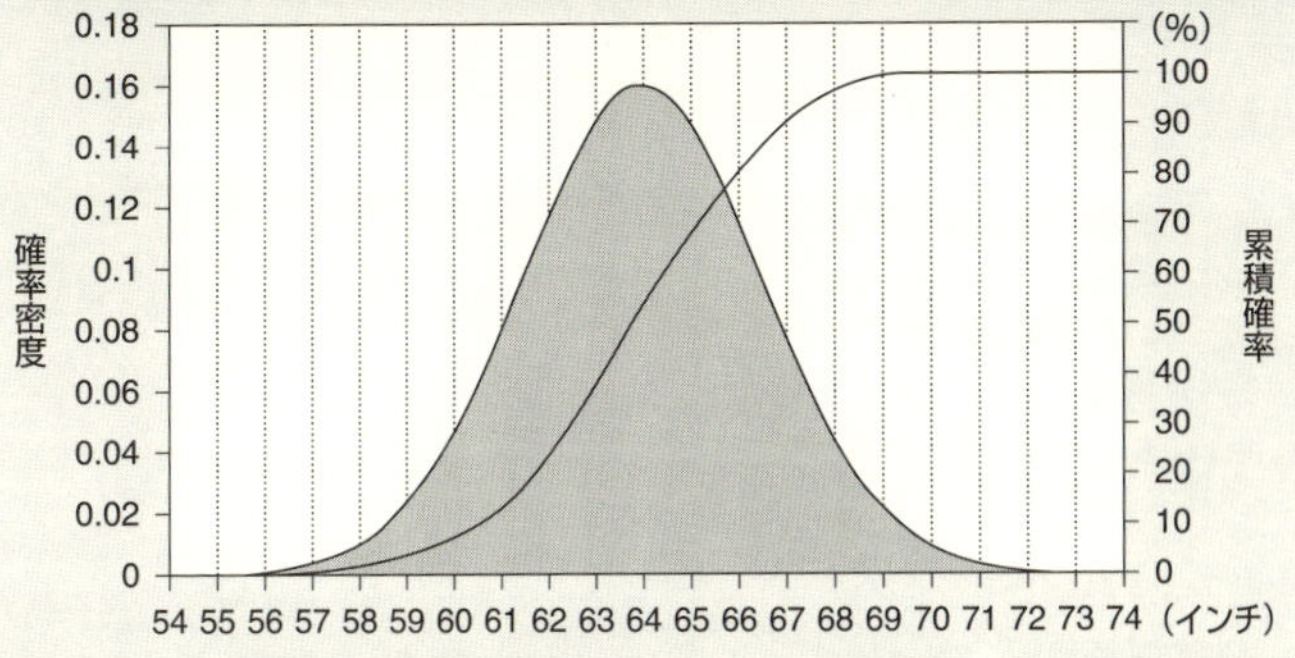

図5　女性の身長分布を柱状グラフで表したもの

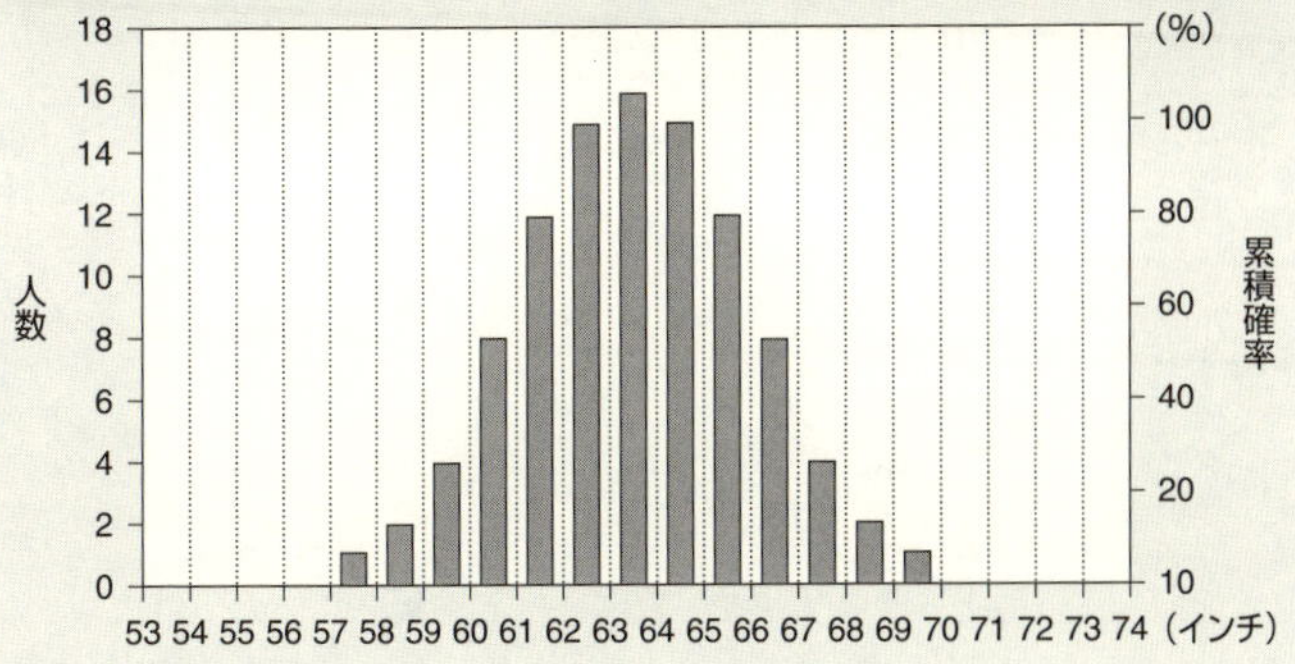

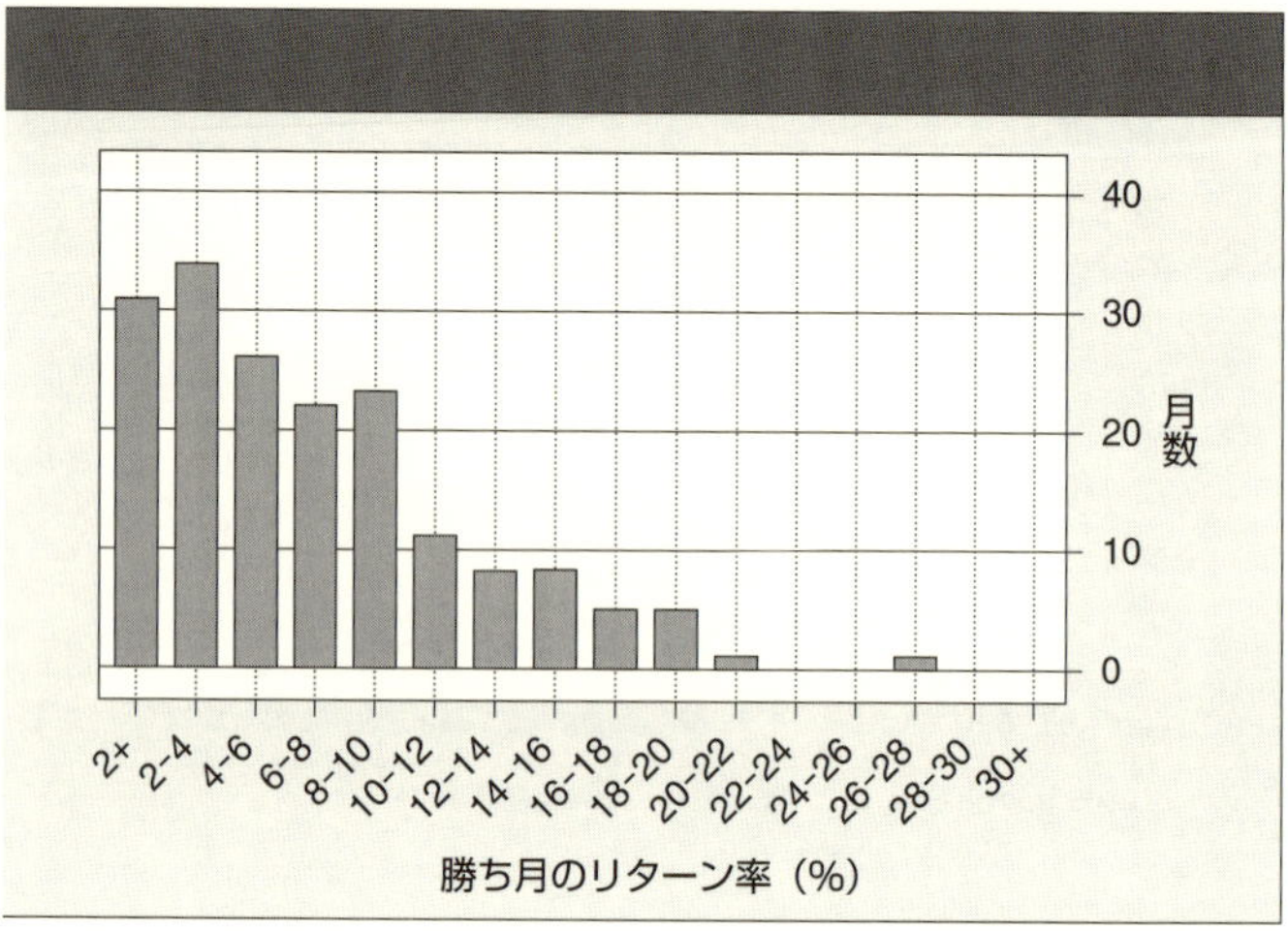

しかし、確率を予測するのに、なぜここまで複雑にしなければならないのか。数学や公式を無視しても図4のようなグラフなら、次の単純な手法で作成できる。まず、大学のキャンパスのような、女性が大勢いるところに出かける。次に、女性を100人、ランダムに抽出して身長を測る。最後に、集めた身長データを1インチきざみに分類し、それぞれの人数を集計する。

おそらく身長64インチの女性は16人前後、63インチと65インチは15人前後、62インチと66インチは12人前後、61インチと67インチは8人、60インチと68インチは4人、59インチと69インチはふたり、58インチと70インチはそれぞれひとりというような結果になるだろう。

身長別に女性数を示す棒グラフを作ると、図5のようになる。

図6　月間リターン分布

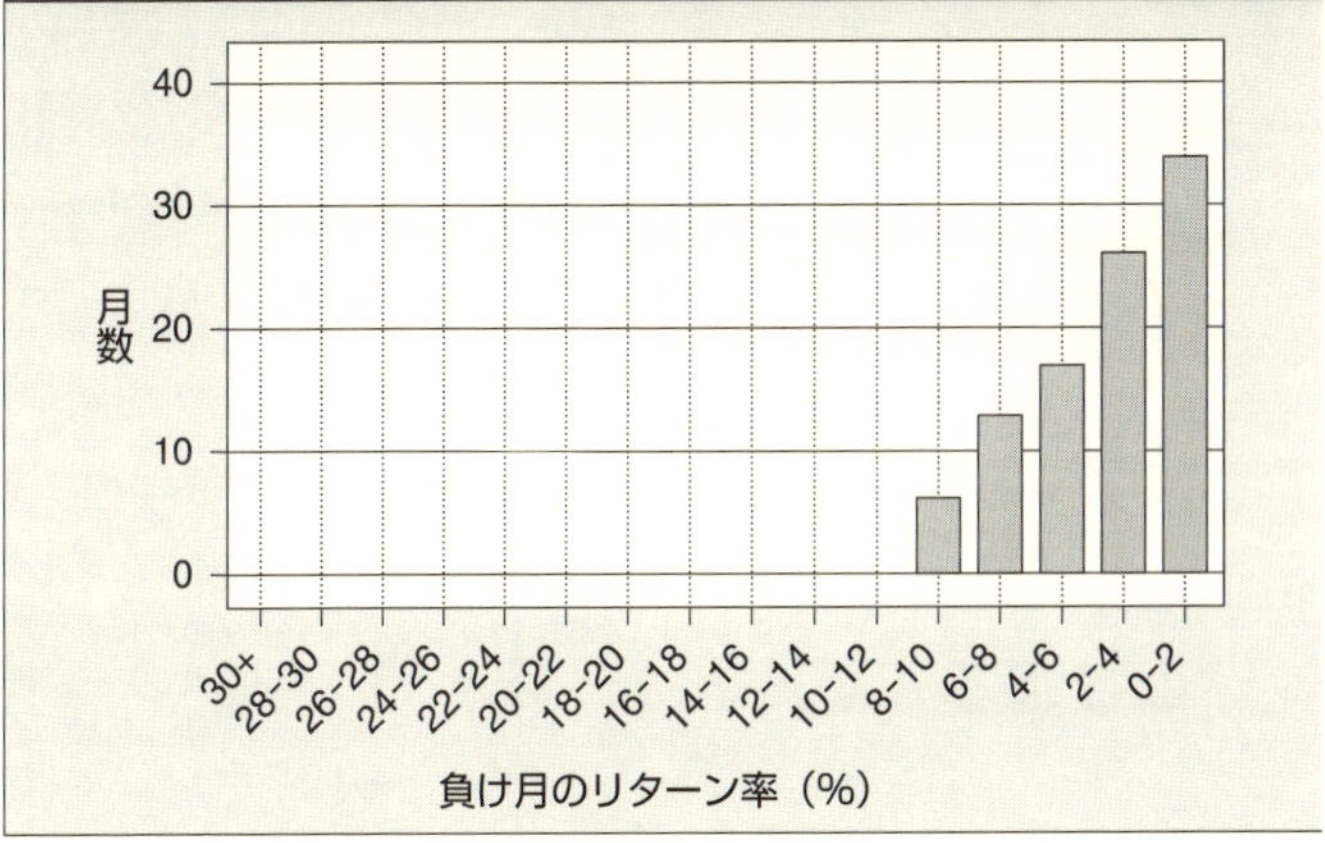

図5のタイプのグラフは**柱状グラフ**と呼ばれる。これはある単位（この場合は女性の身長）でのサンプルの出現率を、その前後の単位の出現率と比較しやすいように、棒グラフで示したものだ。図5のグラフは図4の正規分布グラフと同じ形をしているうえに、複雑な数学の公式を使わなくても作成できるという利点がある。作成者は、数が数えられて、分類ができさえすればいいのだ。

トレーディングシステムからこういう柱状グラフを作れば、相場が今後どう展開するのか、おおよそのところがわかる。予測ではなく、確率で考えられるようになるのだ。図6はタートル・システムの単純版、ドンチアン・トレンド・システムを20年間テストし、そのあいだの月間リターンを柱状グラフにしたものだ。ドンチアン・トレンド・システムはタートル・システムより単純なだけでなく、業績の面でも上回っている。

図6の柱状グラフは、2パーセントを単位に1本の柱が形成されている。1本目の柱は、正のリターンが0パーセントから2パーセントの月が何カ月あったかを示し、2本目の柱は2パーセントから4パーセントの月が何カ月あったかを示し……という具合だ。グラフの形状が、先に挙げた身長の正規分布グラフとそっくりなことに注目してほしい。違いといえば、グラフが右に長く伸びた形をしていることだ。この伸びは業績のよかった月を表わし、ときに**非対称分布**とも、〝ファット・テール〟とも呼ばれる。

図7の柱状グラフは、取引それ自体の分布を示す。これを見れば、個々の取引がどのように分布しているかがわかる。左側のグラフは負けトレードを、右側のグラフは勝ちトレードを示す。左のグラフは左端の数値メモリを、右のグラフは右端の数値メモリを、左右両方のグラフで、真ん中の0から100までのパーセンテージ表示を使う。それぞれのグラフの累積実線は図の中央から、右のグラフは右へ、左のグラフは左に向かって0から100パーセントのあいだを推移する。

図の左右の数値は、勝ちトレード、負けトレードそれぞれの総数を5分割した数だ。たとえば、負け

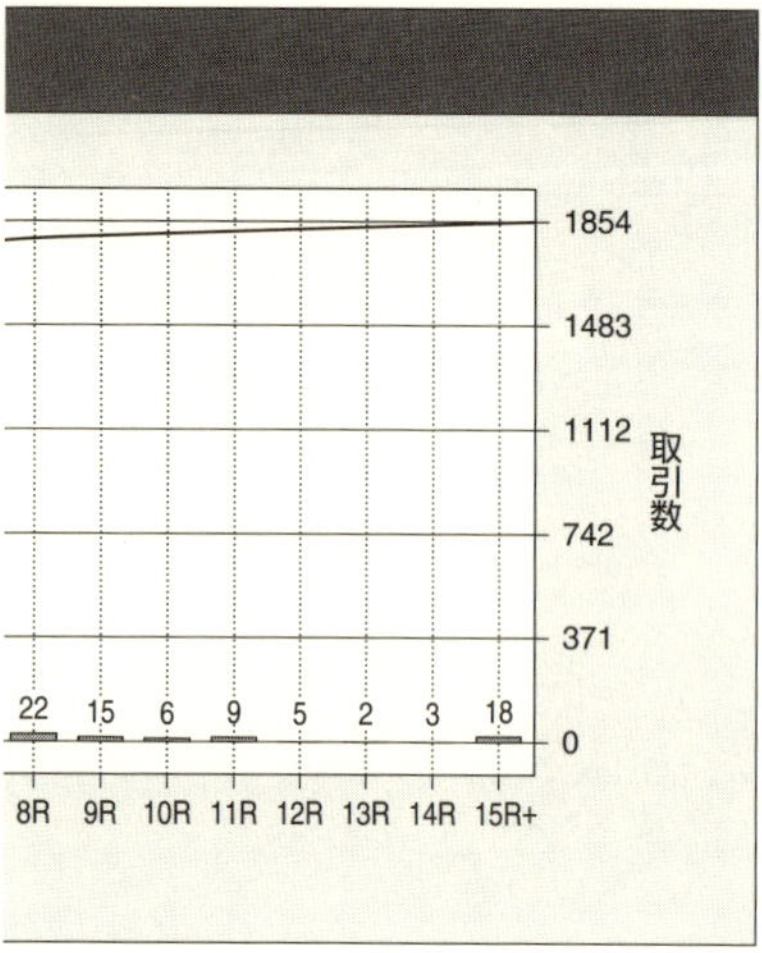

図7　取引結果の分布（R倍数による）

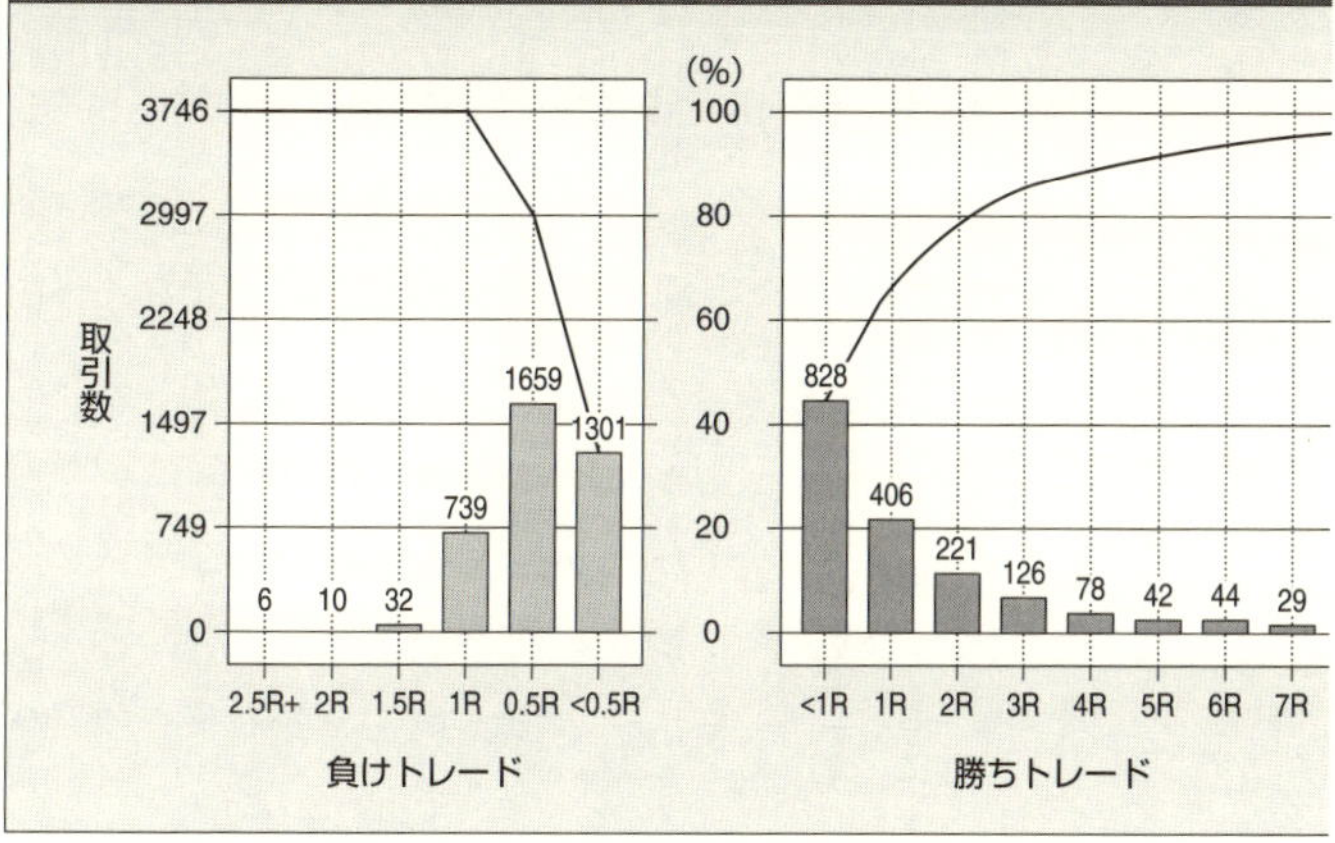

トレードは３７４６件で１００パーセントになる。これは、22年間のテスト期間中、負けトレードの総数が３７４６件だったことを意味する。これに対し、勝ちトレードは１８５４件で１００パーセントになる。

各トレードは、出た利益をそのトレードのリスク額で割って得られた値を基準に、該当する柱に割り振られる。この概念は**R倍数**として知られ、異なるシステムのトレード、異なる市場のトレードを比較する際の、手軽な方法としてトレーダーのチャック・ブランスコームが考案した（R倍数は、バン・タープ著『魔術師たちの心理学　トレードで生計を立てる秘訣と心構え』に紹介され、一般に広まった）。

例を挙げてこのシステムを説明しよう。8月限金《ゴールド》を４５０ドルで購入し、取引がうまくいかなかった場合のストップ（損切り）値を４４０ドルに置いたとする。450ドルと440ドルの差10ドルに、金《ゴールド》1枚の単位である100オンスを掛けた値、1000ドルが、この金《ゴールド》のリスク額だ。

取引の結果、5000ドルの利益が得られたとすると、利益の5000ドルはリスク額1000ドルの5倍なので、この金《ゴールド》は5Rの取引となる。図7では、勝ちトレードは1Rを単位に分けられ、負けトレードは2分の1Rを単位に分けられている。

奇妙なことにこの柱状グラフでは、負けトレードの数が勝ちトレードの数を大きく上回っている。実はこれは、トレンドフォロー・システムではよくあることだ。このシステムは、負けトレードの数こそ非常に多いものの、損失のほとんどは望ましい値、参入リスクである1R以下に抑えている。これとは対照的に、勝ちトレードは参入リスクの何倍もの利益があり、10倍以上の利益を出したトレード数は、43件にものぼる。

これが、〝タートルのように考える〟ことに、どうつながるのか？

タートルは、最終的にどれが勝ちトレードになり、どれが負けトレードになるか知らなかった。知っていたのは、予測される結果がもたらす一般的な分布――これまでに例に挙げたグラフに見られる分布――の形状だけだ。タートルは、それぞれのトレードはもしかすると勝ちトレードになるかもしれないが、十中八九は負けトレードになると思いながら取引をする。しかし勝ちトレードには、4Rから5Rという中規模なものから、12R、20R、ときには30Rという大規模なものがあることを知っていた。つまり勝ちトレードは、最終的に負けトレードの損失を補ってもまだ利益が残るほど、大規模なものになることがタートルにはわかっていたのだ。

このようにタートルは、取引の結果で自分の個人的価値を測ることがなかった。参入した取引が負けトレードになる可能性が高いことを知っていたからだ。タートルは確率で考え、そのおかげで多大なリスクと不確実さに直面しても、自信をもって決断を下すことができた。

タートルのように考える際、するべきことと、してはならないこと

1　**現在形で取引せよ**……過去にくよくよしたり、未来を予測しようとしたりしてはならない。前者は非生産的で、後者は不可能だ。

2　**予測しようとせず、確率で考えよ**……市場を予測して当たりを取ろうとするより、長い目で見て成功する確率の高い手法に集中すべし。

3　**取引には自分で責任を取れ**……自分のあやまちや失敗を、他人や市場、ブローカーなどのせいにしてはならない。あやまちは自分で責任を取り、そこから何かを学ぶこと。

えこひいき

タートルの中には、思い込みに苦労した者もいる。自分たちは正しくなければならず、市場は予測しなければならないと思い込んだのだ。このため、最初の月に灯油市場で洗礼を受けたあとも、彼らは首尾一貫した取引ができなかった。

あるタートルなど、リチャード・デニスはクラスで教えなかった秘密のルールを、わたしやそのほかの数名にだけこっそり教えたと信じ込んでいた。実に馬鹿げた考えだ。どうしてリッチが、エックハートとの賭けに負けるのを覚悟で、重要な情報を意図的に出し渋り、負けるとわかっているトレーダーに自分の金を預けたりするだろう?

隠れた秘密などというものはない。実はわたしが使った手法は、ほかの多くのタートルが使ったものよりずっと単純だった。わたしは、長期の10週間ブレイクアウト・システムを使い、割り当てられた口座のありったけで取引した。これはつまり、取引回数も市場の監視回数も少なくてすむことを意味する。わたしは、とりたてて変わったことをしたわけでも、非公開の情報を利用してずるをしたわけでもなかった。

言いわけ、また言いわけ

「リッチが取引の秘訣を教えてくれなかったからだ」

被害妄想のタートルたちは、プログラム期間中、取引に成功しないと、すぐこう言いわけした。これは、取引と実生活に共通して見られる問題だ。多くの人が自分の失敗を、他人のせいにしたり、自分では変えようのない環境のせいにしたりする。失敗すると、自分以外のあらゆる人間に責任をなすりつける。おそらく、自分の行動とその結果に責任を取れないことが、失敗につながる唯一にして最大の因子なのだ。

取引は、この悪癖を打破するよい方法だ。突き詰めれば、取引には自分と市場しかない。市場からは逃げも隠れもできない。取引をうまく行なえば、長期的にはよい結果が得られ、うまく行なわなければ、長期的に損をする。行動と取引結果とのあいだには明白な因果関係が存在するが、それでも失敗を市場のせいにしようとする人たちがいる。彼らは取引上のあやまちにみずから責任を取ろうとせず、どこかの〝スペシャリスト〟や謎のトレーダー集団の陰謀で、金をむしり取られたというシナリオをつくりあげる。

取引中のある時点で、あなたから金をむしり取ろうとしているトレーダーが山ほどいることに、疑いの余地はない。だがわたしは、自分の失敗を市場やブローカー、その他の市場参加者のせいにしようとする連中が想像力豊かに物語る大規模な陰謀やぺてんを、ついぞ目にしたことがない。

大事なのは、**取引をするなら、その結果にも責任を持て**ということだ。間違ったアドバイスをしたとか、隠しごとをしたとか言って他人を責めてはいけない。へまをしてまずいことになったら、そのあやまちに学べ。あやまちを犯さなかったふりをしてはいけない。そして、今後、同じあやまちを繰り返さないためにはどうしたらよいかを考えることだ。

自分のあやまちを他人のせいにしていると、敗者への道をまっしぐらに進むことになる。

five

TRADING WITH AN EDGE

エッジのある取引をする

エッジのある取引ができるかどうかで、プロとアマチュアは分かれる。
エッジを無視する者は、エッジを重視する連中の餌食《えじき》にされる。

取引とは、ある価格で買って、それより高い値がついたときに売るか、ある価格で空売りしたものを、のちに買い戻して売り持ちを解消する行為をいう。多くの初心者は、市場への参入タイミングを決めるのに、チャートにダーツを投げるのと変わらない戦略を用いる。経験あるトレーダーなら、そんな戦略には**エッジ（優位性）**がないと言うだろう。

〝エッジ〟は、ギャンブル理論から拝借した言葉で、カジノ側が統計的に持つ強みをさす。それはまた、ブラックジャックのプレーヤーがカードを記憶して得る優位性をもさす。エッジのない偶然のゲームでは、長い目で見るとプレーヤーが損をする。

取引も同じだ。エッジがなければ、取引に必要な経費のぶんだけ損をする。手数料や発注時の価格と約定価格とのずれ（スリッページ）、コンピュータにかかる費用、為替や価格のデータ料金などが、たちまちかさんでいく。**取引におけるエッジとは、この先も繰り返し起こると見られる市場動向にもとづいた、利用可能な統計上の強みのことだ。**取引上で最高のエッジは、認知のゆがみが市場動向を引き起こしたときに生じる。

エッジをつくる要素とは

エッジを見つけるにはまず、自分の望む時間枠で、特定の方向に市場が動く確率が通常より高くなる参入ポイントを選ばなくてはならない。それからその参入ポイントに、参入を計画する際に想定した市場タイプで利益が出せる退出戦略を組み合わせる。要するに、エッジを最大化するには、参入戦略と退出戦略がマッチしていなければならない。つまり、トレンドフォロー型参入戦略には、さまざまなタイプのトレンドフォロー型退出戦略を、カウンタートレンド型参入戦略にはさまざまなカウンタートレンド型退出戦略を、スイングトレード型参入にはさまざまなタイプのスイングトレード型退出戦略を、といった具合に組み合わせるのだ。

この重要性を理解していくために、システムのエッジを構成する要素について掘り下げていこう。

システムのエッジは、次の3つの要素から成る。

- ポートフォリオ選択……特定の日に、効果的に取引ができる市場を選択するためのアルゴリズム。
- 参入シグナル…………取引に参入するための売買をいつ行なうべきかを決めるアルゴリズム。
- 退出シグナル…………取引を退出するための売買をいつ行なうべきかを決めるアルゴリズム。

短期では大きなエッジを持つ参入シグナルでも、中期、長期では大きなエッジがないことがある。逆に、長期システムではエッジのある退出シグナルが、短期ではエッジがないこともある。具体例を挙げて説明しよう。

優位比率（E比率）

参入シグナルを検討する際に気になるのは、シグナルを構成する市場活動が発生したあとの価格変動だ。価格変動の読みかたのひとつに、変動をよい部分と悪い部分のふたつに分ける方法がある。

よい価格変動とは、取引の流れに沿った変動をいう。言い換えれば、買いのあとに市場が上がればよい変動で、下がれば悪い変動、空売りしたあとで市場が下がればよい変動、上がれば悪い変動だ。

買い参入後、価格がまず取引には悪い方向へ動き（すなわち下げて）、その後持ち直し、参入価格より高値に推移するケースを考えよう。図8にあるように、参入後いったん値を下げたあとしばらく高値を更新し、ふたたび値を下げるとする。

トレーダーは悪い方向への最大の値動きを**最大逆行幅（MAE）**、よい方向への最大の値動きを**最大順行幅（MFE）**と呼ぶ。つまり、図8の両矢印で示した幅は、グラフが示す値動きのMAEとMFEの大きさを表わしている。図8は、MFE（よい値動き）がMAE（悪い値動き）を大きく上回ったケースを示している。

MFEとMAEを使えば、すぐに参入シグナルのエッジを計測できる。**ある参入シグナルのあと、〝最大のよい値動きの平均〟が〝最大の悪い値動きの平均〟を上回る（すなわち、平均MFEが平均MAEを上回る）値動きが起これば、それはその参入シグナルに正のエッジが存在する**ことを意味している。逆に、平均MAE（逆行）が平均MFE（順行）を上回れば、負のエッジが存在するということだ。ほんとうにランダムな参入なら、よい値動きも悪い値動きもほぼ同じ幅になると思われる。たとえば、コインを投げて表が出れば買い、裏が出れば売るとする。こういうタイプの参入では、MFEとMAEが等しくなる値動きが生じるはずだ。

参入エッジについてのこの考えかたから、参入シグナルのエッジを計測する具体的方法を導き出すには、あと少し手順を加えなければならない。まず、異なる市場の値動きを、比較しやすいように平均化する必要がある。次に、平均MFEと平均MAEを計測するための時間枠を決める方法が必要だ。異なる市場の平均MFEと平均MAEを、意味を持つように比較するには、それぞれのMFEとMA

図8 よい値動きと悪い値動き

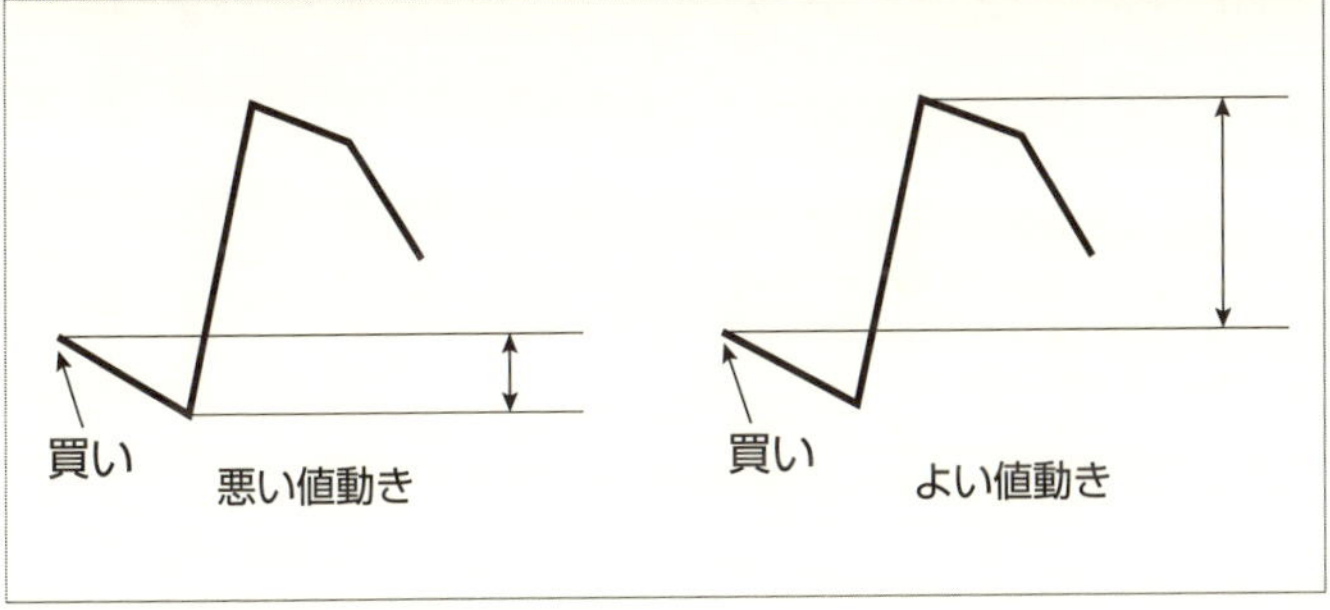

Eを正規化しなければならない。これには、異なる市場の取引規模を正規化するタートルのテクニックを応用すればよい。それぞれの数値を、**真の値幅の平均（ＡＴＲ）**で正規化するのだ。

さまざまな市場での参入後の価格動向を特定するには、異なる時間枠での参入シグナル後の価格動向を比較できると便利だ。わたしは通常、特定の日数を決めて、シグナルが発生したあとのその日数分のMFEとMAEを計測する。わたしがシステムテスト用のソフトウェア研究開発部を率いているトレーディング・ブロックス社では、**Ｅ比率（優位比率）**と呼ばれる参入エッジ測定法を提供している。

これまでに説明したことをまとめると、E比率は次の公式を使って求めることができる。

1　特定の時間枠でのＭＦＥとＭＡＥを計算する。
2　計算した数値を参入時のＡＴＲで割る。こうすることでＭＦＥとＭＡＥは価格変動で調整され、異なる市場のデータが正規化される。

3　2で求めた数値をMFE、MAE別に足し、シグナルの総数で割る。これが変動調整MFE平均、変動調整MAE平均である。
4　変動調整MFE平均を変動調整MAE平均で割って得られた数値が、E比率（優位比率）だ。

時間枠を明示するために、MFEとMAEを計測した日数を比率表示に組み込む。たとえばE10比率測定では、参入日を含めた10日間のMFEとMAEを測定し、E50比率なら50日間のMFEとMAEを測定し……という具合だ。

E比率は、参入にエッジがあるかどうかを計測したいときにも使用できる。たとえばこれを使って、完全にランダムな参入にエッジがあるかどうかをテストできる。これを例証するために、わたしは過去10年間の〝寄り付き〟での、コンピュータ上のコイン投げに頼ったランダムな売り持ち、買い持ち参入データを使って、E比率をテストした。

それぞれ平均30回テストした結果、E5比率は1・01、E10比率は1・005、E50比率は0・997という結果になった。予測どおり、いずれも1・0に非常に近い数値となっている。テスト回数をもっと増やせば、数値は限りなく1・0に近づくだろう。というのも適当な期間をとれば、価格は持ち高に都合のいい方向に動くときもあれば、都合の悪い動きをすることもあるからだ。

E比率を使ってドンチアン・トレンド・システムのおもな要素を調べることもできる。ドンチアン・トレンド・システムの参入には、ドンチアン・チャネル・ブレイクアウトとトレンド・ポートフォリオ・フィルタというふたつの主要な要素がある。

ドンチアン・チャネル・ブレイクアウトとは、価格が過去20日間の最高値を上抜けしたら買い、過去20日間の最安値を下抜けしたら空売りするというルールだ。**トレンド・ポートフォリオ・フィルタ**とは、過去50日間の移動平均が過去３００日間の移動平均より高い市場でのみ買いポジションに入り、過去50日間の移動平均が過去３００日間の移動平均より低い市場でのみ売りポジションに入るというもの。このフィルタの役目のひとつは、市場の状態がドンチアン・トレンド・システムに適しているかどうかを調べ、適さない市場を除外することだ。

ドンチアン・トレンド・システムの取引参入ルールを、Ｅ比率を使って検証する方法をここに示そう。以下に記すテストはいずれも、１９９６年1月1日から２００６年6月30日までの、米国先物主要28種のデータを使って行なったものだ。

このサンプルのＥ5比率は０・99、Ｅ10比率は１・０だ。

「ちょっと待ってよ、正のエッジがある参入は、Ｅ比率が1以上になるはずだ」

と、あなたは言うかもしれない。そのとおりだ。しかし、思い出してほしい。ドンチアン・チャネル・ブレイクアウト・システムは中期のトレンドフォロー・システムだ。だから、その参入エッジは、中期トレードにはあっても短期にはない。わかりやすく言えば、参入がエッジを持つのは、使用したシステムに適合した時間枠だけなのだ。

この参入でのＥ70比率は１・20で、これはつまり、過去20日間のブレイクアウト方向に執行した取引は、参入シグナル以後70日間の価格変動を見ると、ブレイクアウトと逆方向ではなく同方向に平均で20パーセント、価格が動いたということだ。

図9は、計測する日数が変わると、20日間ブレイクアウトのエッジ比率がどう変化するかを示している。まず、エッジ比率は1・0以下からスタートする。これはごく短期では、通常、ブレイクアウトで執行した取引と同方向への値動きより、逆方向への値動きのほうが多いことを意味する。ブレイクアウトでの取引に心理的なむずかしさがつきまとうのは、ひとつにはこれが理由だ。また、ブレイクアウトはだましと解釈し、支持線、もしくは抵抗線からの反発を期待する、カウンタートレンド・トレードスタイルで利益を得られるのも、このためだ。ごく短期では、この戦略に正のエッジがある。

次に、エッジ比率はじりじりと上昇するが、1・0より上でかなり激しい変動を見せるようになる。

これは、正のエッジはあるにはあるが、正確に数値で表わすのがむずかしいことを意味する。

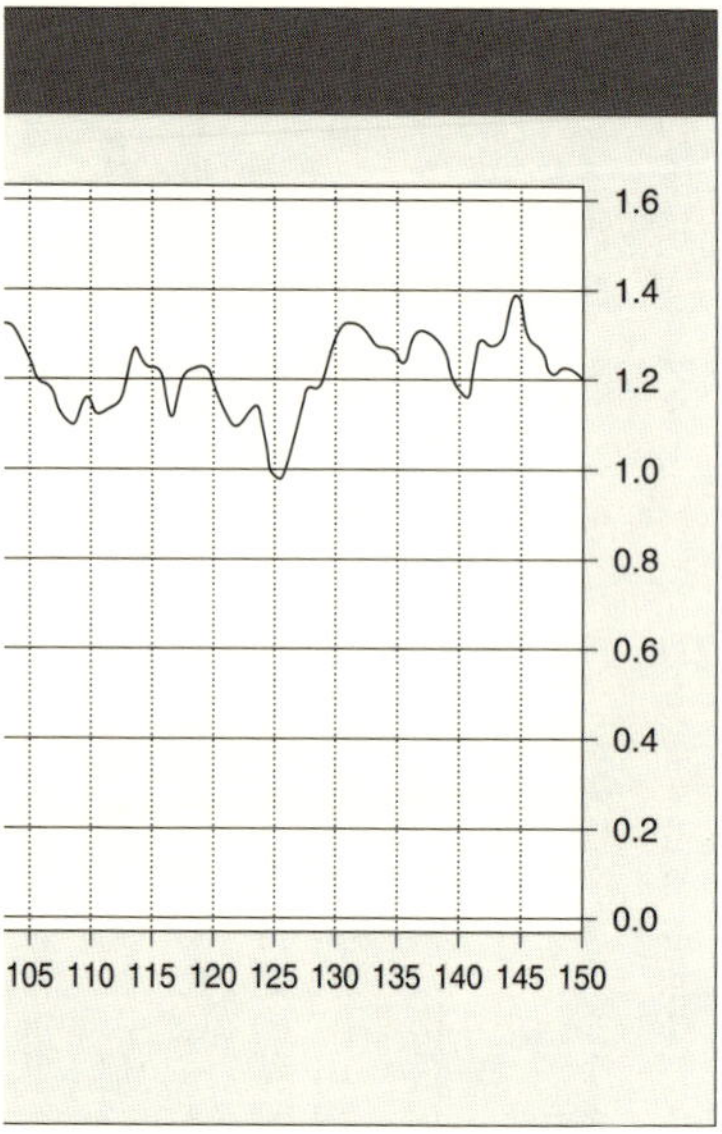

図9　計測日数によるエッジ比率変化

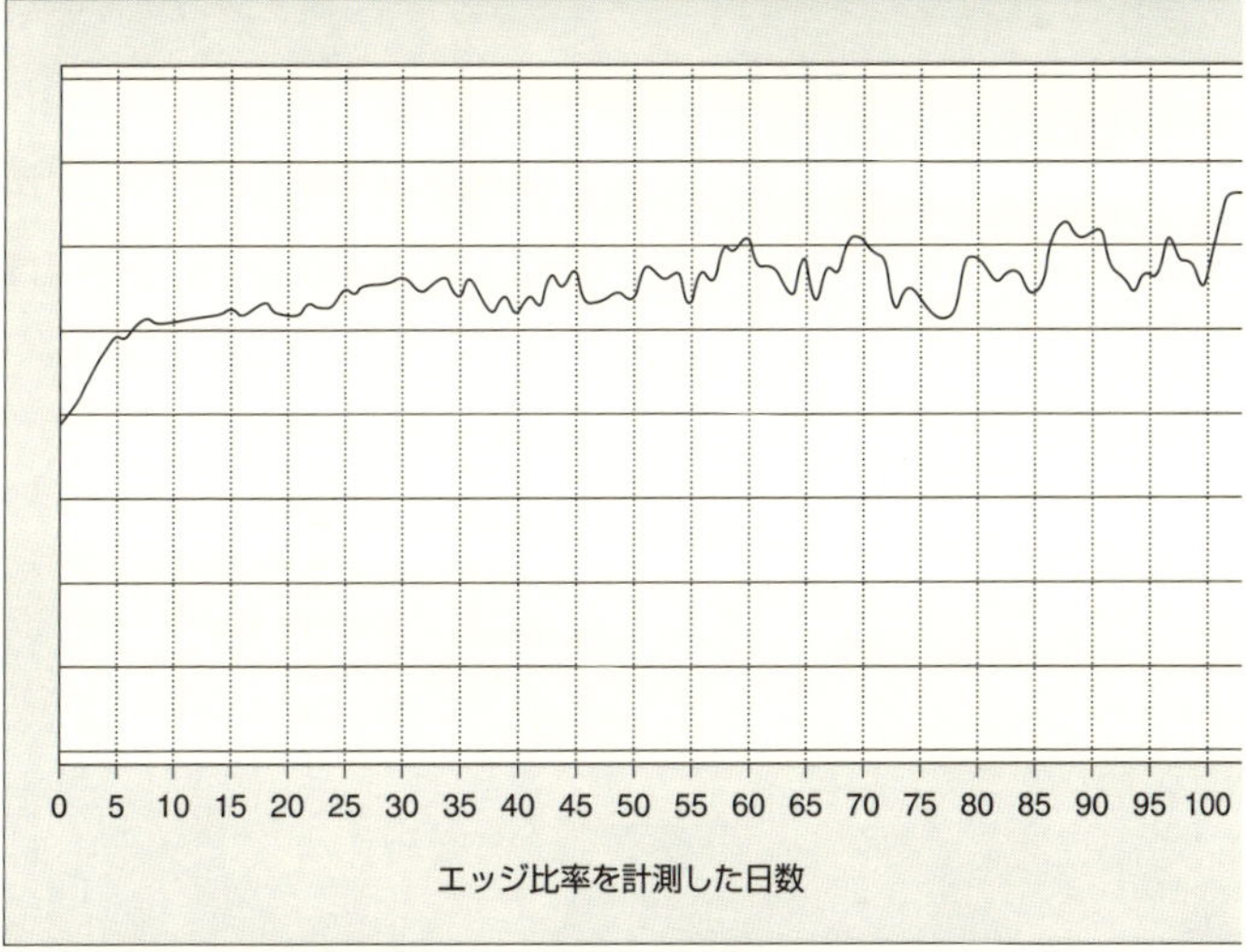

トレンド・ポートフォリオ・フィルタのエッジ

ポートフォリオ選択基準は、ドンチアン・チャネル・システムのエッジにどう影響するだろうか。検証方法はふたつある。

第1は、ポートフォリオ選択フィルタが純粋にランダムな参入エッジにどう影響するかを調べて、その結果をポートフォリオ・フィルタを用いないランダムな参入の、1・0エッジ比率基準線と比較することだ。

第2は、参入シグナルとトレンド・ポートフォリオ・フィルタを組み合わせ、フィルタがシグナルのエッジにどう影響するかを見る方法。

トレンド・ポートフォリオ・フィルタを用いたランダム参入、7万回分をテストした結果、Ｅ70比率は１・27という驚異的な数値になった。これは、参入シグナルのＥ70比率よりさらに高い。このことから、ポートフォリオ選択アルゴリズムがシステムのエッジを高めることがはっきりした。

トレンド・ポートフォリオ・フィルタを使いこなせば、ブレイクアウトで参入した取引と順の方向に、値動きが伸びる可能性が高まる。この例では、Ｅ70比率が１・20から１・33に上昇した。また、ブレイクアウトとトレンド・フィルタの組み合せにより、エッジ比率グラフの波は、形となだらかさを変える（図10）。

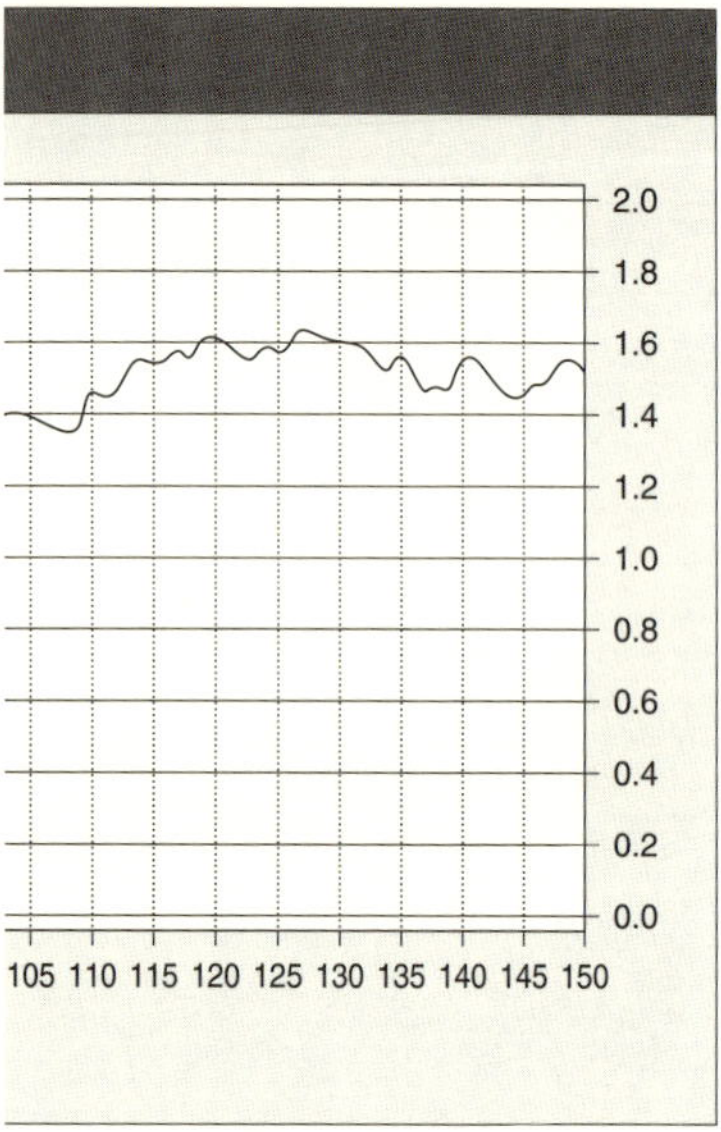

トレンド・ポートフォリオ・フィルタを加えた図10のほうが図９より、波の形がなだらかで、エッジ比率もはるかに高くなることに注目してもらいたい。図10のＥ120比率は、およそ１・６となっている。

これは、フィルタを使用することで長期トレンドに逆行するブレイクアウト取引が排除された結果だ。こういうブレイクアウト取引は、当初のポジションとは逆の大きな値動きをいくつも生んだ。というのは、

図10　計測日数によるエッジ比率変化（トレンド・フィルタを加えた場合）

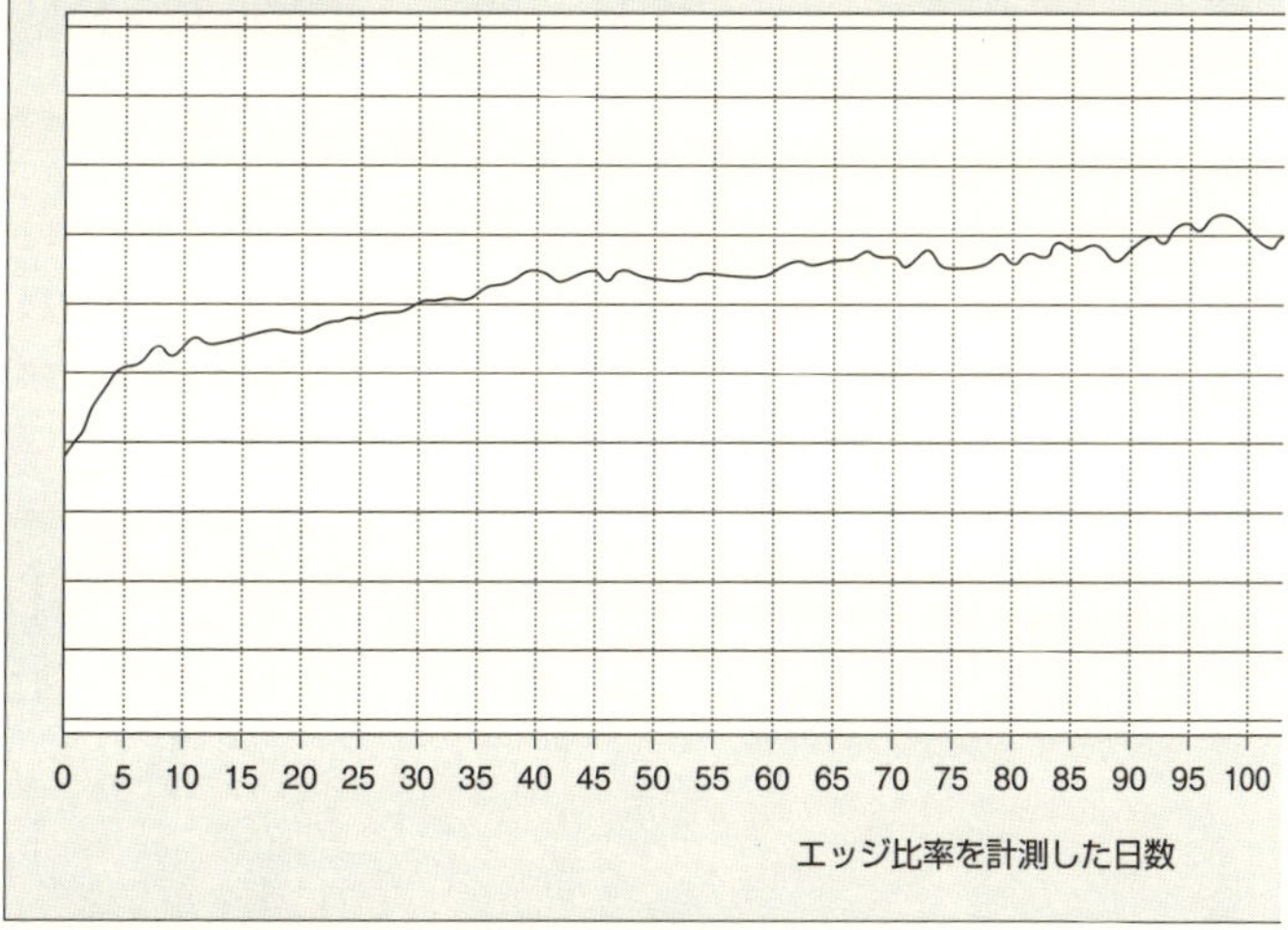

トレンドと逆方向に生じるブレイクアウトは、相場に影響をあたえるほどの継続性を持つことがほとんどないからだ。こうしたブレイクアウトはまた、市場がドンチアン・トレンド・システムに適した状態でないことも示している。

退出のエッジ

システムの退出シグナルも、可能ならばエッジを持つべきだ。残念ながら退出エッジの計測は、参入エッジの計測ほどには簡単でない。というのも退出は、参入と退出、双方のシグナルの条件しだいだからだ。別の言いかたをすれば、ポジションを取ることになった最初の条件と退出を切り離すことはできない。システムは単一の要素から成るのではなく、さまざまな要素が複雑に相互作用することで構成されている。

このようにシステムは意外に複雑で、したがって気になるのは退出のエッジより、退出がシステム全体の測定値にあたえる影響のほうだ。だから、退出後に起こったことをただ眺めて退出を評価するのではなく、最も重要な測定値に退出があたえた影響を計測すべきだ。さらにいえば、市場への参入ポイントを眺めているときには、実際に気になるのは参入したあとに起こることのほうだろう。というのも、金が動くのは市場に金があるあいだだけだからだ。トレーダーの勝負は、市場にいるあいだに決まる。

退出は違う。退出後に何が起ころうと、取引の結果はそれに左右されない。退出の前に起こったことだけが、結果に影響する。だから退出の良し悪しは、退出がシステム全体のパフォーマンスにどう影響したかを基準に判断するべきだ。

six

エッジから転落する

FALLING OFF THE EDGE

売り手と買い手が死闘を繰り広げる戦場――そこにエッジはある。
トレーダーの役目は、エッジのある場所を見つけ、敗者と勝者を見きわめることだ。

取引上のエッジ（優位性）は、認知のゆがみが現実と市場認識を乖離《かいり》させることで生まれる。それは要するに、市場参加者は合理的だという経済学者の誤った考えかたから生まれる。市場参加者は合理的ではない。

第2章では、認知のゆがみがどのように取引にチャンスを生みだすかについて理論的に見た。本章では、実際の価格データを使って、その概念をさらに掘り下げることにする。

支持線と抵抗線

支持線と抵抗線は、ほぼすべてのタイプの取引に共通する基本概念だ。それは、価格が以前の価格レベルを超えず、一定幅にとどまる傾向にほかならない。この概念を理解してもらうには、価格チャートで実物を見てもらうのがいちばんだろう（図11）。

支持線と抵抗線は市場行動によって生まれ、市場行動は３つの認知のゆがみ――係留（アンカリング）、直近偏向、処理効果――によって引き起こされる。

すでに述べたように、係留（アンカリング）とは、すぐに手に入る情報に照らして価格を認知する傾向だ。直近の新高値あるいは新安値は、それ以後の価格を比較・計測するアンカーになる。新しい価格はこのアンカー価格に比べて、高いとか低いとかの判断を下される。直近の高値、あるいは安値が手軽にアンカー価格になるのは、単にチャート上で比べやすく、それゆえに市場参加者には心理的な重みがあるからだ。

図11の〝支持線１〟と表示した範囲では、およそ１・13ドルの安値が、その価格をヒットした直後からその後数日で１・20ドルを超えた時点で、確実に新しいアンカーになっている。短期デイトレーダーと長期ポジショントレーダーのどちらも、チャートの安値に目をつける。価格は１・23ドルあたりで天井を打ったあと、数日で１・15ドル台に戻るが、トレーダーは安値の目安を、以前の、しかし

図11　コーヒー（CSCE）支持線、抵抗線

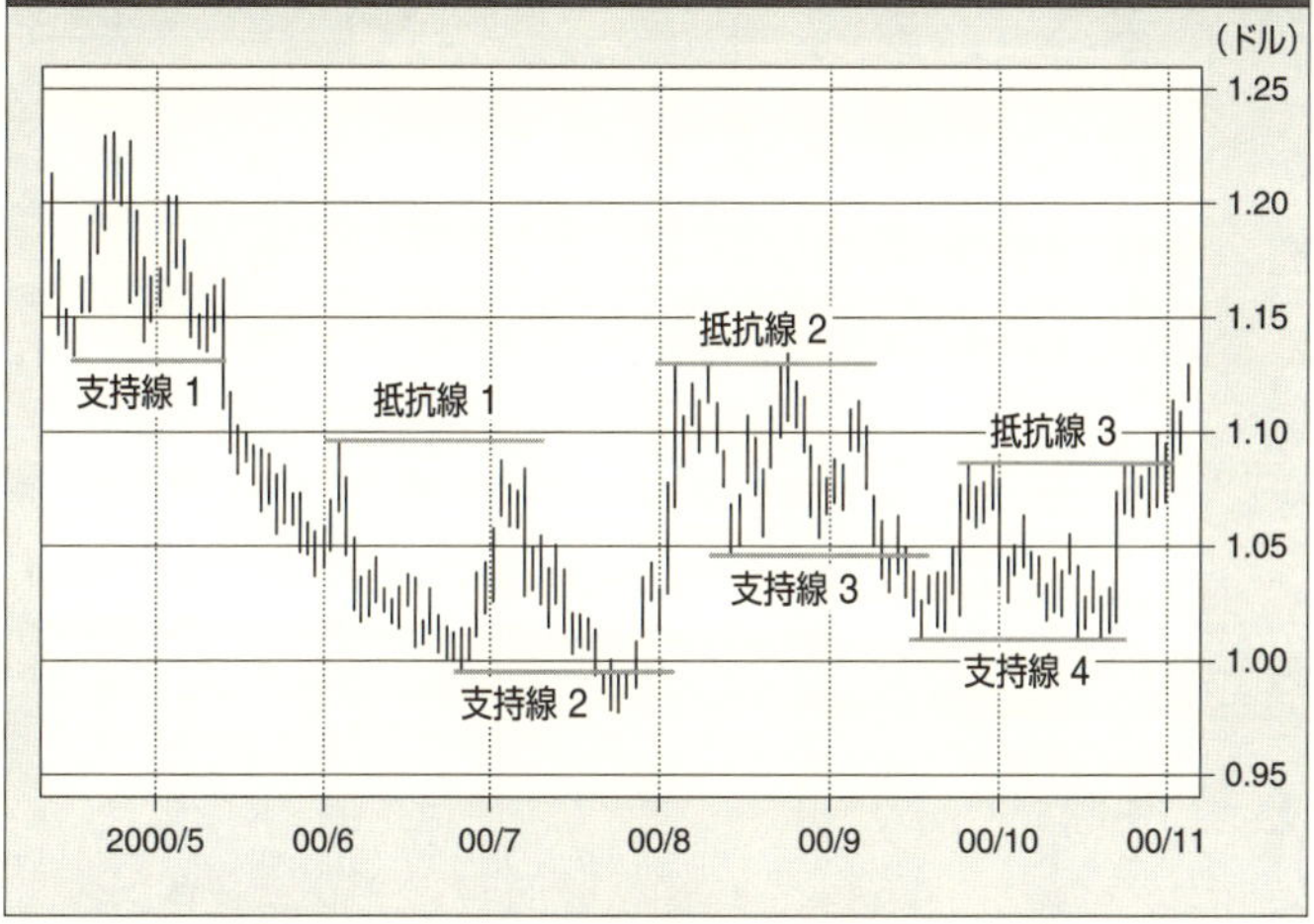

まだ直近の1・13ドルに置いている。1・15ドルは安いことは安いが、アンカー価格の1・13ドルに比較すると、充分な安値ではないと判断される。

直近偏向とは、直近のデータと経験をより重要視する傾向だ。直近の安値が1・13ドルなので、トレーダーは現在価格を評価する際、それ以前のほかの安値よりこの安値を重視する。市場参加者の直近偏向によって1・13ドルの安値は、本来より大きな意味を持つようになるのだ。ではこの偏向は、支持線と抵抗線の現象にどういう影響をあたえるだろう。

あなたが、コーヒーを買おうとしているトレーダーだと仮定しよう。まず価格は1・13ドルになった。しかしあなたは、価格がまだ下がるのではないか、いや、下がるはずだと考えて、

買いを見送った。それから数日のうちに価格は1・23ドルに跳ね上がり、あなたは1・15ドル以下でコーヒーを買わなかったことを後悔する。というのも、今やあなたの意識は直近の安値1・13ドルにひっかかり、それが〝安値〟としてまっ先に思い浮かべる価格になっているからだ。

かくして数日後に価格が下落して1・15ドルを割り込むと、つい数日前には買わないと判断した価格でも、今度は買いに入る可能性が高い。係留効果と直近偏向の影響で、1・15ドル以下ならどんな価格でもそこそこの安値に感じ、したがって買いに入る絶好の価格だと判断するようになるのだ。

同じように、多くの市場参加者が1・15ドル以下の価格を絶好の買い価格と考えるので、この価格以下で値動きに下げ一服が見られると、多くの買い手が市場に殺到することになる。支持線の価格になるたびに新しい買い手が殺到すると、市場価格には、以前の高値と安値の価格レベルから反発する傾向が生まれる。

ほとんどのトレーダーが、支持線と抵抗線を現実の現象と受けとめており、この認識が支持線、抵抗線の実在性を高めることになる。というのも、支持線と抵抗線を信じるトレーダーたちの市場行動そのものが、その現象を強化するからだ。

多くのトレーダーが、価格があるレベルに下落すればかなりの買い注文が入ると考えたとする。すると次は、価格はそのレベルで底を打ったあと、上昇に転じると考えるようになる。この考えを持ったトレーダーは、底値、もしくはその近辺では売る気にならないだろう。底値の支持線効果で、価格が上昇してから売ったほうがいいからだ。支持線、抵抗線を信じると、それが自己達成予言（訳註・

心理学の用語。自分の言葉が自分の持つパラダイムを強化し、その結果、その言葉どおりであろうとする行動をとること）になる。

処理効果とは、勝ちトレード数を増やすより、利益を確定したがるトレーダーの傾向をいう。利益が大きくなればなるほど、それを失うことへのトレーダーの恐怖は強まる。これは支持線と抵抗線にどのように現われるだろうか。

図11を例にとってみよう。あなたは2000年8月初旬、〝支持線2〟と記した値動きが終わった直後に、コーヒーを1・02で買ったとする。その後の数日で価格は1・14に値上がりしたが、あなたはおそらくまだ売り渋っているはずだ。自分の望む方向にあまりに早く値が動いたので、上昇はこのまま続いて、1・20か1・25になると考えたのだ。その後、価格が1・05に下がると、1・10を超えた時点で売っていればよかったという気持ちになる。直近の高値はあなたにこう考えさせる。

「価格がもう一度1・14を超えたら、今度こそ売るぞ」

だから、価格が実際にそのレベルに回復すると、あなたはその時点で売って利益を確定したいと考える。おそらく同じようなポジションで、価格がふたたび直近の高値（〝抵抗線2〟と表記した価格帯）に戻ったら、売ってやろうと待ちかまえているトレーダーが大勢いる。こうしたトレーダーたちの動きが、直近の高値に対して自然な障壁の役目を果たす。というのも、大勢のトレーダーたちが、これぞ高値と思った時点で売ろうとするからだ。8月初旬についた高値がその後の価格を計測するアンカーになり、これに近い価格はすべて高値と認識される。その結果、価格がその高値に近づけば近づくほど、売りたいと思うトレーダーの数が増す。

支持線、抵抗線にエッジを見つける

トレーディングのほかの面がそうであるように、支持線、抵抗線の概念は大ざっぱなもので、絶対にそうなるという法則ではない。価格は、以前の高値、安値に必ずしも反発するとは限らない。その傾向があるだけだ。また、ちょうど高値、安値の水準になったからといって、必ずしも反発するとは限らない。それより反応が早いときもあれば、遅いときもあり、まったく反応のないときもある。

カウンタートレンド戦略を用いるトレーダーにとって、支持線、抵抗線はエッジの源《みなもと》だ。価格が以前の高値、安値に達するとそこから戻る傾向は、カウンタートレンド派にエッジをもたらす。支持線、抵抗線が途切れないかぎり、その効果に頼るカウンタートレンド派は、利益をあげ続けることができる。

トレンドフォロー・システムを用いるトレーダーには、支持線、抵抗線のブレイクダウンが重要だ。２００６年12月限灯油市場で、支持線が途切れたとき何が起こったかを見てみよう（図12）。

1ガロン2・10ドルの支持線は、6月半ばのテストに持ちこたえ、価格は2・10ドルで反発して2・31ドルで上げ止まり、新しい抵抗線を作る。その後2・16ドルの新しい支持線で反発して上昇す

図12 2号灯油（NYMEX）支持線のブレイクダウン

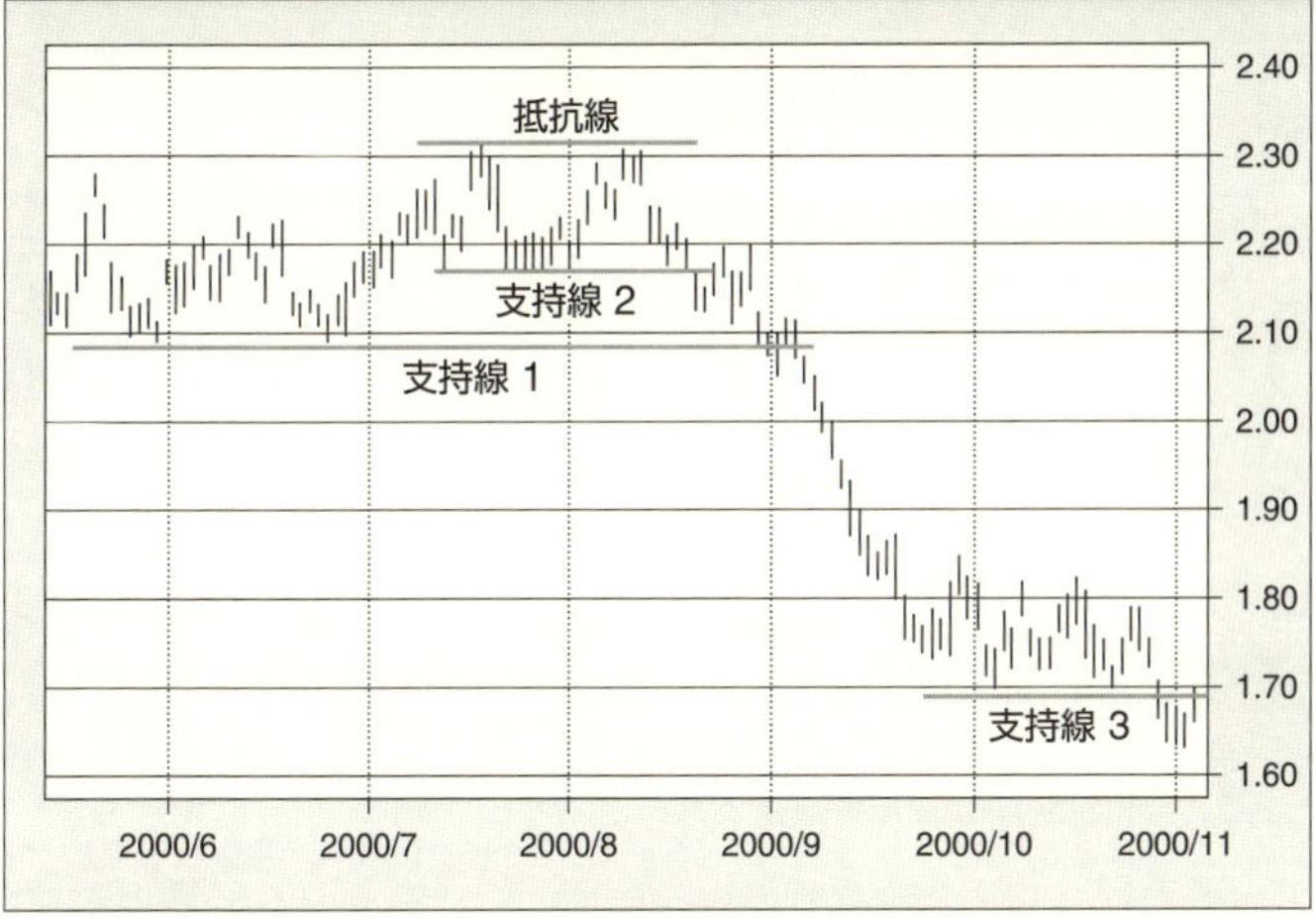

るが、2・31ドルの抵抗線を超えることはできない。価格が2度目に〝支持線2〟の価格帯に下落したとき、何が起こったかに注目してほしい。価格は数日間もみ合って、この価格に買い圧力が働いたことを示したものの、この動きは持続しない。その後〝支持線1〟の価格帯に下落すると、最初の数日間は上向きの値動きを見せて、ここにも買い圧力があることを示す。

次に起こることは、さまざまな市場参加者の心理を探ろうとする向きには特に興味深いはずだ。9月5日、価格は下落し、以前の安値――わずか3日前の8月30日についた安値――2・05ドルを割り込んで引けた。

これは、価格が上がることを期待して灯油の買い持ちに入ったばかりのトレーダーが、みんな負けトレードを維持していることを意味する。さらにその近辺には、支持線の形成を期待できる価格ポイントが見当たらないことから、いったん価格が下落すれば、下落幅はかなり大きくなると予想された。図12が示すように、そのとおりのことが現実に起こる。価格は1・85ドルまで1気に落ち込むと、7カ月前に存在した支持線の影響と見られる弱い買い圧力が働く。しかし、この支持線は持ちこたえられず、価格は9月末に1・73ドルの最安値をヒットするまで、上向きに転じることはない。

目はしの利くカウンタートレンド派のトレーダーなら、9月5日の市場が引けた時点かその直前、あるいは、おそらくその翌朝には手じまいしたにちがいない。彼らは、支持線は持ちこたえるときもあれば持ちこたえられないときもあり、持ちこたえられないときに市場と格闘しても、勝ち目はないことを知っている。これは、まさにそのことを示す格好の実例だった。

灯油市場に強気で、値上がりを期待して2・10ドルで契約を5枚購入したとする。直近の支持線価格2・10というアンカーに照らし合わせ、価格が2・05ドルに下落した時点で、あなたは契約を5枚買い増しする。その後数日で、価格が2・00ドルから1・90ドルに下落、さらに1・80ドルを下抜けするのを見守りながら、あなたは何を考えるだろうか？　最初のささやかな5枚の契約は、今や10枚の負けトレードで、損失は11万5500ドルという途方もない額にふくらんだ（契約1枚1ガロンにつき平均0・275ドルの損失で、1枚は平均4万2000ガロン、扱った契約枚数は10枚）。

新米トレーダーは、しばしばこういう事態に遭遇する。市場のすばやい動きについていけず、パニックを起こしてふと気づいたら、市場が目の前に立ちはだかっているのだ。トレンドフォロー派は、価格が下がり始めた時点で売りに入り、市場が安値を更新すればするほど利益がふくらむので、こういう値動きを好む。

トレンドフォロー派にとってエッジの源《みなもと》は、支持線、および抵抗線が突破されたときにトレーダーたちが示す、認知のしかたのギャップにある。支持線、抵抗線が突破されても、トレーダーは以前の考えに固執しており、しかも市場の動きのほうは、新たな現実がすぐに反映されるほどには速くない。だから支持線、抵抗線が突き抜けたときはほかのとき以上に、それまでと同方向に市場の動きが強まるという、統計上、無視できない傾向がある。

図12の例で、〝支持線1〟が消滅するあたりで多少の抵抗はあったが、すぐに値は下に行った。灯油を買おうとしているときに価格が2・05ドルを切る方向にあるなら、あわてて買う必要がどこにある？　価格が下げ止まるのを待つべきだ。なにも、価格が下落している最中に買うことはない。しかも、価格の下落が長引けば長引くほど、より多くの人が売ろうとしてパニックを起こし、価格をさらに押し下げる。この動きは、売りパニックがひと段落して、価格は下げ止まったと考える買い手が相当数出てこないかぎり、止まることはない。

タートルは、こういう事例を何度も経験してきた。ポジションを取ったばかりで、その後の値動きに大喜びしているときもあれば、支持線が突破されるのを見て、利益のあるうちにポジションを解消しようと、ほかのトレーダーたちとともに躍起になっているときもある。

ブレイクアウトは、価格が以前の支持線、抵抗線を〝ブレイクアウト（突破）〟することで起こる。

ブレイクアウト・トレーダーは、価格が抵抗線をブレイクアウトしたときに買って、買い持ち取引に入り、支持線をブレイクアウトしたときに売って、売り持ち取引に入る。また、短期支持線ブレイクアウトで売って買い持ち取引を退出し、短期抵抗線ブレイクアウトで買って、売り持ち取引を退出する。

揺れる地面

支持線、抵抗線近辺の価格を、わたしは〝不安定価格ライン〟と呼んでいる。この価格ラインでは価格は一定せず、上か下かのどちらかに動く可能性が高い。支持線が持ちこたえれば価格は上昇し、抵抗線が持ちこたえれば、価格は抵抗線で反発して下落する。支持線も抵抗線も持ちこたえられなければ、価格はブレイクダウンの方向に動き続け、しかも、かなりの幅を動くことが多い。しばらくブレイクダウンのなかった市場で価格レベルが突破されると、その後、支持線や抵抗線になりうるような、目立った価格ポイントが現われないのが普通だ。トレーダーの心理に変化を起こす転換点になるような、目立ったアンカーは残っていない。

支持線が持ちこたえようが、抵抗線が持ちこたえようが、価格は不安定な価格ポイントにはとどまりそうにない。だからわたしはこの価格ラインを、不安定と表現する。この価格ラインには強い圧力が働く。心理戦に勝つのはどちらか一方で、もう一方が消耗してあきらめた時点で、価格は上がるか下がるかする。それまでの価格にはとどまらないのが通常だ。

不安定価格ラインは、絶好の取引チャンスとなる。というのも、この価格ラインでは、うまくいく取引とうまくいかない取引の価格差が比較的小さいからだ。つまり、たとえ間違っても、コストは低くすむ。

戦闘にたとえるのには、ほかにもわけがある。昔ながらの戦法では、攻撃側の大将は勝機が訪れるまでじっと我慢した。敵の防備を試すため、小さな奇襲を仕掛けることはあっても、全軍挙げての総攻撃は、ここぞというときが来るのを待った。価格が支持線と抵抗線の中間にあるとき、どちらの側も闘いに本気ではないので、誰が勝って誰が負けるか見定めるのはむずかしい。価格が支持線と抵抗線のどちらかに近づけば近づくほど、相場は過熱する。買い手と売り手のどちらかが負ける。ブレイクアウトするか、しないかのどちらかだ。

闘いが終盤に近づいてから、どちらが勝つかを占うのは簡単だ。支持線、抵抗線をめぐる心理攻防戦で、買い手と売り手が死闘を尽くした末に、価格が支持線、あるいは抵抗線を突き抜けるか、はっきりと反発するのかを見届けてから、どちらが勝者になるかを占うのも簡単だ。

図12を例にとろう。上がり相場になることを期待して、2・10ドルで買ったカウンタートレンド派のトレーダーは、ストップを参入価格の6セント下に置き、支持線のブレイクダウン目安価格とする。同様に2・10ドルのブレイクアウトで売ったトレンドフォロー派のトレーダーは、ストップを参入価格の5セントか6セント上、つまり2・15ドルか2・16ドルに置く。価格が2・10ドルをヒットした

あと、その価格帯に戻ったということは、価格に充分な勢いがあって支持線が持ちこたえたことを示している。

エッジは、認知のゆがみがもたらす系統だった誤解から生まれる。誤解のあるところ、そこが売り手と買い手が熾烈な闘いを繰り広げる戦場となる。有能なトレーダーは、さまざまな兆候を検討し、勝ち馬と見たほうに賭ける。賭けに負けたときはあっさりそれを認め、取引を手じまいすることですばやく状況の打開を図る。次の章では、こうした概念をもとに論を進め、システム全体を見ることにしよう。

seven

リスクを測る

BY WHAT MEASURE?

リスクを熟知し、重視すること。それが、最高のトレーダーの証《あかし》である。
リスクに目を光らせていなければ、リスクにつけ込まれることを彼らは知っているのだ。

あなたがシステムにもとづいたトレーディング戦略、あるいはそのような戦略を用いるファンド・アドバイザーの選択を考えているとき、いちばん重要な質問、そしておそらく唯一の質問は、ずばり、「よいシステムとよいマネジャーをどうやって見分けるか」だ。

それに対し、業界が提供する答えはさまざまだが、行き着くところはひとつ。つまり、「最高のリスク・リターン比率を持つ戦略、またはマネジャー」ということになる。

誰もが、特定のリスクレベルに対し最高の儲けを出したいと思っている。あるいは、期待するリターンのレベルに対し、リスクを最小にとどめたいと思っている。この点に関しては、トレーダーも投資家もファンド・オペレーターも、ほとんどみんなの意見が一致している。

ところが、困ったことに、リスク・リターン比率のリスクとリターンの部分を測る尺度については、どれが最も良い尺度なのか千差万別に意見が分かれる。ときとして、金融業界のリスクの定義では、ある種のリスクを包み隠すような言いかたがなされているが、そういうリスクも、彼らが心配しているリスクと同じようにみじめな結果をもたらす可能性がある。

有力ヘッジファンド、ロングターム・キャピタル・マネジメントの内部崩壊が招いた巨額の損失は、旧来の尺度の枠外に存在するリスクの好例だ。この章では、そうしたリスクとその測定法を説明し、そのうえで、過去のデータを用いることにより、リスクとリターンを評価するトレーディングシステムのしくみについて述べてみたいと思う。

リチャード・デニスとウィリアム・エックハート——リッチとビルがわたしたちのポジションのサイズについて細心の気配りをしていたのは、ポジションが大きすぎると、逆方向への大規模な価格移動の期間に、自分たちの全純資産を失うリスクがあることを承知していたからだ。タートル・プログラム開始の2、3年前、何日ものあいだ銀市場が限度いっぱいの安値をつけていたとき、ふたりはトレードを行なっていた。COMEX先物取引所が決めた1日の値幅内で銀を買おうというトレーダーがいないので、退出のチャンスがない。これは先物トレーダーにとって最悪の悪夢だ。毎日どんどん損が出ているのを、黙って見ているしかないことになる。

幸いリッチは、そうなる前に自分のポジションを減らすことができた。おそらく、それで何千万ドルもの損失を出さずにすんだのだと思う。すばやく行動を起こさなかったら、すべてを失っていたかもしれない。その経験が、タートル・プログラム実施中もふたりの記憶に新しかったのだろう。

リッチはタートルたちのポジションを絶えず監視していて、総リスクが大きすぎると感じると、ときどき自分自身のポジションを減らしていた。リッチは勝負師だという評判とは裏腹に、わたしの経験から見ると、リスクには非常に慎重だった。

リスクはつきもの

リスクは多種多様なので、それを測定する方法も多種多様だ。まれにしか起こらない大きなリスクがある。頻度としては10年に1度か2度のものだ。そして、もっとありふれたリスク、毎年2回や3回は起こりうるリスクがある。たいていのトレーダーが気にかけるのは、次に挙げる4つの主要なリスクだ。

●ドローダウン……トレーダーの取引口座の元金を減少させる一連の損失

●ローリターン……生計が立てられないほどの低利得期間

●価格ショック……ひとつ、またはそれ以上の市場で回収不可能な大きな損失を招くことになる突然の価格変動

●システムの無用化……市場力学の変化で、前には利益の出ていたシステムが損失を出し始めること

まずは、これらのリスクを個別に見ていき、リスク対リターンの尺度に組み入れ可能な査定のしかたを考えて、トレーダーとトレーディングシステムの評価を試みよう。

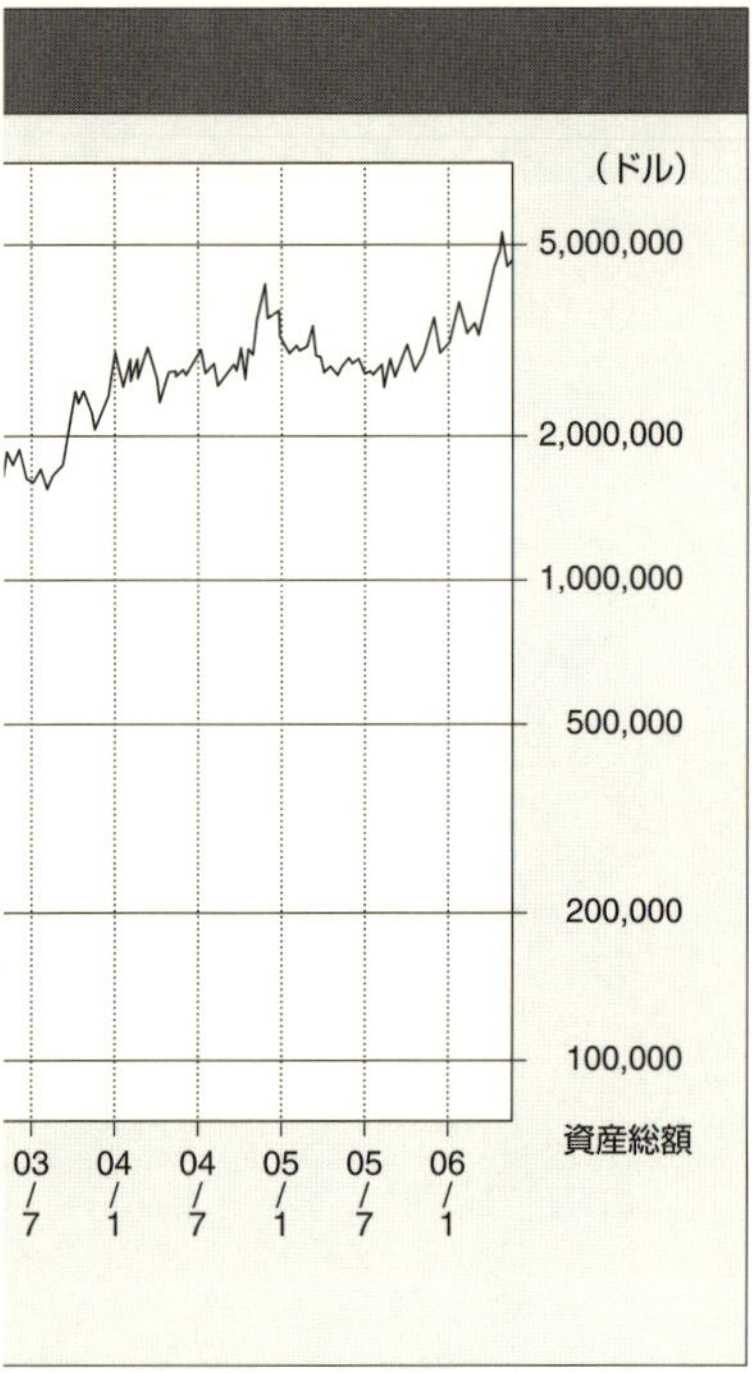

ドローダウン

これが発生すると、おそらく、大半のトレーダーが取引を中止するというリスクがドローダウンで、大半のトレーダーを最終的に損失者にしてしまう。図13に示す損益曲線は、ドンチアン・トレンド・システムを用い、10万ドルを元手に、1996年

図13 ドンチアン・トレンド・システムを用いたトレーディングの損益曲線（対数尺）

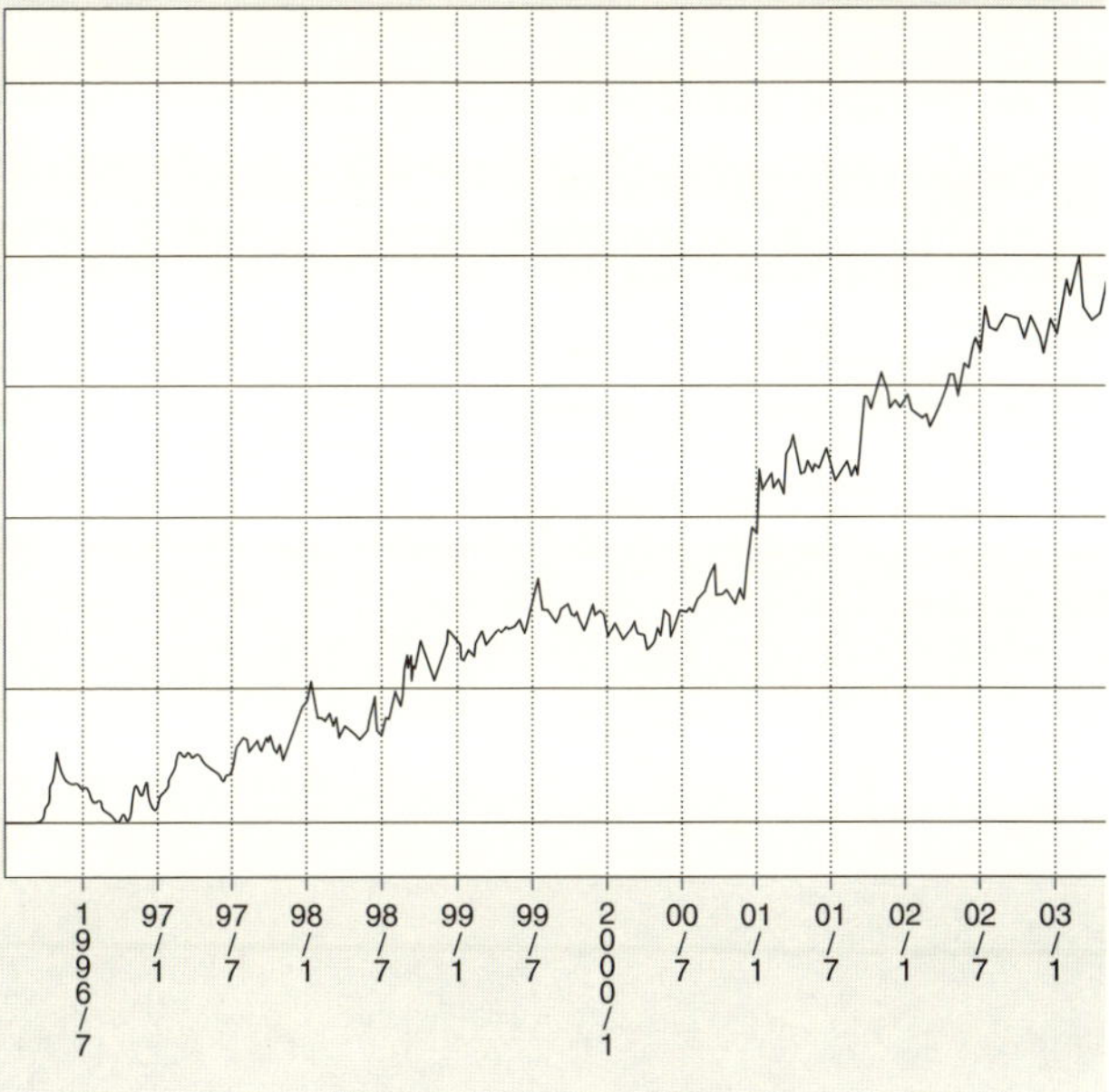

1月から2006年5月までのトレーディングの結果を表わしたものだ。

グラフから、資産は、テスト期間の10年ちょっとのあいだに年平均43・7パーセント複利で増えている。もっとも、38パーセントのドローダウンをみせる期間もあった。

多くの新米トレーダーは、こんなすごい成績をあげているシステムならきっと儲けが出るという誘惑に目がくらみ、「なんの、こんな利益とひきかえなら、38パーセントの損失ぐらい耐えられる」と思ってしまうだろう。

残念ながら、人間はこの種の

ことについて、自分たちの忍耐力を見積もるのが非常に得意というわけでない。それは、経験が繰り返し教えてくれている。あなたが図13のようなグラフしか見ていなかったとしたら、要注意。対数尺を使っているので、標準尺よりドローダウンを小さく見せる傾向があるからだ。

新米トレーダーのジョン・ニュービーは、このシステムの成績なら大丈夫、この種のドローダウンなら持ちこたえられると判断し、２００６年６月１日、10万ドルを元手にトレーディングを開始した。図14は図13を２００６年10月まで更新したもので、過去のドローダウンを線形尺を用いて描いている。ニュービーが６月１日にトレーディングを始めてまもなく、システムは過去のテストで最高のドローダウン期に入った。過去にも近い数値まで来たことはあったが、42パーセントのドローダウンは例がない。この時点で、ニュービーの心をよぎったものは何だっただろう。

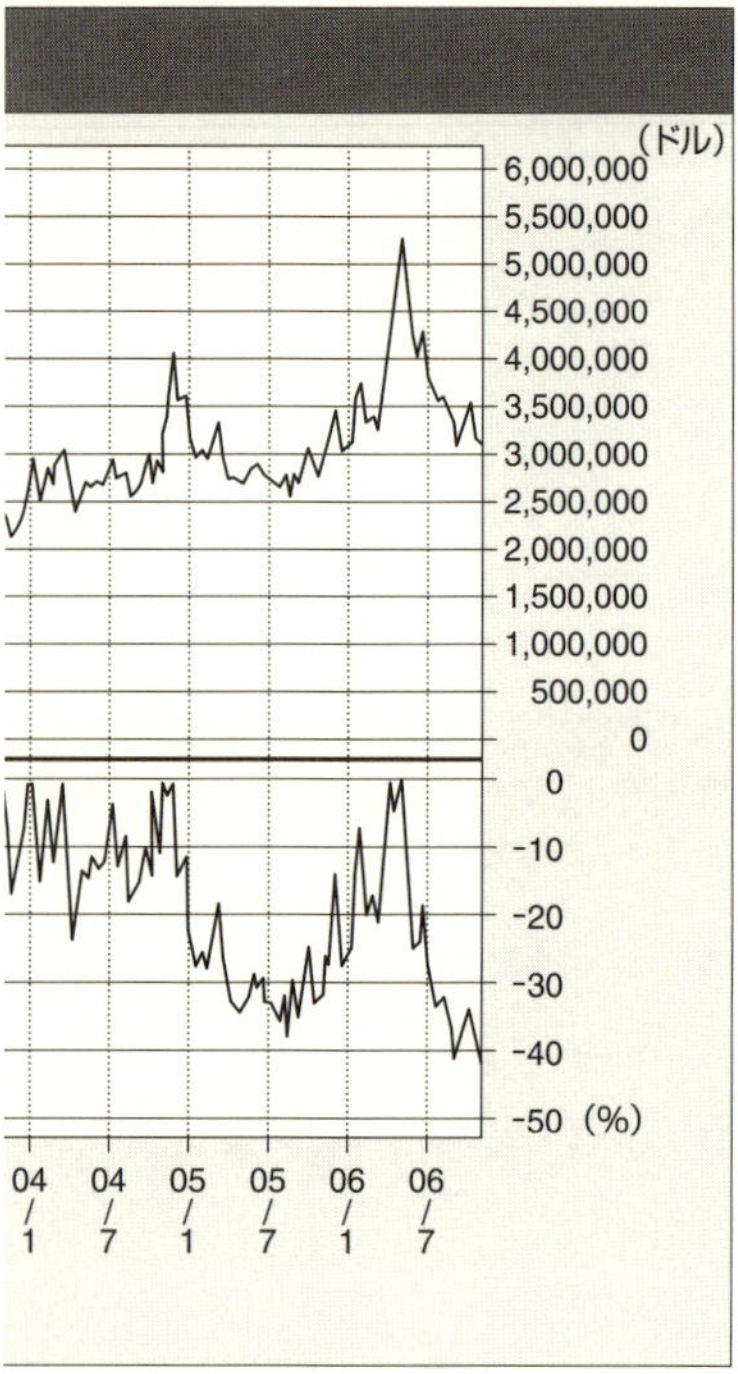

山ほどの疑念、恐れ、不安、そして、数えきれない疑問。

「もしかして、システムが機能

図14 ドンチアン・トレンド・システムを用いたトレーディングの損益曲線とドローダウン（線形尺）

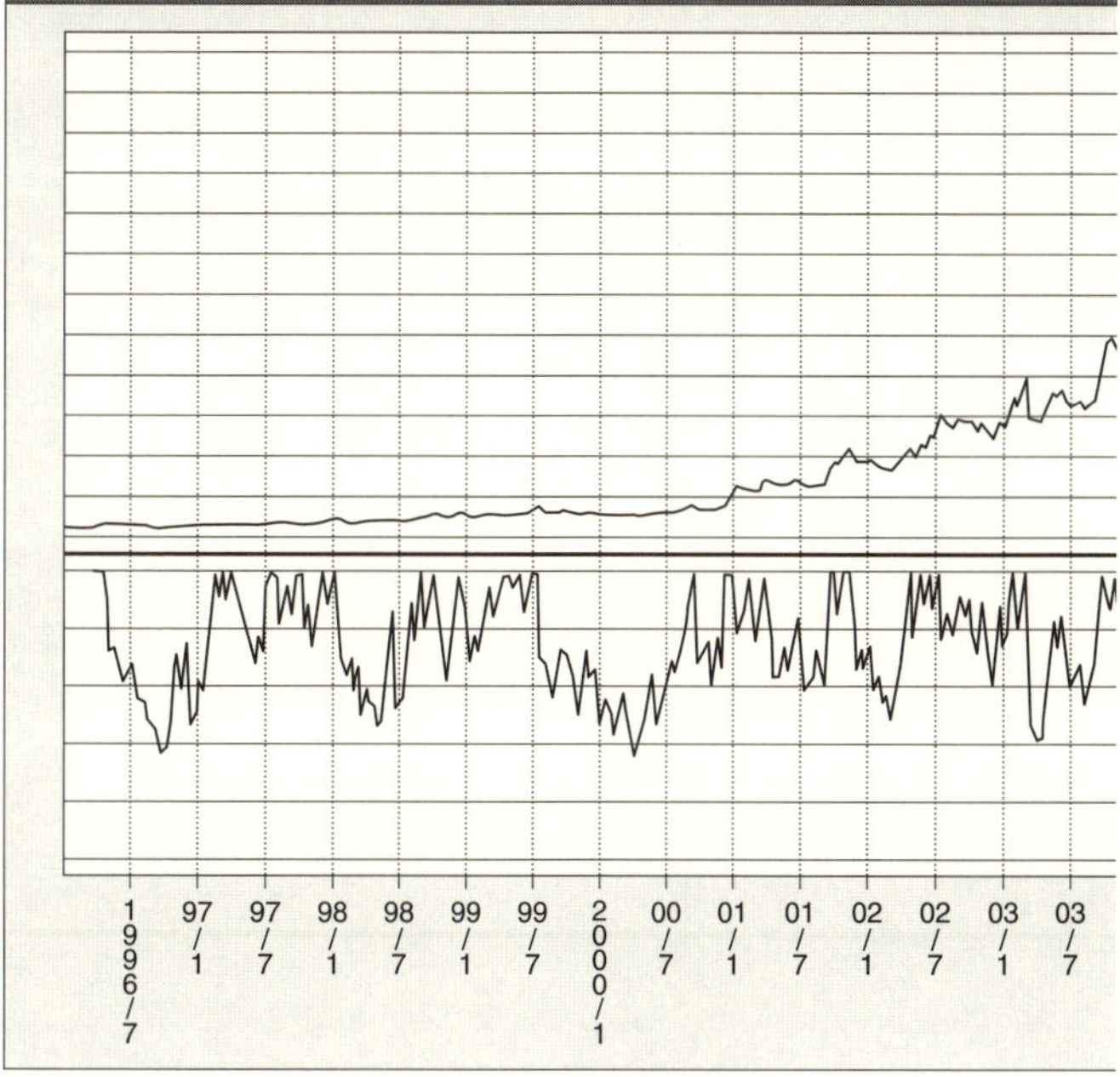

しなくなっていたら？」

「もしかして、これが、さらに大きなドローダウンの始まりにすぎないとしたら？」

「もしかして、ぼくのテストのやりかたにどこか間違いがあったとしたら？」

「もしかして……」


この手の疑念が原因で、しばしば、新米トレーダーはシステムの使用を中止するか、〝リスクを軽減させる〟ためにトレードを選別し始めることになる。多くの場合、それでトレーダーは勝ちトレードを逃がす結果となり、挫折感のなかで、元本の半分以上を失った末に、資金を引きあげることになる。これが、新米トレーダーが有効な戦略を用いながら、失敗してしまうおもな理由だ。彼らは、攻撃的リスクレベルでトレーディングを行なう際つきものの大きな変動に、自分が耐えられると過信してしまったのだ。

わたしの個人的経験からすると、この種のドローダウンを耐え忍ぶことができる人間など、ざらにはいない。成功をおさめ、みずからのトレーディングやシステム、テストに絶大の自信を持つトレーダーなら、大きなドローダウンを持ちこたえることができるかもしれないが、慎重な新米トレーダーの場合は、予測されるドローダウンを軽減できるよう調整するべきだろう。必然的に、システム利用の結果もたらされるはずのリターンも減少してしまうことになるが、それは賢い妥協だといえる。

研修生として、わたしたちは恵まれていた。というのも、ボスのリチャード・デニスは、収益を還元するために発生したドローダウンを、一連の負けトレードのために発生したドローダウンと同じようには見なさなかったからだ。リッチは、**収益の還元**部分が、トレンドフォロー派のゲームの一環であることを理解していた。

この理由から、資産運用を任されるうえでリッチはたいへんやりやすいボスだった。ほかの大半の投資家だったら、わたしたちがときおりこうむったこの種のドローダウンにパニックを起こしていたにちがいない。外部資金の運用で最も成功している元タートルたちを見れば、彼らが研修生時代より格段に低いドローダウン・レベルでトレーディングを行なっていることがわかる。機関投資家の資金を運用する場合、実際的に、それは必要条件でもあるのだが。

あいにくこのレベルのドローダウンなしには、研修生時代のわたしたちが稼ぎ出したような100パーセント以上のリターンは達成不可能だ。わたしの最悪のドローダウンは、70パーセントかそこらだったと思う。何人の人がそこまでのドローダウンに耐えられるだろうか。大多数の人間の心理では、きわめてむずかしい。

ローリターン

トレーダーが1取引当たり30パーセントのリターンを期待するとすれば、毎年確実に30パーセントのリターンを生むシステムを利用しても、あるいは1年目に5パーセントのシステム、2年目も同様のシステム、3年目に100パーセントのリターンを生むシステムを利用しても、目標の達成は可能だ。3年後、どちらのシステムも同じ平均30パーセントの**CAGR（複利平均成長率）**が得られる。しかし、大半のトレーダーは、損益曲線がなだらかになることから、毎年30パーセントのリターンを生むシステムを好む。

ほかの条件が同じなら、コンスタントによいリターンを生むシステムが、未来のどこかの期間においてもよいリターンを提供する可能性が高いことがわかっている。したがって、そういうシステムが平均以下のリターンしか達成できないリスクは、過去にもっと不安定なリターンを記録したシステムの場合より、どの1年間をとっても低いといえる。

価格ショック

価格ショックとは通常、自然災害、予期せぬ政治的出来事、経済的大惨事などが原因となって起こる、突然のあるいは急激な価格の変動だ。わたしがトレーディングに手を染めるようになってから現在まで、非常に大きな価格ショックがふたつ起こっている。最初は、１９８７年のアメリカ株式市場の暴落とそれに続く金利の急低下、ふたつ目は２００１年9月11日、ニューヨーク世界貿易センタービルへのテロ攻撃後の暴落だ。

最初の価格ショックが起こったとき、わたしはリチャード・デニスの２０００万ドルを運用していた。今でもはっきりと覚えている。暴落の当日、わたしは実は少しばかり儲けを出したのだが、翌日はがらりと状況が変わっていた。

ブラックマンデーの87年10月19日、ユーロダラーは90ドル64セントで引けた。その2日前につけた安値90ドル15セントは、その朝、90ドル18セントの安値までテストされていた。わたしは12月限ユーロダラー１２００枚、それにTビル（米国財務省短期証券）６００枚などを売り持ちでかかえていた。また、金と銀は並々ならぬ買い持ちで、２、３の通貨で大きなポジションを取っていた。

翌朝、ユーロダラーは2ポイント以上高い92ドル85セントで寄り付き、これは1枚につき５５００ドルほどの値上がりで、手じまいの機会は全然なかった。８カ月ぶりの高値だった。さらに、金は25ドル下げて、銀も1ドル以上下げて寄り付いた。図15はこの価格ショックの日のユーロダラーを示す。

図15　価格ショックとユーローダラー金利の値動き

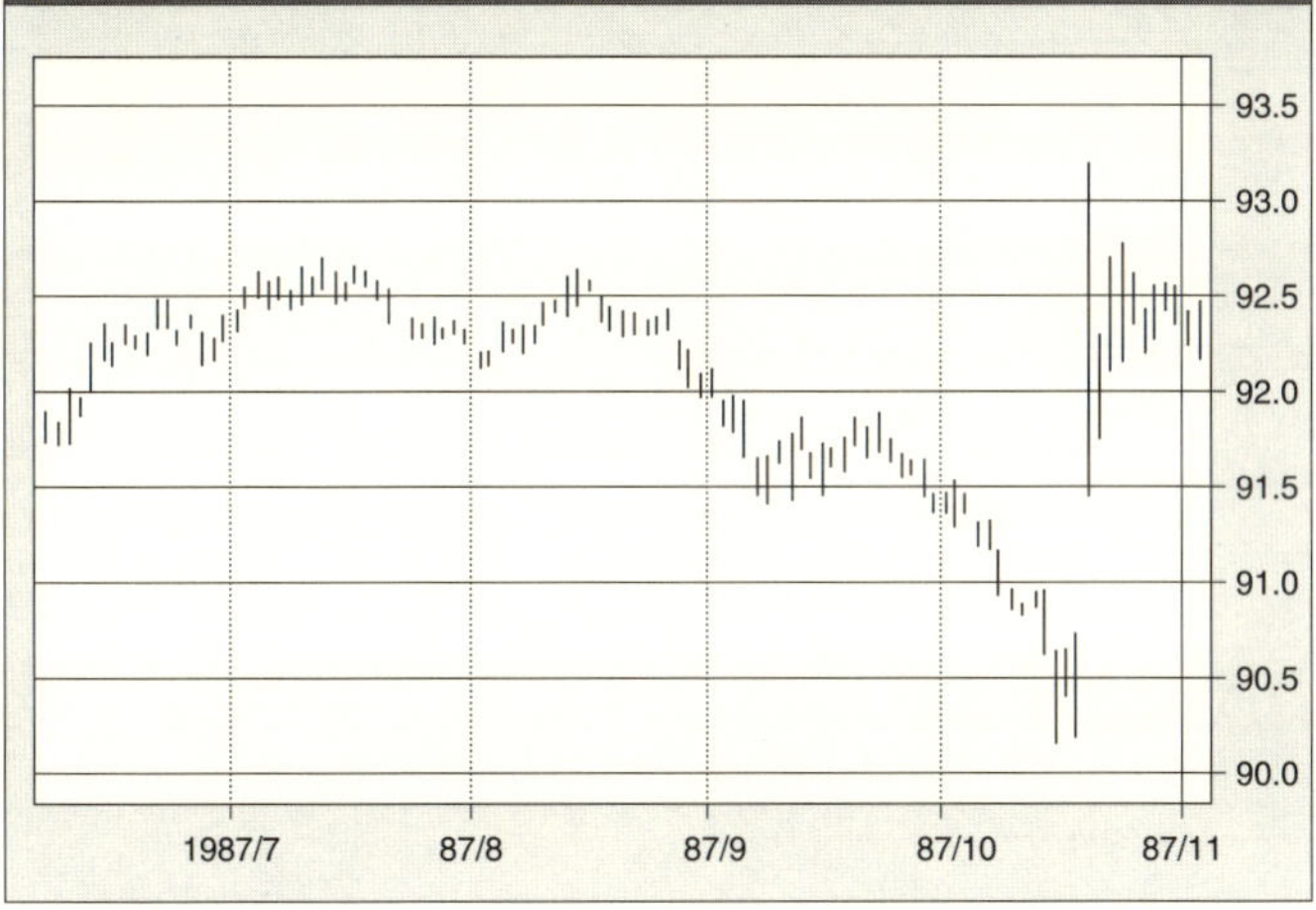

合計で、わたしはリチャード・デニスの２００万ドルを１１００万ドルにまで減らしてしまった。ひと言で言えば、わたしのまるまる１年の利益がひと晩のうちに消えてしまったのだった。

暴落の当日、わたしが利益を出したのは皮肉な意味でおもしろい。政府が血迷ってなんの警告も発しないままにオーバーナイトで金利を下げたのが、わたしにとって命取りとなった。それが価格ショックだったのだ。

次の図16は当初10万ドルの元本を、わたしたちがタートルとして、ドンチアン・トレンド・システムを用いてトレーディングした１９８４年から87年末までを示したグラフだ。

ドローダウン65パーセントの大きな突出が、はっきりわかる。ドローダウンが一夜のうちに起きたことが重要だ。市場を退出するチャンスがない。もうひとつ興味深いのは、あの一日のドローダウンが、システムがバックテストから推測した数値のどれより倍も大きかったことだ。言い換えれば、バックテストはあのドローダウンを2分の1に見積もっていたことになる。

　この仕事にとどまりたいと願うトレーダーなら、みんな価格ショックという現実をつねに忘れないでいるだけの分別があり、自分たちの残高に見合った適正なリスクレベルに落ちつく。ハイリターンを得ようとする者は、誰しもそれに見合ったリスクを負うことになる。大規模な価格ショックが起これば、大きなドローダウンを経験することになるか、取引資金のすべてを失ってしまう可能性さえあるのだ。

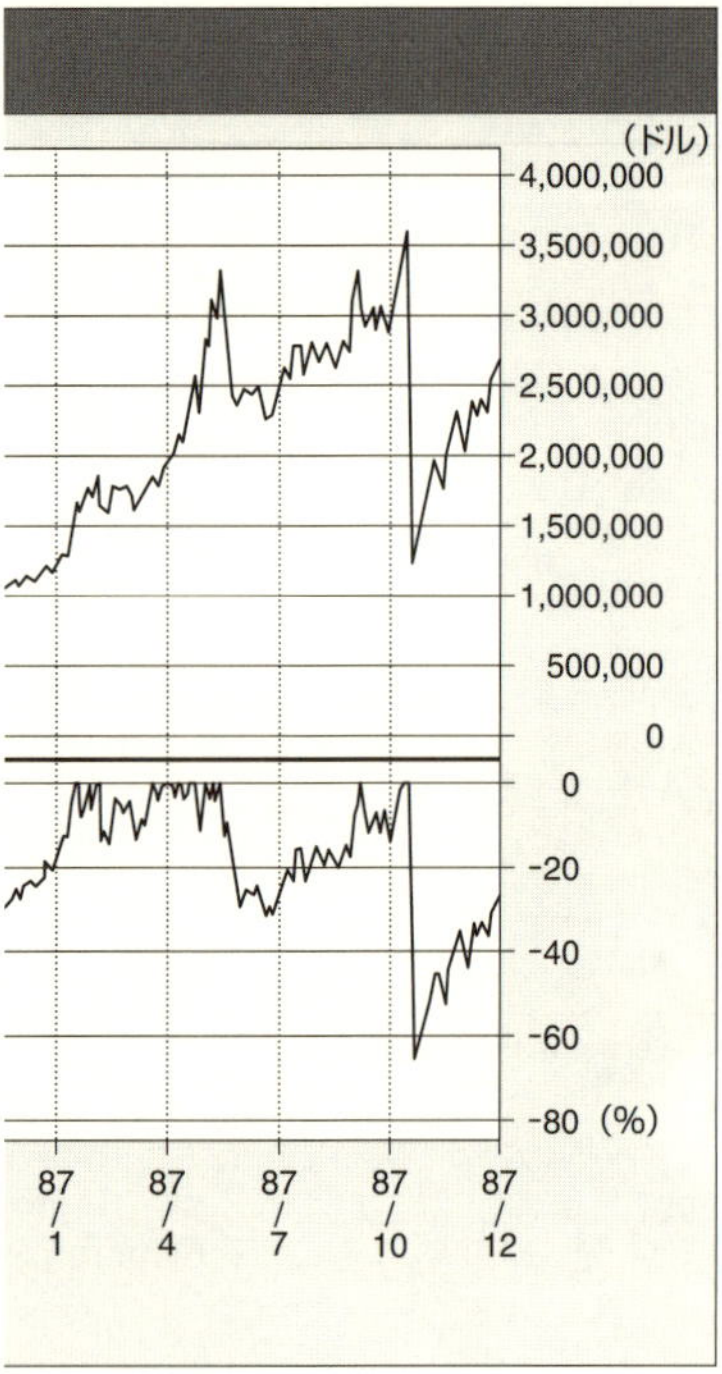

システムの無用化

　システムの無用化とは、過去データを用いたテストにもとづいて機能していたか、あるいはそう見えていたシステムが突如機能を停止し、損を出し始める

図16　1987年10月の価格ショックによるドローダウン

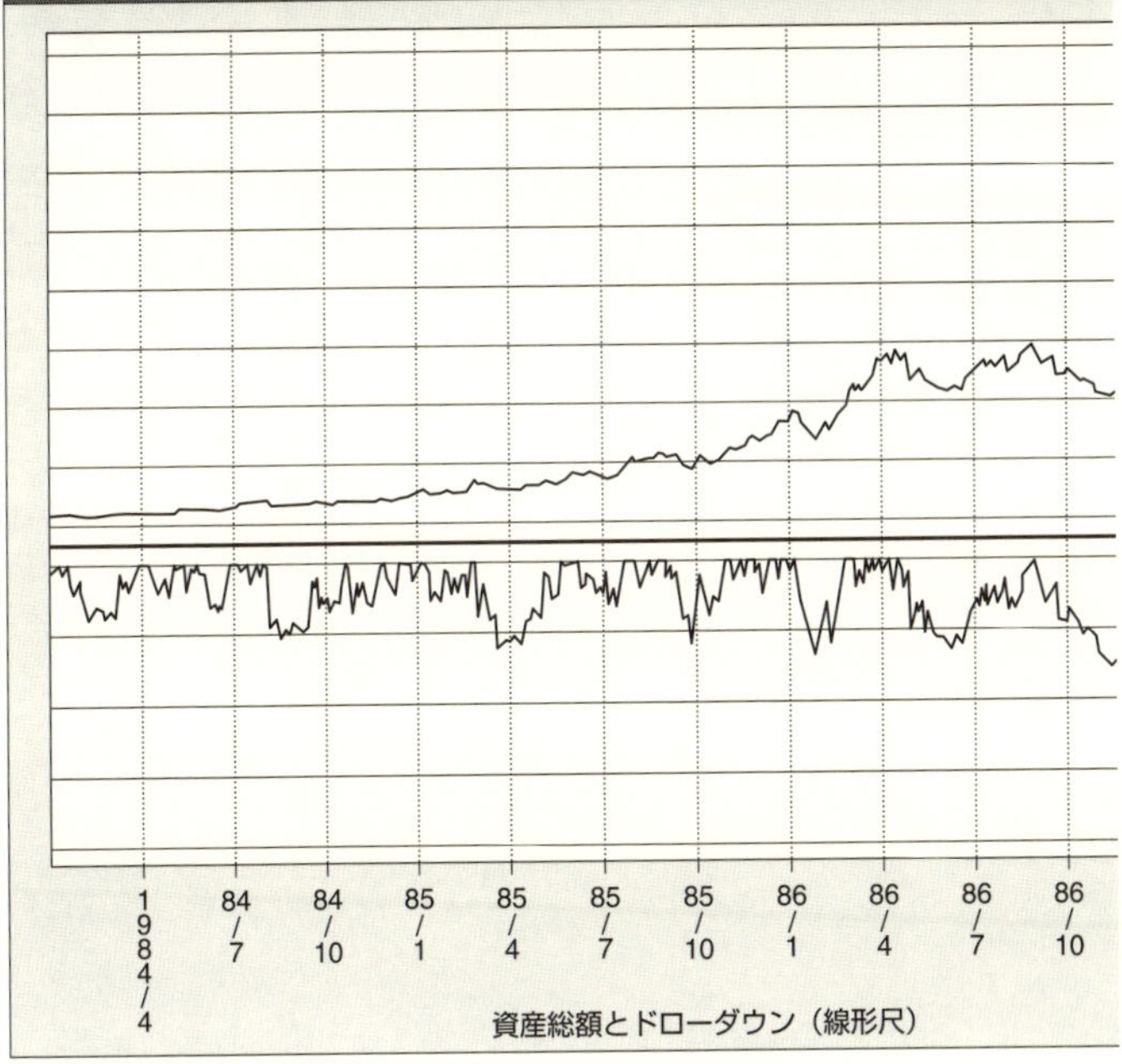

ことをいう。このリスクは市場からもたらされるのではなく、貧弱なテスト方法に頼った結果もたらされることが多い。また、最近の価格行動について最適化した短期システムでトレーディングを行なう人たちには、より大きなリスクとなる。

新米トレーダーには、単にドローダウン期にあるのか、ほんとうに機能が停止したのか、見分けることはかなりむずかしい。新米トレーダーにとって最大の不安点と言っていいだろう。彼らはドローダウンにぶつかり、自分たちの手法を問い始める。「ぼくはテストで何か間違いを犯したたろうか？」

「市場がなんらかの形で変化して、ぼくのやりかたが無効になったのだろうか？」

「これはずっと続くのだろうか？」

システムの無用化というリスクを軽減する方法については、あとの章で述べることにする。とはいえ、あいにく市場は動的で、参加者はほかにも大勢いるので、市場の変化は現実の問題であり、それが以前には機能していたシステムや手法の成績に影響をあたえることはありうる。そういう変化は永続することもある。偉大なトレーダーが並みのトレーダーと一線を画す点のひとつは、ほかの人たちが飽きて捨ててしまう手法を固守して、それで成功をおさめることだ。

このように、あるトレーディングスタイルがもはや機能しないと思い込んで、市場に参加しているあるグループがそれを使うことをやめると、トレンドフォロー派にとって、おもしろい副作用が起こる。トレンドフォロー派トレーダーは2、3年おきに損失期を経験し、必然的にどこかの大家がトレンドフォローの終焉宣言をする。そして、たいてい時を同じくして、トレンドフォローのファンドから大量の資金が引きあげられることになる。

トレンドフォロー戦略ファンドからどんどん資金が逃げていくにつれて、これらの戦略はまた利益を出し始め、しばしばその現象ははなはだしいものになる。タートル・プログラム開始以来、少なくとも3、4回は、誰かがトレンドフォローは機能しなくなったと宣言している。わたしはそんな意見に耳を傾けない。利益を生む市場が目前に迫っていることを、確信しているからだ。

目に見えないものを測る

リスクの定量化とは、特定のシステムでトレーディングを行なった場合、遭遇する可能性のある損害を算出するひとつの方法だが、それには多くのやりかたがある。わたしが有用だと思う一般的な尺度は、以下のようなものだ。

1 **最大のドローダウン**……テスト期間中、資産のピークから谷までのドローダウンの最大パーセンテージを表わす数字。図16では、65パーセントとなっており、１９８７年の大暴落の価格ショックにより引き起こされた。

2 **最長のドローダウン**……資産の山から次の新しい山までの最長の期間をいう。損失期間のあと、新たな資産の高値を奪還するまでどのくらいかかったかを見る尺度となる。

3 **リターンの標準偏差**……リターンのばらつきの尺度。低い数値は大半のリターンが平均に近いことを示し、高い数値は月々のリターンの差がより大きいことを示す。

4 **決定係数**……ＣＡＧＲ％（複利平均成長率）を表わす線にフィットする度合の尺度。預金など確定利付投資は決定係数値１・０になるが、リターンが非常に不規則な場合は１・０以下になる。

リスクの裏面：リターン

リターンとは、特定の手法でトレーディングを行なう場合、そのシステムでの利益の期待値をさす。これにも多くの算出法があるが、わたしが有用だと思う一般的な尺度は、次のようなものだ。

●CAGR%……年平均成長率は、幾何平均リターンともいい、特定の期間、均等に複利で計算して、ある最終資産額になる成長率のことをさす。たとえば単純な定期預金なら、これは利率に等しい。この数値はハイリターン期が一時期あるだけでも大きく変わってくる。

●平均年間トレイリング・リターン……始点終点を移動させた1年間のリターンの平均を測る尺度。この尺度を用いると、特定のどの1年間についても、リターンのよりよい予測が可能になる。これは2、

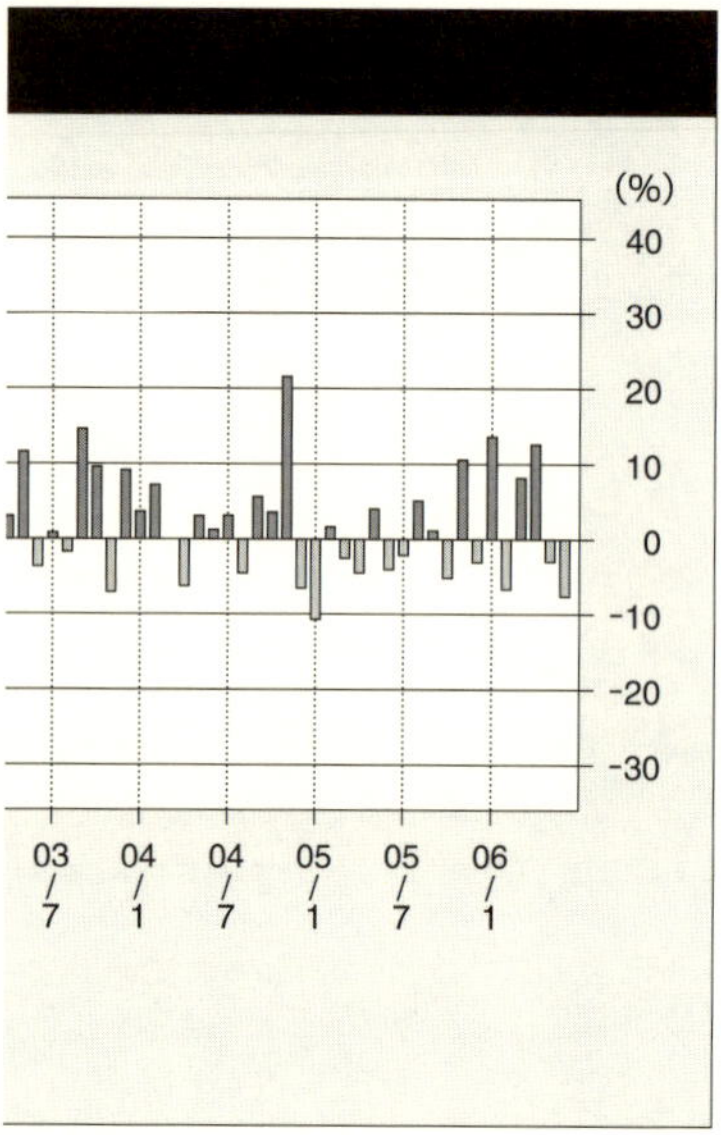

図17　ドンチアン・トレンド・システムを用いたトレーディングの月間リターン

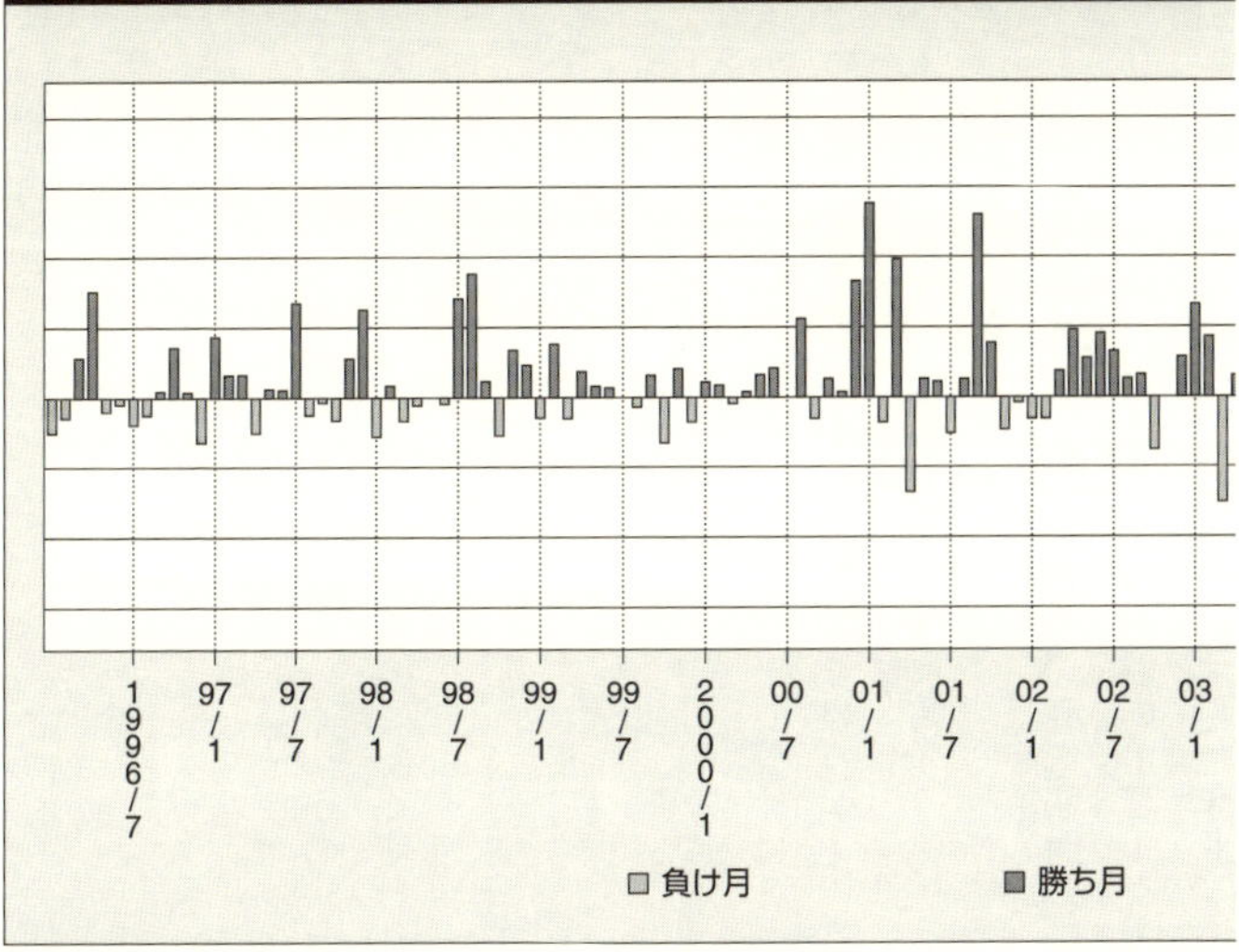

3年以上にわたるテストで一度ぐらい高いリターン期間があっても、さほど影響を受けない。

●平均月間リターン……テスト期間中における月平均のリターン。

これらの単独の数字の尺度に加え、わたしは月ごとのリターンの分布に焦点をあてた4章の図7のグラフ、それに損益曲線自体も活用している。また各月のリターンも、気に入っていてよく使う。図17のグラフは、1996年から2006年6月まで、ドンチアン・トレンド・システムでのリターンを示したものだ。

図17のようなグラフは、予期できる相対的勝ち負けの状態をかなりよく示しており、数字で表わされる結果よりずっとわかりや

すいように思う。

リスク対リターンを測る

リスク対リターンを測定するには、いくつかの複合尺度があり、それらは、先物取引ファンドのためのシステムやマネジャーを比較するのによく使われる。それらの中で最も知られているのは、シャープ・レシオとMARレシオだ。

シャープ・レシオ

シャープ・レシオは、年金基金や大口投資家が有望な投資を検討する際に使用する尺度で、おそらく最も一般的なものだろう。シャープ・レシオはミューチュアル・ファンドのパフォーマンスを比較するため、1966年、ノーベル賞受賞者のウィリアム・F・シャープによって発明された。この尺度は当初、リターン対変動性比率として紹介されたが、のちに考案者の名を取って、シャープ・レシオと呼ばれるようになった。

シャープ・レシオはリターンとして、測定期間のCAGR%（月間または年間の運用実績）からリスクフリー・レート、つまりリスクのないTビル（米国財務省短期証券）のような債券に投資した利率を引いた値を、測定期間（通常月間または年間）のリターンの標準偏差で割って算出される。

しかし、シャープ・レシオはミューチュアル・ファンドの成績を比較するために考案されたものであり、総合的リスク・リターン比率の尺度ではないことを忘れてはならない。ミューチュアル・ファンドは、株式で構成される、レバレッジをかけないきわめて特定された投資手段なのだ。シャープ・レシオがそもそもミューチュアル・ファンド比較のツールとしての役割を持っていたせいで、それによって測定できない種類のリスクの重要性が浮かび上がってきた。ミューチュアル・ファンドは、シャープ・レシオが提案された１９６６年当時、米国株式へのレバレッジをかけない投資手段だった。したがって、ミューチュアル・ファンド間の比較は、同じ市場、同じ基本投資スタイル間での比較を意味した。

さらに、当時のミューチュアル・ファンドは、ポートフォリオが株式のみからなる長期投資で、特にタイミングや投資対象の大きな差はなく、違いはポートフォリオの選択と分散戦略だけだった。そこで、ミューチュアル・ファンドのパフォーマンスを測定するという特殊な場合には、ファンドの信頼性リスクを示すのにシャープ・レシオが大いに力を発揮する。同時期の比較において、リスクが直接的にリターンのバラつきと関係するからだ。ほかの条件が同じなら、バラつきの少ないミューチュアル・ファンドのほうが、過去の平均リターンから逸脱したリターンを生むリスクは少ない。

シャープ・レシオは、株式のポートフォリオのマネジメント戦略を比較する際、リスク・リターン比率を測るのに優れた尺度ではあるが、先物や商品ヘッジファンドのような代替投資ファンドの比較には充分な尺度とはいえない。代替投資ファンドは、レバレッジのかからない株式ポートフォリオに比べると、リスクに関していくつか重要な違いがあるからだ。

●マネジメントスタイルのリスク……先物システムとファンドはしばしば短期トレーディング戦略を用いる点で、バイ・アンド・ホールドの戦略を用いる従来の投資ファンドの習慣とは大きく異なる。頻繁な売買を含むトレーディングの戦略では、ずっと早く資金を失う可能性がある。

●分散戦略リスク……多くの先物ファンドとトレーディングシステムは、どの時点でも、少数の投資に大きな資金を投じ、従来の投資ファンドと同じレベルの分散投資は行なわない。

●エクスポージャー……先物は株式より高いレバレッジを持ち、このことは、先物トレーダーを市場変動につきものの多くのリスクにさらすことになる。

●信頼性のリスク……多くの先物ファンド・マネジャーは十分な長さのトラックレコード（運用成績）を持っていない。限られた記録では、投資家が期待どおりのリターンを得られないリスクが大きい。

困ったことに、シャープ・レシオの使用は、この業界内で目につく問題のひとつを悪化させる。特に、トレーディングについて、また、それが従来のバイ・アンド・ホールドの株式投資とどう違うかについて、よく理解していない人たちのあいだで……。それは、リスクの尺度として、リターンの安定度に焦点を当てていることだ。

ここで、できるかぎりはっきりさせておきたい。**リターンの安定度はリスクと等価ではない！** リスクの非常に大きい投資が、限られた期間、安定したリターンを生むことはありうる。投資家は、数年間にわたり一貫してプラスのリターンを生み出すと、その投資やマネジャーを〝安全〟だと考える傾向がある。これらのリターンが実際どのようにもたらされるかを理解せずに、そう信じているのだ。

わたしは、多くの場合、リターンの安定度と実際のリスクは、反比例の関係にあると信じる。このことを裏づける例をふたつ挙げよう。ひとつは、数年間非常に順調だったにもかかわらず、ロングターム・キャピタル・マネジメントの劇的結末とともに完全に機能を停止した戦略であり、もうひとつは、いまだに多くのファンドに用いられており、すばらしいリターンを生んでいるが、同種の崩壊の可能性をはらんでいるものだ。

天才たちの誤算

ロングターム・キャピタル・マネジメント（ＬＴＣＭ）は非常に高いレバレッジにもとづき、状況により各種債券価格が収斂《しゅうれん》する傾向にかける戦略をとっていた。非常に高いレバレッジを使用したため、そのポジションは市場の他の参加者に比べてあまりに大きくなり、ＬＴＣＭが損失に直面したとき、手じまいを非常に困難にした。

その戦略は数年間好調だったが、ロシアの債務不履行による危機で、価格が逆方向の動きを引き起こすと、その大規模なポジションがＬＴＣＭに不利に働いた。市場のほかの勢力は、それがＬＴＣＭ

にとって不利に価格を動かし続け、ついにはファンドにポジションの解消を迫ることを知っていたからだ。LTCMは結局、破綻前には47億ドルあったファンドのほとんど全額を失った。

危機の前まで、LTCMは毎年ほぼ40パーセントのリターンを出しており、配当もたいへん順調に行なわれていた。言い換えれば、その時点まで、優れたシャープ・レシオを維持していたというわけだ。LTCM崩壊の詳細については、ロジャー・ローウェンスタイン著『天才たちの誤算』（この書名がたいそう気に入ったので、ついついこの項の見出しに使ってしまった）をお読みいただきたい。

あまりシャープではない

同様の問題が最近、米ヘッジファンド・アマランスの天然ガス先物取引で起こった。このファンドも市場のほかの勢力に対し、非常に大きなポジションを築いた。アマランスは、たった2カ月で90億ドルのファンドのおよそ65パーセントを失う結果になった。その前には、すばらしいシャープ・レシオを記録していたのだ。

嵐の兆し？

昨今、アウト・オブ・ザ・マネー・オプションを売却して、つまり価格が大きく動かないほうに賭けて、リターンを達成するヘッジファンドが数多くある。リスクさえ適切に管理されれば、これは、きわめて安定したリターンを得る非常に有効な戦略だ。

このアプローチの問題は、プロでない投資家には、ファンドのもたらす実際のリスクを理解しにくいことだ。この戦略を用い、非常に高く着実なリターンを生み出すことは可能だが、その代わりあらゆる種類の価格ショックへの高いエクスポージャーを有することになる。たとえば1987年、ユーロダラーのオプションを売却した投資家は、誰にも破産の危険性があった。その価格ショックと、オプション売却によってもたらされるエクスポージャーとが合わさると、ファンドの評価額以上の損失を1日で出しかねなかった。

慎重なマネジャーなら、これらのリスクを阻止できるだろう。ところが、困ったことに、多くの投資家はこれらの投資額のすべてを失い、取り返しがつかなくなってからそういうリスクに気がつく。彼らは安定したリターンと多年にわたる実績でファンドを選びたがるが、そうしたファンドは、ほんとうに厳しい日をこれから経験するかもしれないのだ。

MARレシオ

MARレシオは、ヘッジファンドのパフォーマンス報告を出しているマネージド・アカウント・レポート社により考案された尺度で、ヘッジファンドのパフォーマンスを示す。

MARレシオは、1年のリターンを月末の数値を用いた最大のドローダウンで割って算出する。これは、リスク対リターンを測る手っとり早い方法で、パフォーマンスの貧弱な戦略をふるいにかけるのに、わたしは重宝している。大まかなところを知るには、たいへん役に立ってくれる。先に図17で紹介した１９９６年１月から２００６年６月までのテスト期間におけるドンチアン・トレンド・システムのＭＡＲレシオは１・22で、ＣＡＧＲ％は27・38パーセント、月末の数値を用いての最高ドローダウンは22・35パーセントだった。

わたしには、月末の数値を用いる根拠が今ひとつ見出せないし、そうすると、真のドローダウンより内輪になる場合が多いことを発見したので、個人的テストにおいては、山から谷へのドローダウンの最高値が月のどの時期に当たっても、かまわずそれを使うことにしている。これが、月末のデータだけを使ったときとどれくらい違うかというと、月末以外の日を含む実際のドローダウンの最高値は、月末の数値だけを取った22・35パーセントに対し、27・58パーセントになり、ＭＡＲレシオのほうは１・22に対し０・99となる。

再び、システム無用化リスク

トレーディングシステム、戦略、パフォーマンスについてわたしが観察してきた中で、最もおもしろい事実のひとつは、過去にきわめてよいリスク・リターン比率を提供したと思える戦略は、トレーディング界がこぞってまねをしたがる戦略でもあるということだ。それらの戦略を追って、あれよあれよという間に何十億ドルもつぎ込み、最終的に市場の流動性を上回り、内部崩壊を起こしてしまうことになりかねない。初期のシステムが無用化したために、打撃をこうむるわけだ。

裁定（アービトラージ）戦略は、おそらくその最たるものといえるかもしれない。裁定は、純粋な形においては本質的にリスクフリーのトレードだ。あるところで何かを買い、別のところで何かを売り、輸送と保管のコストを引いて、差額をポケットに収める。大半の裁定戦略は完全にリスクフリーというわけではないが、多くはそれに近い。問題は、これらの戦略では、異なる場所における価格、もしくは類似商品間の価格のスプレッドがなければ、儲けが出ないことだ。

多くのトレーダーがある特定の戦略を運用すれば、その全員が基本的に同じ取引で競合することになり、必然的にスプレッドは縮まる。その影響は、時間が経つにつれて戦略を無力化し、ますます利益を減少させる。

反対に、典型的な投資家たちにあまり人気のないシステムや戦略は、それよりずっと寿命が長い。トレンドフォローがよい例だ。大半の大口投資家は、トレンドフォローにはつきものの大きなドローダウンと資産の変動を心安らかにやり過ごすことができない。だから、トレンドフォローは長期にわたって機能しつづけているのだ。

とはいえ、リターンは周期的に高低を繰り返す傾向がある。比較的落ちついたリターンのあとにおびただしい資本が流れ込んでくると、たいてい2、3年、比較的きびしい時期が続く。なぜなら、市場で同じ戦略を使う投資家たちの新たな資金の量を、容易には消化できないからだ。さえないパフォーマンスの時期が続き、投資家たちがトレンドフォローのファンドから資金を引きあげると、今度は高リターン期がやってくる。

よく考えて目標を設定すること。戦略を検討する際、あまりに欲を出すと、もとめている結果を出せない可能性が増す。最善だと思える戦略は、振り返ってみると、新しい投資家たちをひきつけるものである可能性もたいへん高く、その結果、新たな投資がなされた直後、パフォーマンスが悪化し始めることが多いのだ。

みんな違う

わたしたちは誰しも、損失への許容度は違うし、リターンへの期待度も違う。だから、すべての人間に普遍的に訴える尺度などひとつもない。わたしはMARレシオ、ドローダウン、CAGRの組み合わせを利用し、シャープ・レシオと決定係数を見て、安定度にも目を配っている。最近わたしは、これらの一般的尺度のもっと信頼性の高いバージョンをいくつか設計した。それらについては12章で述べることにする。

わたしはまた、どんな特定の数値にもとらわれすぎないようにしている。これから先、状況は変わるだろうし、現在1・5のMARを持つ戦略がこの数値を将来も維持しつづけられるわけではないことを、承知しているからだ。

eight

RISK AND MONEY MANAGEMENT

リスクと資金管理

いちばん気をつけなければならないリスクは破産である。
しっかり見張っていないと、それは夜盗のように忍び寄り、ひとつ残らず持ち去ってしまう。

期待、優位性、破産リスクなど、トレーディングで使用する多くの概念と同じように、**資金管理**という用語はギャンブルの理論から来ている。資金管理とは、破産リスクを容認できるレベルにとどめながら、潜在的利益を最大化する術のことであり、具体的には、取引する枚数や株数——わたしたちはトレードの**サイズ**と呼んでいるが——を正しく選択したり、ポジションの総サイズを制限して、価格ショックへのエクスポージャーを管理することだ。

よい資金管理は、トレーダーが避けて通れないような悪い時期にも、トレーディングを続行できるようにしてくれる。この話題についての議論では、たいてい山ほど数式を使い、取引すべき枚数を正確に決定するさまざまな手法を取りあげることになる。まるでリスクというものが定義可能、理解可能な概念であるかのようなアプローチだが、それは違う。この章で、そういう議論を繰り返す気はない。もし、トレードの枚数を決定するための手法のあれこれに興味があれば、それを専門に論じた本を読むことをおすすめする。

わたしは、資金管理は科学というより芸術だと思う。いや、芸術より宗教に近いかもしれない。正しい答えがないからだ。トレーダーのリスク・ポジションを決める最善の方法など存在しない。各人に当てはまる個々の答えがあるだけだ。そして、それらの答えは、正しい質問をすることによってのみ得られる。

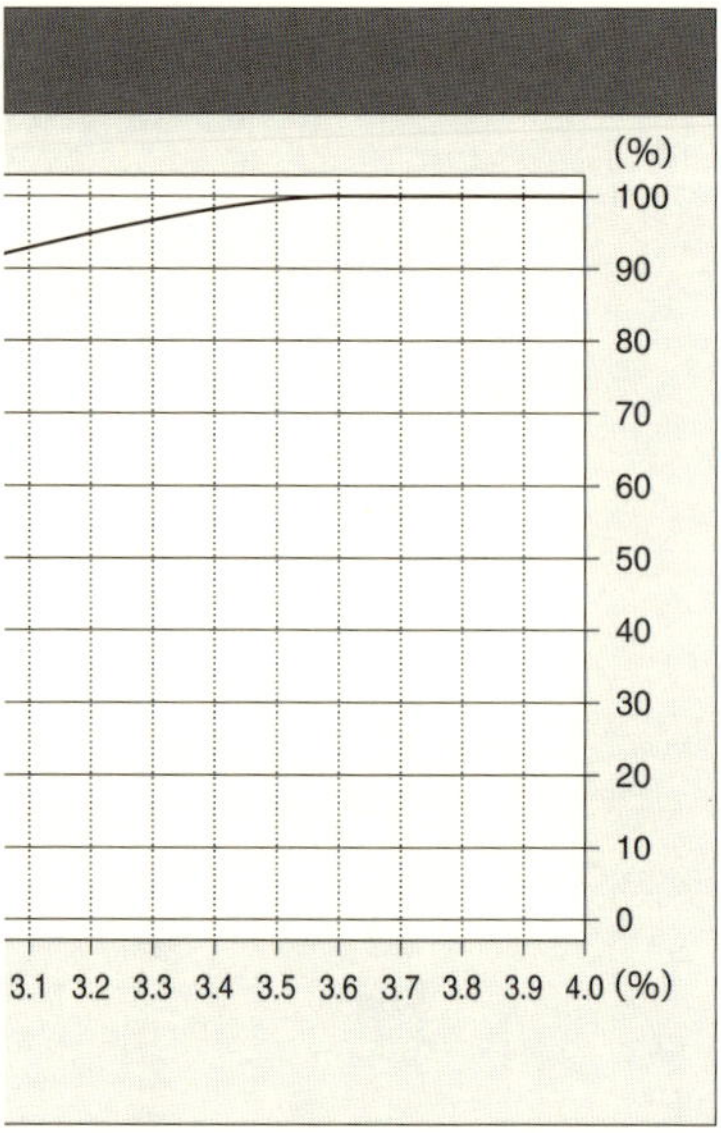

リスクを取りすぎて、元手をすべて失うか、トレーディングをやめることになるか。逆に、リスクをあまりに少ししか取らず、多くの資金をテーブルに残したままにするか。つまるところ資金管理は、そのどちらかのあいだで折り合いをつけることなのだ。

リスクを取りすぎてトレーディングをや

図18　取引あたりのリスクとドローダウンの関係

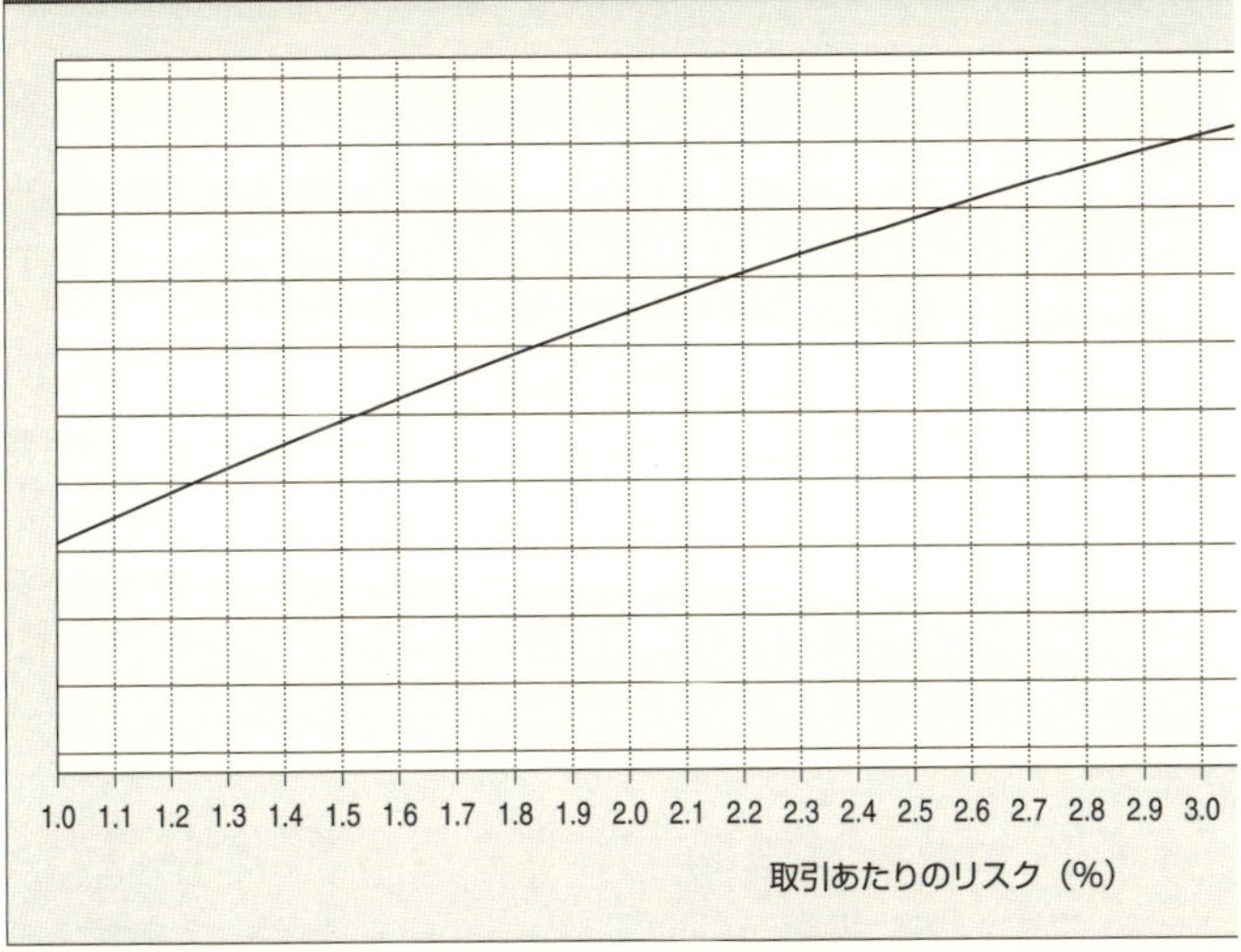

めざるをえなくなる理由は、おもにふたつある。心理的限界を超えて長引くドローダウンと、取引口座をゼロにしてしまう価格ショックだ。

適切なリスクレベルというものは、かなりの部分、自分にとって何が重要かということの関数だ。だから、トレーディングに従事したければ、分別ある判断を下せるよう、リスクを多く取りすぎることの意味や、少なく取りすぎることの意味を詳しく知っておく必要がある。

トレーディングシステムや講座の販売業者の多くは、自分たちの手法を使えば、一朝一夕に富を築けるかのように思わせているが、それはシステムや講座の売り上げを伸ばすための営業戦略に過ぎない。彼らは、リスクの危険性を小さめに、富を築く見込みとその容易さを大きめに表現している。
それは大うそだ。**リスクは現実であって、トレーディングは容易なものではない。**

攻撃的トレードをめざす前におぼえておいてほしいことがある。年20～30パーセントの安定したリターンが得られれば、元手の額にはほとんど関係なく、そこそこ短期間にたくさんの儲けを出せるということだ。複利の力はとても強い。ただし、資金をすべて失ってしまうと、また一からやり直すしかない。たとえば5万ドルの元手で始めて、毎年30パーセントのリターンが得られれば、20年後には1000万ドル近くにもなる。

年100パーセントや200パーセントというきわめて攻撃的なリターンをめざしてしまうと、途中でつぶれて、トレーディングをやめるしかなくなる可能性はぐんと高まる。トレーディングを始めて最初の数年は、保守的アプローチを取ることを強くおすすめする。

あなたが1987年にドンチアン・システムを用い、攻撃的レベルでトレードをしていたらどうなったかを考察してみよう。図18は、リスクレベルが上がるにつれて出会うドローダウンを示している。グラフが着実に上昇し、100パーセントの点で横ばいになっているのに注目してほしい。つまり、あなたが攻撃的なトレーディングを行ない、取引ごとに取引資本の3パーセントのリスクを取っていたら、一夜にして破産していたことになる。このドローダウンは、金利市場が突如反転した、たった1日のために引き起こされたものだからだ。

大半の人にとって、節度あるトレーディングというのは、過去のシミュレーションを用いたドローダウンを、耐えられると思うレベルのせいぜい半分にとどめることだ。そうすれば、システムがテストで経験したより大きなドローダウンを起こしても、それほどの衝撃を感じずにすむし、予期しなかった価格ショックで取引資本をそっくり失ってしまう可能性も小さくなる。

聞いたことすべてを信じるな

資金管理があなたのトレーディングに関する悩みをすべて癒《いや》してくれる万能薬であるかのように誇大宣伝する人は、大勢いる。また、複雑な数式を編み出し、資金管理についてまる1冊本を書いた人たちもいる。しかし、そこまで複雑なものであるはずはないのだ。

正しい資金管理は、いたって簡単だ。一定の取引残高に対し、あなたが各先物市場において買ってもよい商品の枚数は決まっている。市場と残高によっては、その枚数がゼロになることもある。

たとえば、今年初めの天然ガス（NYMEX、シンボルはNG）1枚のATRは7500ドル以上にものぼった。忘れないでほしい。これは、1契約1日平均7500ドルの変動があることを意味するのだ。だから、ドンチアン・トレンド・システムのように2－ATRストップを採用するシステムでは、トレード1件の損失が1万5000ドルにもなりうる。あなたが5万ドルの口座で取引していたなら、それは、30パーセントに当たる。

大半の人は、1件の取引で30パーセントのリスクを取るなど、とんでもないと言うだろう。したがって、口座残高5万ドルについて天然ガスの妥当な枚数はゼロということになる。たとえ残高が100万ドルあっても、ここまで大きい取引は1・5パーセントのリスクに相当し、多くの人はかなり攻撃的だと考えるだろう。

リスクを取りすぎることが、新米トレーダーが失敗する最大にして最も一般的な理由だ。彼らはしばしばあまりに攻撃的な取引をして、一連の小さな損失で元本を失ってしまう。新米トレーダーは、しばしばレバレッジの危険性を誤解し、たった2万ドルで大きな枚数の売買をゆるすブローカーや取引所のせいで、まさにその失敗を犯してしまうのだ。

再び、破産リスクについて

先に、わたしは破産リスクの概念を紹介した。それは、取引の手じまいを余儀なくされた一連の損失の結果、資本の大部分を失う可能性のことだ。大半の人が使うその定義は、確率論にもとづくごく単純な数式を用いたひと組のランダムな計算結果に適用される。

破産リスクに関して大半の人は、損失が矢継ぎばやに来る不運な時期のせいで破産に至ると思い込んでいる。しかし、わたしはそれがトレーダーを破産に導く一般的な理由だとは考えない。トレーダーは、それほど頻繁に、市場がランダムに思惑と逆の行動をとるような時期にぶつかるわけではない。分析の段階で、みずから重大な判断の誤りを犯すことのほうがずっと多いのだ。

次に、商品取引においてトレーダーが成果を出せない原因と思われるものを挙げてみる。

●計画性のなさ……トレーダーの多くは、勘や噂や推測、そして自分が価格の先行きについて何か知っているという勘違いにもとづいて取引を行なう。

●過剰なリスク……ほかの点では優秀なトレーダーの多くが、リスクを取りすぎたために破産する。妥当なリスクの1・5倍や2倍という程度ではない。わたしが妥当と考える攻撃的トレーディング・レベルの実に5倍や10倍のリスクで取引するのだ。そうしたトレーダーを、これまで何人も目にしてきた。

●非現実的な期待……新米トレーダーの多くが過剰なリスクを取って取引するのは、自分たちがどのくらい儲けることができるのか、どんなリターンをあげることができるのかについて、過剰な期待を抱いているからだ。それがまた、彼らがファンダメンタルズだけでトレードを始められると信じる理由でもある。ごくわずかな情報しかないのに、ほんの少しの訓練、もしくはまったく訓練なしで、市場を〝打ち負かす〟だけの頭脳があると思っているのだ。

わたしが高校在学中、先物取引システムで仕事を始めたとき、少々奇妙なことに気づいた。それは、顧客の非常に高いパーセンテージを医師と歯科医が占めていることだ。当時は、医師と歯科医は高収入だから先物市場のリスクに投資する余裕があるのだろうと思っていた。が、振り返ってみて、それは答えの一部でしかなかったことがわかった。今では、医師や歯科医ばかりがそれほど商品取引にひきつけられるほんとうの理由は、彼らが自分の知力や能力に大きな自信——この場合はおそらく過剰な自信——を持っていて、本業の成功を他の業界でも再現できるつもりでいるからだと考えている。

医師を例にとると、彼らがとても頭がいいことは確かだ。医師になるには、よい大学に行き、むずかしい試験に合格し、よい成績を取らなければならない。さらに、医学部を卒業したとなれば、ひと握りの人間しか達成できないレベルの成功を手にしたことになる。頭がよくて、しかも最初の関門をみごとに突破した人間が、トレーディングでも成功を収めることができると思い込むのは、ごく自然なことだろう。

それだけでなく、多くの医師と歯科医は、トレーディングでもただちに勝者になろうと思っている。彼らにとってトレーディングは単純そのもので、それも可能だと思えるのだ。ところが、実際には、彼らの大部分がトレーダーとしては成功していない。現実離れした期待を抱いてしまうからだ。あるひとつの職業のある分野での成功が、トレーディングでの成功を保証するわけではないということだろう。

本書の最初のほうでざっと述べたような理由から、トレーディングは単純ではあるのだが、けっしてたやすくはないということを彼らは認識していない。トレーディングがいかに単純かを知るにはずいぶん時間がかかるし、勉強も必要だ。大半のトレーダーは長い年月と失敗を経て初めて、ものごとを単純に保ち、基本を見失わずにいるのがどれほどたいへんなことかを思い知る。

タートルたちを考えてみよう。わたしたちは全員、同じ手法を教わり、それもたった2週間で教わったわけだが、その中の何人かはまったく儲けを出すことができなかった。互いに仲間が電話で注文を出すのを聞くことができたので、正しい行動をとるための前向きの補強情報は得られたはずだが、それでも、何人かは教わった手法に従わなかったのだ。

タートル流資金管理はゲームに残ること

トレーディングで何より大事な目標は、ゲームに生き残ることだ。時間はあなたの味方。現実的な期待値を持つシステムや手法は、最終的にあなたを金持ちにしてくれるはずだ。ときには、夢にも描かなかったような大きな儲けをもたらすこともある。しかし、それも、トレーディングをそこまで続けていけることが大前提になる。トレーダーに訪れる死には、ふたつの形がある。苦悶と失望の末にトレーディングから撤退せざるを得なくなるゆるやかな死と、わたしたちが〝破産〟と呼ぶ劇的な急転直下の死だ。

大半の新米トレーダーは自分たちに耐えられる限界を買いかぶり、根拠もなく30パーセント、40パーセント――ことによると50パーセントや70パーセントのドローダウンを乗り越えられると思っている。これは、トレーディングにきわめて不利な効果をもたらす可能性がある。たいていの場合、考えられる限りで最悪のとき、つまり、ドローダウンで大きな損失を出したあと、すっかりトレーディングをやめるか、手法を変える結果になるからだ。

トレーディングが非常にむずかしいのは先が不確かだからで、人は不確かさを好まない。あいにく、市場が予測できないことは現実で、望めるのはせいぜい、ある程度長く無難に働いてくれる手法を見つけることぐらいだ。というわけで、トレーディングで出会う不確実性をできるかぎり減らすように手法は設計されなければならない。市場はすでに充分に不確実なのだから、そこにお粗末な資金管理を持ってきて、その変動性に輪をかけても意味がない。

タートル流では、どの市場が注目を集めるか、どのトレードが有望かということは予測しないので、わたしたちタートルは、どのトレードにも同じ期待と肩入れを持ってのぞんだ。限界はあるが、それは、それぞれの市場で同じ額の資本をリスクにさらすことを意味する。タートル流に従って資金管理を実施すると、市場間の相対的な変動性を調整する方法をとるため、安定したリターンをあげる見込みが高くなる。

1市場につき1枚の取引などという過度に単純な戦略と、変動性の正規化を行なわない手法の組み合わせでは、ある市場でのトレードの重要性が他の市場のトレードを圧してしまうという状態が生じかねない。つまり、たとえひとつの市場で大きな儲けがあっても、1枚の規模がはるかに大きい別の市場での小さな損を補いきれない場合があるということだ。

多くのトレーダーは、直感的にそういう真理を知りながら、なお、どの市場の取引の枚数を決めるにも、かなり単純なしくみを使っている。たとえば、取引口座2万ドルにつきS&P500先物を1

枚、という具合だ。彼らはこの10年、おそらくこの方法でやってきていて、実際この期間、S&P500先物市場の変動性は非常に大きかった。こういう目の子算アプローチは、リターンの安定性を不必要に低めかねない。

"N"ファクター

先に述べたように、リッチとビルが用いたのは、常時、市場が1日に上下する金額にもとづいて、各市場のポジション・サイズを決定する革新的手法だ。彼らは、各市場における取引枚数を、上下動の幅の金額がほぼ同額になるように定めた。わたしたちが各市場で取引する枚数は、この変動性の尺度"N"に合わせてあるので、どのトレードについても、1日の変動は同程度になりやすい。

トレーダーの中には、トレード参入時と退出時の値の開きでリスクを測りたがる人たちがいる。それは、リスクを考える方法のひとつでしかない。1987年10月においては、わたしたちのストップ（損切りのめど）がどこにあったかは問題ではない。市場は一夜にして、わたしたちのストップなどぶった切ってしまったからだ。

もしわたしが参入価格とストップとの開きだけでポジション・サイズを決めていたとしたら、その当日、標準的なタートルの4倍の損を出していたはずだ。なぜならわたしは4分の1のストップを採用していたから。ほとんどのタートルが2－ATRを採用していたのに対し、わたしは2分の1AT

Rストップを採用していた。したがって、純粋にストップまでの開きだけでサイズを決めていたら、標準的タートルの4倍という計算になるわけだ。

幸い、リッチは変動性にもとづくポジション・サイジングをリスク管理に用いていたので、わたしはほかのタートルたちと同じように、自分の口座残高に見合ったポジション・サイズを取っていて、わたしたちの価格ショックへのエクスポージャーはみんな同じだった。わたしは、この手法が単なる思いつきではないことを確信している。間違いなく、リッチとビルはふたりとも以前の価格ショックのことを思い出して、タートルの最高リスク許容レベルを決定したのだ。

リッチとビルがわたしたちにトレーディングのルールを授けたときに行なったことでいちばん賢明だったのは、総リスクの制限を課したことだろう。これはわたしたちのドローダウン、とりわけ価格ショックへのエクスポージャーに大きく関わってくる。

先に述べたように、わたしたちは自分たちのポジションをユニットと呼ばれる塊《かたまり》で取る。各ユニットの大きさは、取引枚数が1－ATRの価格変動で口座残高の1パーセントになるよう設定されていた。100万ドルの取引口座なら1万ドルだ。そこで、特定の市場で値幅1－ATRが示す金額を見て、1万ドルをそれで割れば、リッチがわたしたちに割り当ててくれた取引資金100万ドルごとに取引できる枚数が出る。この数字を、わたしたちは**ユニット・サイズ**と呼ぶ。不安定な市場、もしくは高額の契約の市場は、低額の契約の市場、もしくは安定度の高い市場より、ユニットは小さくなる。

リッチとビルは、ある程度長いトレーディング経験のある人なら誰でも承知していることに間違いなく気づいていた。それは、多くの市場は高度に相互関係があること、そして、大きなトレンドの終わりが来て、つきから見放されたとき、すべてが一斉に自分に不利に動いているように見えることだ。そして、トレンド崩壊の乱高下期には、ふだんは相互関連がないと思われた市場までもが連動してくる。

１９８７年10月、一夜のうちに起きた価格ショックを思い出してほしい。わたしたちが参入していたほぼすべての市場がその日、著しくわたしたちの不利に動いた。そのようなリスクへの対抗策として、リッチとビルはわたしたちの取引にいくつかの制限を課していた。まず、ひとつの市場について、最高4ユニットまで。ふたつ目に、市場間に高い相互関係がある場合はグループごとに最高6ユニットまで。3つ目に、任意の方向に最高10ユニットまで（買い持ちに10、または売り持ちに10という具合に）とした。相互関連のない市場でのポジションがあれば、この数字は12まで上げることができた。これらの制限のおかげで、リッチはあの日、おそらく1億ドル以上を損から守ることができた。もし、ふたりがいてくれなかったら、わたしたちの損失はとんでもないものになっていただろう。

タートル・システムの過去のパフォーマンスをテストしてみて、それらの手法はうまくいかなかった、もしくは儲からなかったと言う人たちがよくいる。彼らの言い分はこうだ。

「ユニット制限以外のルールは、すべて実行したのに」

しかし、そのユニット制限こそがわれわれのシステムの要《かなめ》、きわめて重要な部分だった。なぜなら、遅行して同様の動きとなる市場での取引を避けるメカニズムとして役立ってくれたからだ。

金利先物がよい例だ。わたしたちはタートル時代、4つの異なる金利市場でトレードを行なっていた。ユーロダラー、米財務省長期債券、同短期証券90日物、同2年物だ。ある程度の期間の動きの中では、この4つの市場全部で参入のシグナルがある。わたしたちは任意の時点で、たいていそれらのふたつのみでポジションを取った。最初にシグナルのあったふたつだ。

同じことが外国通貨先物についても当てはまる。わたしたちはフランスフラン、英ポンド、ドイツマルク、スイスフラン、カナダドル、日本円を取引していたが、任意の時点で、ポジションを取っていたのは、これらの市場のふたつか、多くても3つだった。

ユニット制限の設定が多くの負けトレードからわたしたちを守ってくれた。最後にシグナルを出した市場は、しばしば動きらしい動きがなく、損失を出す公算がより大きかったからだ。

リスク評価のルール

特定のシステムの標準的リスクや、ポジションを取ることに必然的に伴うリスクを定める最良の方法のひとつは、ここ30年から50年のあいだに発生したおもな価格ショックを調べることだ。あなたがそれらの悲惨な時期を調べて、そのとき取っていたはずのポジションに何が起こっただろうと考えてみたら、どの程度のリスクが50パーセントのドローダウンにつながるのか、あるいは完全に破産に至ってしまうのかを判断することができる。コンピュータ・シミュレーションのソフトを使うと、当時自分ならどんなポジションを取ったか、それらのポジションがどの程度のドローダウンにつながったかを、容易に知ることができる。

では、もっと悪い事態が発生したときのことを考えてみよう。そんなことを考えるのは不愉快かもしれないが、それは起こりうることで、備えは必要だ。世界貿易センターへのテロのかわりに、アルカイダがマンハッタンのどこかほかの場所で原子爆弾を爆破させたら、あなたのポジションはどうなるだろうか？　同じ規模の災害が東京やロンドンやフランクフルトで起こったら？

攻撃的にトレーディングを行なっていれば、誰でも、空前の規模の災害発生時には元本をすべて失う可能性はずっと大きくなる。１００パーセント強のリターンなどという甘い誘惑の声を聞いたとき、このことは忘れないでいてほしい。

nine

タートル流積み木

TURTLE-STYLE BUILDING BLOCKS

雑誌に載っている複雑なツールに感心してばかりではいけない。
まずは、基本的なツールのじょうずな使いかたを学ぶこと。
どれだけツールを持っているかではなく、それをいかに使いこなすかが問題なのだ。

第2章で、わたしは市場のさまざまな状態――全体に安定し変動小、全体に安定し変動大、トレンドありで変動小、トレンドありで変動大――のあらましを述べた。また、あなたがトレードを行なっている市場の状態を見きわめることの重要性も指摘した。というのも、多くのシステムは、それらの取引スタイルにとって市場が好ましくない状態になると、あなたをそこから締め出してしまうような設計になっているからだ。

わたしは、市場の状態を示すツールを**積み木**と呼んでいる。積み木のいくつかには**指標**、**オシレーター**、**レシオ**などという名前がついているが、これら全部をもっと大まかなカテゴリーにまとめてみよう。この章では、トレンドフォロー・システムの積み木に焦点を当てる。これらは、市場がいつ安定した状態からトレンドのある状態へ移行し、また元の安定した状態に戻るかを示す。簡単にいえば、トレンドが始まる時期と終わる時期を示すツールだ。

あいにくトレーダーにとって、必ずうまくいく積み木とか、楽に大金を稼ぎ出す秘密の公式とかいうものはない。わたしたちにできるのはせいぜい、トレンドの開始や終了の確率が高まった時点を見きわめるのに役立つツールを見つけることぐらいだ。それだけでも、わたしたちの目的に充分かなう。確率がほんの少しあなたに有利になっただけで、かなりのリターンをあげることができるからだ（あなたの行きつけのカジノのオーナーに聞いてみるといい）。

一度にひとつずつ

まずは一般的なトレンドフォローの積み木を調べることから始めよう。それには、タートル・プログラムで教わったものも含まれる。これらは、トレンドがいつ始まり、いつ終わるかを確定する手立てだ。本書では、すべてを網羅することはしない。トレンドフォロー・システムを築くために用いられるさまざまな指標とシステムのルールだけを概説した専門書が何冊も出ているので、そちらを参照していただきたい。別のタイプのトレーディングについては、それ用の積み木がある。本書は総合研究書ではないので、それらのツールは、読者のみなさんに見つけていただくことにしよう。この章で述べる積み木は、次のものにとどめる。

●ブレイクアウト……価格が特定の日数のあいだの最高値または最安値を超えることをいう。これは当初のタートル・システムで用いられた主要なツールだった。

●移動平均……特定の日数のあいだ、価格の平均値を毎日更新したもの。移動平均と呼ばれるのは、日ごとに計算されるので、新しい価格が加わり、古い価格が消えていくと、その値が上下するからだ。

●変動性チャネル……移動平均に、標準偏差やATRなど市場変動性の尺度にもとづく特定の値を加えたもの。

●時限退出……考えうる最も単純な退出。あらかじめ特定した時に退出する（たとえば、10日後あるいは80日後に市場を退出する）。

●過去との比較……現在の価格と過去のある時期の価格との単純な比較。

これらの積み木をもっと詳しく見ていき、トレンドフォロー・システムにおける活用法を示そう。

ブレイクアウト

先の章で、ブレイクアウトとそれが持つエッジ（優位性）について述べた。新高値はトレンドの始まりの強い指標となる。ブレイクアウトのための最高値または最安値を算出するのに使われる日数によって、来るべきトレンドのタイプが決まる。日数が少なければ、短期トレンドの可能性を示す。日数が多ければ、長期のトレンドの可能性をより強く示す。

ブレイクアウトは全般的トレンドを示す他の指標と組み合わせて用いると、特に効果がある。たとえば、ドンチアン・トレンド・システムなどでは、ブレイクアウトを参入シグナルと退出シグナルに用い、全般的トレンドを見るには移動平均を用いる。

移動平均

移動平均とは、特定の日数のあいだの平均価格を毎日更新したもの。**単純移動平均**と呼ばれるいちばん単純なタイプは、特定の日数のあいだの平均価格だ。10日終値移動平均は、さかのぼって10日間の終値の平均値であり、70日高値移動平均は、過去70日間の高値の平均値ということになる。

これより少しばかり複雑な移動平均もあり、そのなかでいちばん知られているのは**指数移動平均**だ。これは前日における平均値の一部と現在の価格の一部を足して計算する。図19はふたつの移動平均を示している。20日指数移動平均と70日指数移動平均だ。

図19　砂糖11号（CSCE）20日および70日指数移動平均

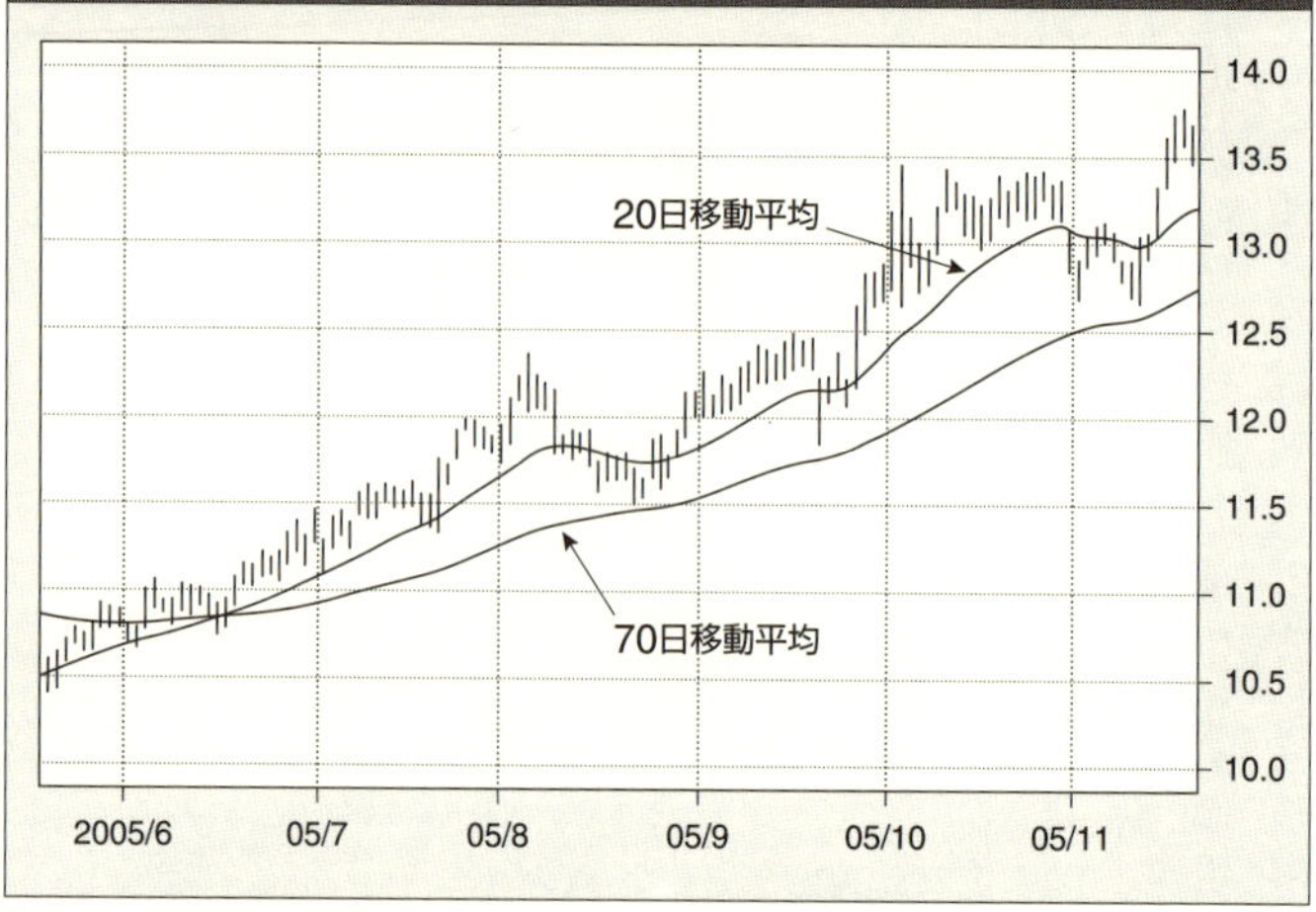

20日移動平均は価格により近い動きを見せ、6月中旬に70日移動平均とクロスして、上昇トレンドの始まりを示しているようすがわかるだろう。これは誰もが知っているシステム参入だ。つまり、短い期間の移動平均が長い期間の移動平均を下からクロスして抜いていけば、短い移動平均の方向に取引が行なわれる。この場合、6月初めのクロスの時点で、買い持ちのトレードが開始されたことになる。

ほかにも多くのタイプの移動平均がシステム設計者や研究者によって提唱されている。設計者は次々に複雑なルールを加えてくるが、その大半は、実際のトレーディングにはそれほど役立ってはくれず、カーブフィッティングや、非現実的なテスト結果を生む可能性のほうが大きい。このおちいりがちな落とし穴については、11章で詳しく述べる。

図20 砂糖11号(CSCE)移動平均と変動性チャネル

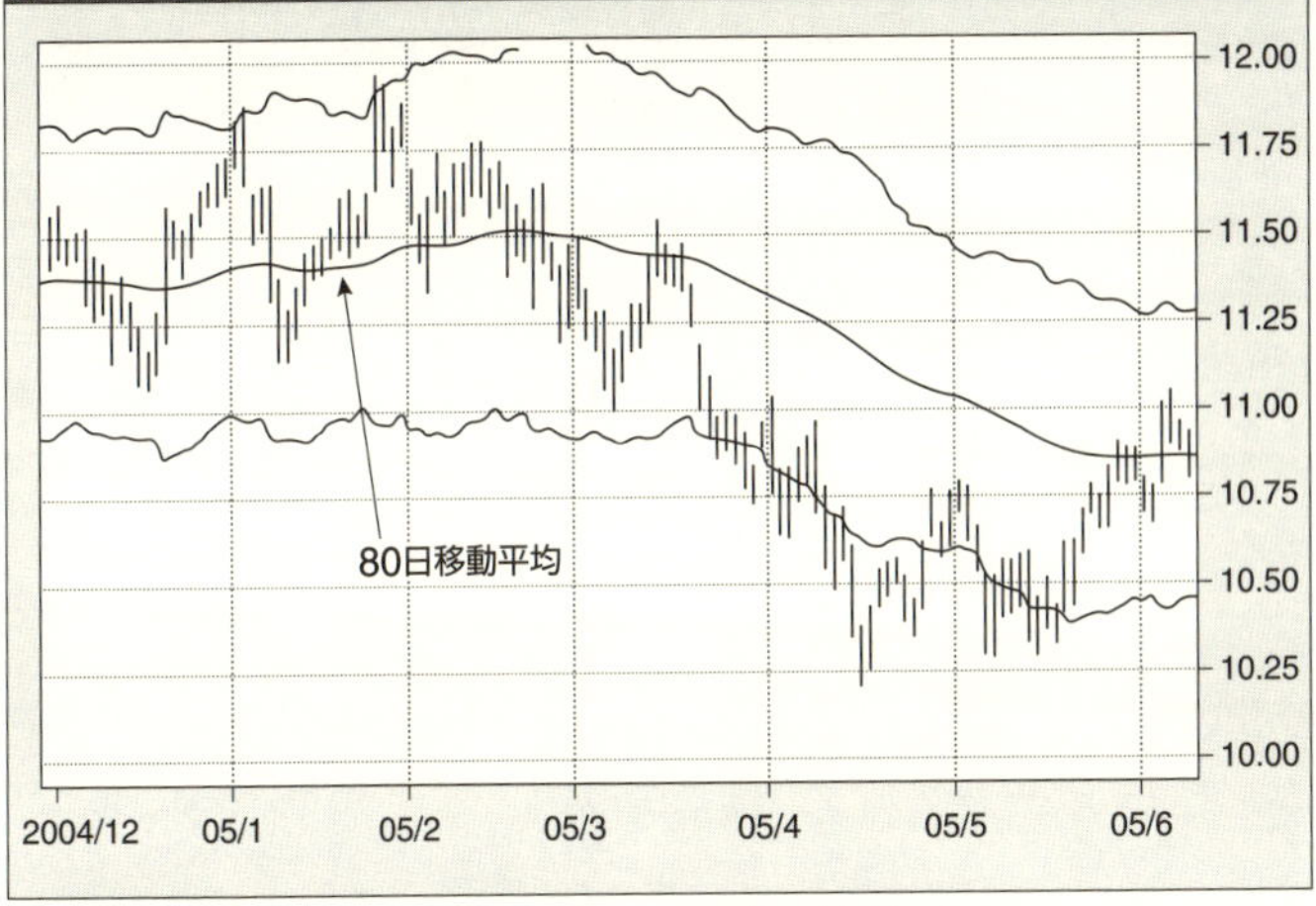

変動性チャネル

変動性チャネルはトレンドの始まりを示すよい指標となる。もしも価格が、特定の移動平均にいくらかの追加値をプラスしたものを超えたら、それは価格が上昇しつつあることを意味する。言い換えれば、トレンドの兆しを示す。10章では変動性チャネルにもとづくふたつの異なるシステムを見ていくことにする。

図20は、80日移動平均の上方と下方に変動性チャネルを曲線で示したものだ。グラフを見ると、ほとんどの部分で価格がチャネル内に収まっているが、右側の部分で、チャネルの下方に来ているのがわかるだろう。また、移動平均が徐々に下降し、下値を追っていっていることもわかる。

時限退出

単純な時限退出も、たいへん効果的で便利に使える。また、トレンドのブレイクダウンによるドローダウンを排除するのにも役立つ。というのも、時限退出が発生したあとで、移動平均やブレイクアウトによってドローダウンが明らかになる場合が非常に多いからだ。

過去との比較

トレンドフォローの何たるかをいちばん基礎のレベルで考えるなら、トレンドの始まりを判断するさらに単純なしくみを工夫することができる。まずまず使える手法のひとつは、何日か前の価格を見ることだ。これらの価格にＡＴＲなどの変動性にもとづく値を用いて価格に加算することもできる。たとえば、現在の価格が１００日前の価格に2倍のＡＴＲを加えたものより高ければ買い、というような具合だ。

第10章では、過去との比較を用いる別のタイプのシステムを見ていく。

もっと必要？

ここ何年ものあいだに、何百という異なるタイプの指標が発明されている。昨今、技術の進歩のおかげで、トレーダーがよりたやすく自分たちの公式をプログラミングして独自の指標を作りだせるようになり、トレーディング専門誌は、毎号これらの新しい指標やシステムを掲載している。しかし、あまり先に進んでしまう前に、耳に入れたい助言がある。わたしはトレンドフォローを例に挙げるが、この助言は別のタイプのトレーディングにも当てはまる。

もし、市場が上昇し始めたなら、遅かれ早かれ、トレンドフォローの積み木を用いるどのシグナルも買い持ちの参入シグナルを発信する。すべての積み木はより速く、あるいはよりゆっくり反応するように調整できる。したがって、実際には、これらのどれを使ってシステムを作っても、他の積み木で作られたシステムと同等の利益をあげることができるわけだ。

わたしの助言はこうだ。過去の市場で完璧にうまくいった100点満点のメガトン級の最先端指標を探すのに時間を費やすより、もっとよい方法がある。かわりに、基本的な積み木を用いた単純なシステムのいくつかを試してみてほしい。これらについては先にあらましを述べたが、第10章でそのいくつかを詳しく見ていくことにする。

ten

タートル流トレーディング：一歩ずつ

TURTLE-STYLE TRADING: STEP BY STEP

単純に。時の検証を受けた単純な手法は、じょうずに活用されれば、
むずかしい込み入った手法につねに勝る。

この章では、タートル流というより、長期トレンドフォロー・システムといったほうが通りのよいトレーディング・システムを見ていく。次に挙げるがそれらのシステムだ。

- ATRチャネル・ブレイクアウト……ATRを変動性の尺度として用いる変動性チャネル・システム。
- ボリンジャー・ブレイクアウト……標準偏差を変動性の尺度として用いる変動性チャネル・システム。
- ドンチアン・トレンド……トレンドフィルタ付きのブレイクアウト・システム。

- **時限退出付きドンチアン・トレンド**……トレンドフィルタと時限退出が付いたブレイクアウト・システム。
- **ダブル移動平均**……動きの速いほうの移動平均が遅いほうの移動平均とクロスして抜いたときに売買を行なうシステム。他のシステムと異なり、このシステムでは、買い持ちか売り持ちかで市場に入っている。
- **トリプル移動平均**……動きが速いほうの移動平均が遅いほうの移動平均とクロスして抜いたとき、いちばん動きの遅い移動平均から判断した大きなトレンドの方向にのみ、売買を行なうシステム。

これらのシステムの違いを調べるために、それぞれを使っていたならこの10年間にどれくらいの儲けが出たかについて、過去のデータにもとづいた一連のシミュレーションを行なった。本章では7章で述べた尺度のいくつかを用いて、それぞれのシステムの相対的パフォーマンスを比較してみる。

テストすべきか否か

相当数の成功したトレーダーを含む多くのトレーダーは、**バックテスト**と呼ばれることもある過去のデータにもとづくテストを信じない。過去のデータを使ってテストをしても、過去は繰り返すはずがないので無益だ、というのだ。この議論を初めて聞く読者のために、もしかすると説明不要かもしれない事柄について、何段落かを割いて説明させてもらおう。過去のデータにもとづくテストを信じない人たちへのわたしの質問は、こうだ。ほかに方法があるのか？　過去の知識なしに、どうやって戦略と呼べるようなものにたどり着けるのか？　どのようにして、売買の時期を決めるのか？　当てずっぽうなのか？

あなたが得ることのできる情報は、これまでの市場行動しかない。あなたがルールやシステムを用いず、自己裁量で取引できるトレーダーであったとしても、あなた自身が経験した過去の価格行動を指針としているはずだ。あなたは過去についての自分の解釈に頼っている。実際には、過去のデータに頼っているのだ。

自己裁量で取引できる頭のよいトレーダーも、トレーディング経験を積んで初めてシステムを開発することができる。彼らは儲けのチャンスをもたらすパターンに注目する。そして、それらのチャンスを利用するように設計されたアイデアを使ってトレーディングを行なう。一方、新米トレーダーはしばしばトレードを始める前に、市場の過去のふるまいを理解しようと、何カ月もじっくりとチャートを眺める。将来、市場がどんな行動をとるかについてのいちばんのヒントが、過去にあることを知っているからだ。

過去の同じデータをもとにアイデアをテストする際、コンピュータを使用したほうが信頼が置けることは異論の余地がない。コンピュータでシミュレーションを行なうと、トレーダーは、取引が始まる前に、特定の戦略のより厳密な分析を行なうことができる。そして、有望そうに見えたアイデアが、予期しなかった事態のせいで働かなくなることにしばしば気づく。こういうことは、実際の口座でなく、コンピュータの試算でわかったほうがずっといいに決まっている。

過去のデータによるシミュレーションを信じないトレーダーたちがいるのは、バックテストを歪曲する方法がいくつもあるからだ。コンピュータの力を借りれば、うまくいきそうに見えて実は市場では機能しない手法を簡単に見つけることができる。まったく解決することはできないが、まずは最もおちいりやすい落とし穴を避けることだ。つまり、過剰な最適化。それについては、第11章で論じよう。

バックテストを適切に行なうために必要な経験やスキルを、駆け出しのトレーダーは持ち合わせていない。しかし、鋭い包丁を小さな子どもに持たせるのがあぶないからといって、台所で料理をするときにそれを使わないというわけにはいかない。要するに、よく切れる道具の扱いには慎重を期さなくてはいけないということだ。

過去のデータによるシミュレーションでは、将来のトレーディングであなたが出会う事態を予測することはできないが、あるアプローチが将来収益をあげるかどうか判断する手立ては得られる。もちろん至高の解決策ではない。もしかしたら水晶球やタイムマシーンのほうがましかもしれないが、今のところ、利用可能な最善のツールなのだ。

ほんもののプロ

〝最適化するな〟という忠告は、わたしと友人たちが〝プロの誤説〟と呼んでいるものだ。

残念なことに、ほとんどの分野で、状況を真に理解している人たちは非常に限られている。ほんもののプロひとりに対し、100人以上の〝えせプロ〟がいる。彼らはその分野でうまくやっていて、蓄えてきた知識も豊富なので、素人目にはほんもののプロと区別がつかない。これらのえせプロはある程度の職務は果たせても、みずから専門領域と主張する分野をほんとうには理解していない。

ほんもののプロはがんじがらめのルールを持たない。彼らは状況を理解しているので、そんなルールを必要としないのだ。

一方、えせプロは理解できていないので、プロのふるまいを見て、それをまねすることになる。何をなすべきかはわかっているが、なぜそれをするのかがわからない。それゆえ、ほんもののプロの言うことを聞きかじり、思いも寄らないところにがんじがらめのルールを作ってしまうわけだ。

えせプロである確かなしるしのひとつは、文章が不明確でわかりにくいことだ。不明確な文章は不明確な思考から生まれる。ほんもののプロなら、込み入ったアイデアを明確にわかりやすく説明することができるはずだ。

えせプロによく見られるもうひとつの特徴は、複雑なプロセスとテクニックの適用法を知り、習熟もしているが、その限界を理解していないこと。

トレーディングで見かける例を挙げると、そういうトレーダーは、さまざまなトレードについて統計にもとづく複雑な分析をこなし、シミュレーションを行なって、そこから数えきれないほどのトレードを生み出し、これらのトレードから結論が得られるつもりでいるが、そのデータがたった2週間という短期間のものかもしれないということを考慮に入れていない。算術はできたとしても、もし来週の市況が過去2週間から激変した場合、算術などたいした意味を持たないということを、理解していないのだ。

経験と熟練、また、知識と知恵を混同してはならない。

一般的な積み木

この章で述べるテストは、市場の一般的ポートフォリオと一般的資金管理アルゴリズムを用い、システムのルールが変わることによる影響がテスト結果の差異にあらわれることを検証している。以下はそのテストに使われた変数だ。

市場

オーストラリアドル、英ポンド、とうもろこし、ココア、カナダドル、原油、綿、ユーロ、ユーロダラー、飼養牛、金、銅、灯油、無鉛ガソリン、日本円、コーヒー、牛、豚、メキシコペソ、天然ガス、大豆、砂糖、スイスフラン、銀、財務省中期債券、同長期債券、小麦。以上が、テストを行なうポートフォリオに含まれる市場である。

これらの市場は流動性の高い（出来高の多い）アメリカ市場から選ばれた。2、3の市場は、他のもっと流動性の高い市場と非常に関連が大きいため、除かれた。わたしたちは、システムのパフォーマンスを比較するテストをアメリカ市場に限った。というのも、テストのためのデータ供給者の多くが、外国市場についてはそれぞれ別個に情報を売っているからだ。そのため、多くの新米トレーダーはアメリカ市場のみで始めるし、わたしたちとしても、トレーダーがみずからのテストでわたしたちの結果をたやすく再現できるようにしたかったのだ。

資金管理

ここで使う資金管理アルゴリズムはタートルたちが使用したのと同じだが、攻撃性を半分にした数値を用いてある。1－ATRを取引資本の1パーセントとするかわりに0・5パーセントとしたので、テスト向けの枚数を出すために、資金の0・5パーセントを、特定の取引に注文が出される時点でドル換算した市場のATRで割った。

テストの日程

テストは、すべてのシステムについて、1996年1月から2006年6月までのデータを用いて行なわれた。

システム

テスト結果を発表する前に、それぞれのシステムをもっと詳しく見ていこう。

ATRチャネル・ブレイクアウト

ATRチャネル・ブレイクアウト・システムは、変動性の尺度として真の値幅の平均（ATR）を使用するものだ。チャネルは、350日の終値の移動平均にATRの7倍を加えたものを上限とし、ATRの3倍を引いたものを下限として形成される。前日の終値がチャネルの最高値を超えていたら、寄り付きから買い持ちのトレードが仕掛けられ、前日の終値がチャネルの最安値より下回れば、売り持ちとなる。価格が戻して終値が移動平均とクロスしたら、取引は手じまいだ。

ATRチャネル・ブレイクアウト・システムのバリエーションのひとつは、PGO（プリティー・

図21　飼養牛（CME）ATRチャネル・ブレイクアウト・システム

グッド・オシレーター）システムという名称で、チャック・ルボーズ・システムトレーダーズ・クラブ（www.traderclub.com）フォーラムのトレーダー、マーク・ジョンソンが普及させた。これは次に述べるボリンジャー・ブレイクアウト・システムの変形でもある。

図21はATRチャネル・ブレイクアウト・システムの変動性チャネル幅を示す。

真ん中の線が350日移動平均で、上の線が移動平均にATRの7倍を加えて形成される変動性チャネルの上端だ。

ボリンジャー・ブレイクアウト

このシステムは、1992年に出版されたチャック・ルボーとデビッド・ルーカスの共著『マーケットのテクニカル秘録』で説明さ

図22 銀(COMEX)ボリンジャー・ブレイクアウト・システム

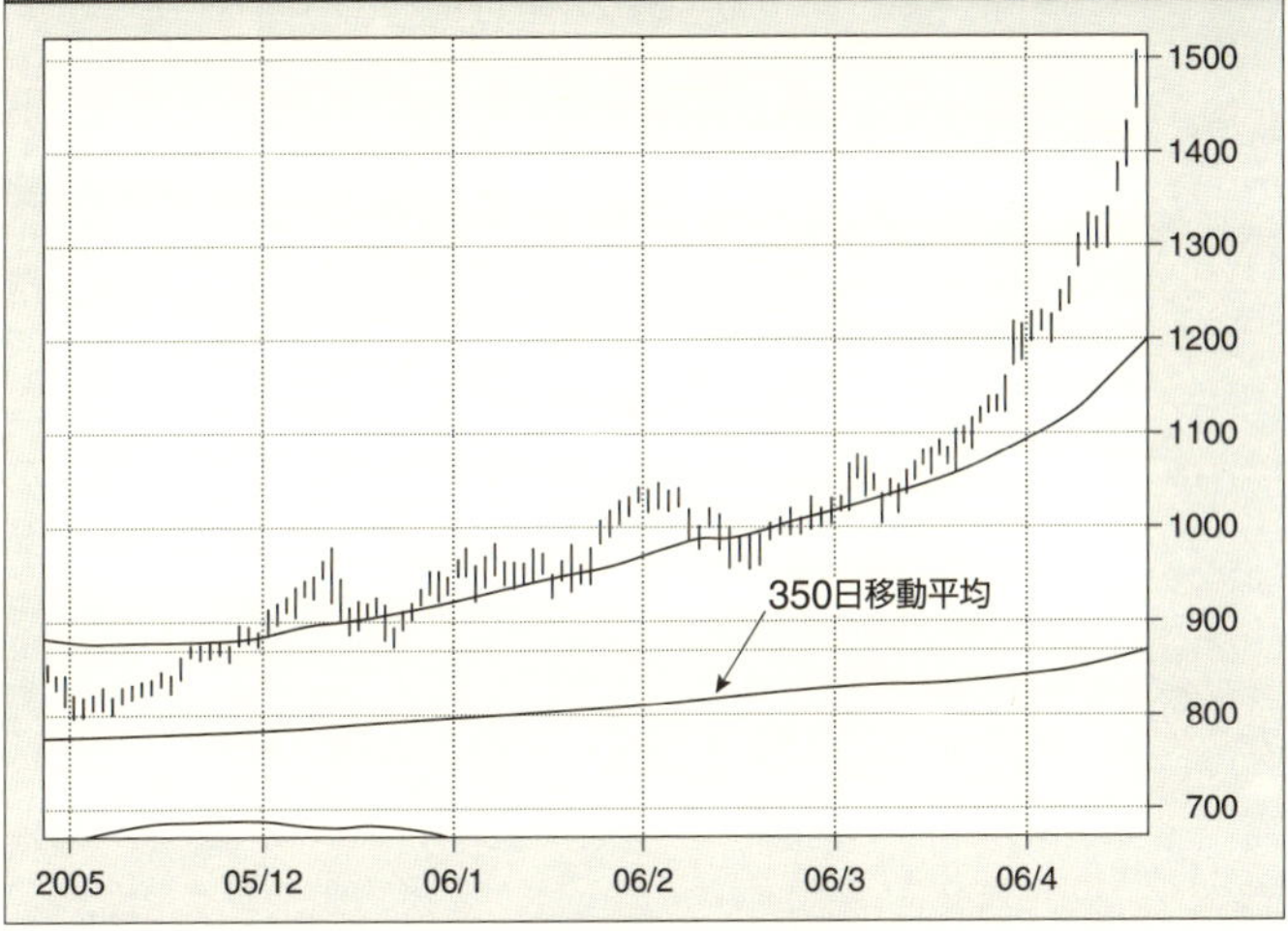

れている（チャネル幅にさまざまな日数の移動平均とさまざまな標準偏差を用いている）。

ボリンジャー・バンドはジョン・ボリンジャーによって考案された変動性チャネルだ。これは、終値の350日移動平均に標準偏差の2・5倍を加算・減算したもので、前日の終値がチャネルの上端を超えたら、寄り付きから買い持ちのトレードを仕掛け、前日の終値がチャネルの下限を下回れば、売り持ちとなる。終値が移動平均値とクロスして下へ抜けたら、取引は手じまいだ。

図22にボリンジャー・ブレイクアウト・システムの変動性チャネルを示す。

ドンチアン・トレンド

ここで紹介するドンチアン・トレンド・システムは、5章で説明しているが、わたしたちがタートル時代用いていたものを単純にしたバージョンだ。これは20日ブレイクアウトを仕掛けに、10日ブレイクアウトを手じまいに使用し、350日／25日指数移動平均をトレンドフィルタとして用いる。

取引は、速いほうの移動平均が示す方向にのみ行なわれる。25日移動平均が350日移動平均を上回っていれば、買い持ちのみ、25日移動平均が350日移動平均を下回っていれば、売り持ちのみということになる。システムは当初のタートル・システムと同じように2－ATRストップを用いる。図23はドンチアン・トレンド・システムのブレイクアウトレベルと移動平均を示す。

価格にかなり近い動きを見せるなだらかな線が短期の移動平均で、いちばん下のなだらかな線が長期の移動平均だ。グラフは買い持ちトレンドを示しており、よって、買い持ちトレードのみとなる。価格の上下のぎざぎざの線はブレイクアウトレベルだ。最高値は、新高値が誕生すると即刻それを反映し、上値を追っていく。注意したいのは、最安値が価格の上昇をそれほど接近しては追わないことだ。

チャートは、3月7日につけた最高値0・6802を抜いた4月10日に、おそらく買い持ちトレードが仕掛けられたことを示している。3月末に、この価格を超えようとして失敗に終わった経過にも注目してほしい。これは売り圧力の強さを示す好例だ。2度目にこのレベルまで値上がりしたときは、それを突き抜け、大きな反落なしに6セント上昇し、0・74まで行った。価格が上がっているのは、このレベルでの売り手はもはやなく、一方、高値でも買おうとする買い手がいるからだ。

図23 カナダドル（CME）ドンチアン・トレンド・システム

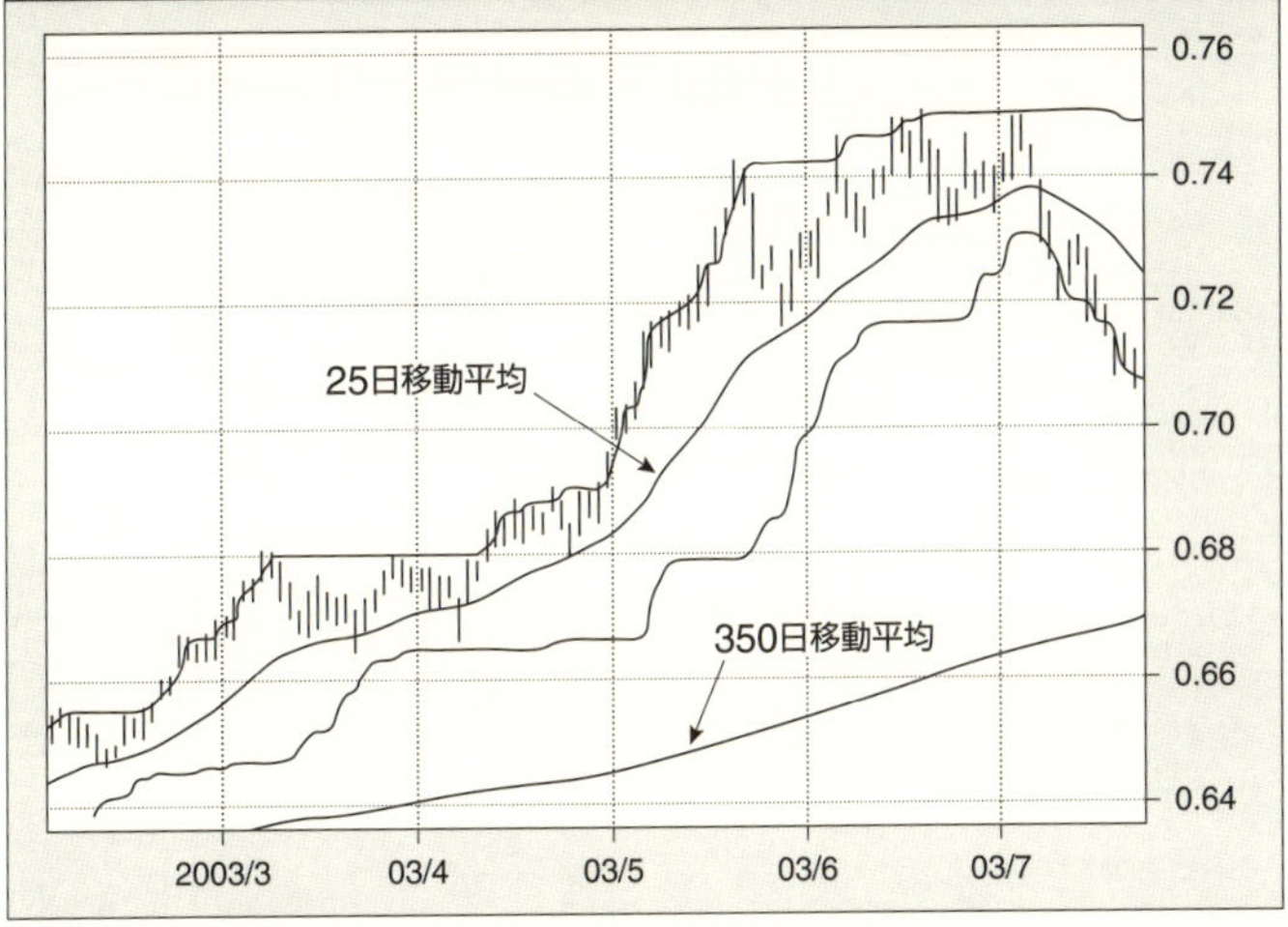

時限退出付きドンチアン・トレンド

ドンチアン・トレンド・システムの変形、時限退出付きドンチアン・トレンド・システムは、ブレイクアウトの退出のかわりに時間にもとづいた退出を用いる。80日経てば退出し、どんなストップも使わない。

仕掛けは問題ではなく、手じまいだけが問題だというトレーダーは多い。このシステムがその発言へのわたしの答えだ。このシステムのパフォーマンスを他のシステムのそれと比べると、この非常に単純なシステムがもっと複雑な退出にまったく引けをとらないことがわかるだろう。

ダブル移動平均

１００日移動平均が、それより動きの遅い

350日移動平均とクロスして上に抜いたときに売買を行なうという非常に単純なシステムだ。他のシステムと異なり、このシステムは、買い持ち売り持ちにかかわらず、つねに市場にあらわれる。唯一の退出時は、動きの速いほうの移動平均が遅いほうの移動平均とクロスして下に抜いたときで、この時点で手じまいし、逆方向に新しい取引を仕掛けることになる。図24は、ダブル移動平均システムの移動平均を示す。

100日移動平均のほうが価格により接近して動き、これが7月の末に350日移動平均とクロスしたとき、買い持ち取引が仕掛けられる。おそらくおわかりだろうが、このシステムは非常に長期のトレンドフォロー・システムで、他の大半のシステムのように頻繁にトレードが行なわれるわけではない。

トリプル移動平均

このシステムは150日、250日、350日の3つの移動平均を用いる。売買は150日移動平均が250日移動平均とクロスしたときに行なわれ、より長い350日移動平均はトレンドフィルタとして使われる。

短いふたつの移動平均が長い350日移動平均と時価に対して同じ側にあるときのみ、取引が生じる。どちらも350日移動平均より高ければ、買い持ちトレードが、どちらも低ければ売り持ちのみが可能だ。

図24　砂糖11号（CSCE）ダブル移動平均システム

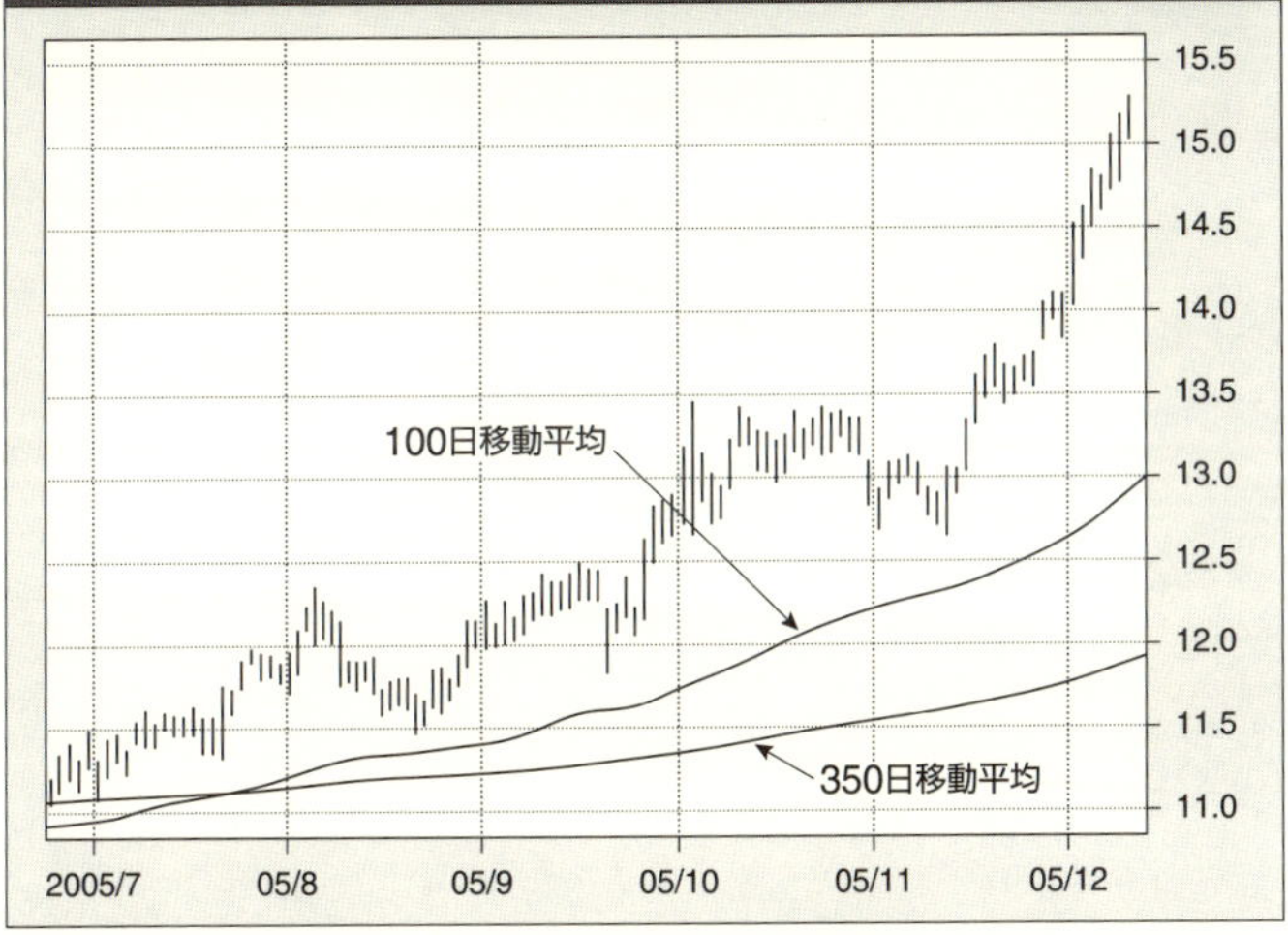

ダブル移動平均システムと異なり、このシステムは、つねには市場にとどまらない。１５０日移動平均が２５０日移動平均とクロスして下に抜ければ、取引は手じまいとなる。図25はトリプル移動平均システムの移動平均を示す。

いちばん上の線が１５０日平均、真ん中の線が２５０日平均、いちばん下が３５０日平均だ。この3つの線が、このチャートの上方の価格をゆっくり追っているようすがわかるだろう。チャートは図24と同時期のもの。いちばん上の線が真ん中の線とクロスして下に抜いたとき、システムは退出となる。

次章に進む前に、グラフに示された期間におけるこれらのシステムの相対的パフォーマンスを推測してみてほしい。時限退出が通常のブレイクアウト退出にどのくらい劣るだろ

図25　砂糖11号（CSCE）トリプル移動平均システム

うか？　最高のＭＡＲレシオをマークするふたつのシステムはどれとどれだろうか？　トリプル移動平均システムはダブル移動平均システムにどのくらい勝るだろうか？

テスト結果

６つのシステムすべてを同じテストデータ――資金管理、ポートフォリオ、テスト開始日と終了日――にもとづき、われわれのシミュレーション・ソフト〈トレーディング・ボックス・ビルダー〉を使ってテストした。シミュレーションは、１９９６年１月から２００６年６月までに行なわれたすべての取引を網羅し、それぞれのシステムごとにパフォーマンスの統計を算出した。図26は６つのシステムそれぞれについて、パフォーマンスのご

図26　システムのパフォーマンス比較

システム	CAGR（%）	MARレシオ	シャープレシオ	取引数	勝率（%）	最大DD（%）	DD期間（月）
ATR CBO	49.5	1.24	1.34	206	42.2	39.9	8.3
ボリンジャーCBO	51.8	1.52	1.52	130	54.6	34.1	7.8
ドンチアン・トレンド	29.4	0.80	0.99	1.832	39.7	36.7	27.6
時限付ドンチアン	57.2	1.31	1.35	746	58.3	43.6	12.1
ダブル移動平均	57.8	1.82	1.55	210	39.5	31.8	8.3
トリプル移動平均	48.1	1.53	1.37	181	42.5	31.3	8.5

（注）CBOはチャネル・ブレイクアウト、DDはドローダウンの略

く一般的な測定基準値を挙げている。

初めて時限付き退出をテストしたとき、わたしは困惑した。それはわたしの想像をはるかに上回り、ブレイクアウトにもとづく退出にさえ勝っていた。システムの収益性を上げるのは退出だとする考えは、その程度のものだったのだ。つまり、システムの全体的収益性はエッジを持つ参入にかかっている。

ドンチアン・システムが他のシステムほどのパフォーマンスをあげていないことにも注目してほしい。このことは、ブレイクアウトが、タートル・プログラム以来数年のあいだに、いくぶん優位性を失ったことをうきぼりにしている。そして、それについては、第11章で解説する**トレーダー効果**によるところが大きいとわたしは思っている。

図26における注目すべきもうひとつの驚きは、ダブル移動平均システムが、もっと複雑なトリプル移動平均システムより優れたパフォーマンスを示していることだ。

これは、複雑なシステムが必ずしも優れているわけではないことを示すほんの一例に過ぎない。

　これらはすべて基本的なシステムだ。このうち3つ――ダブル移動平均システム、トリプル移動平均システム、時限退出付きドンチアン・トレンド・システム――は、ストップさえ備えていない。つまり、トレーディングにおける格言ともいえる原則――〝つねに損切りを用いよ〟――を破っていることになるが、それでも、これらはリスク調整機能を果たし、他のシステムと同等あるいはそれ以上のパフォーマンスを見せたのだ。

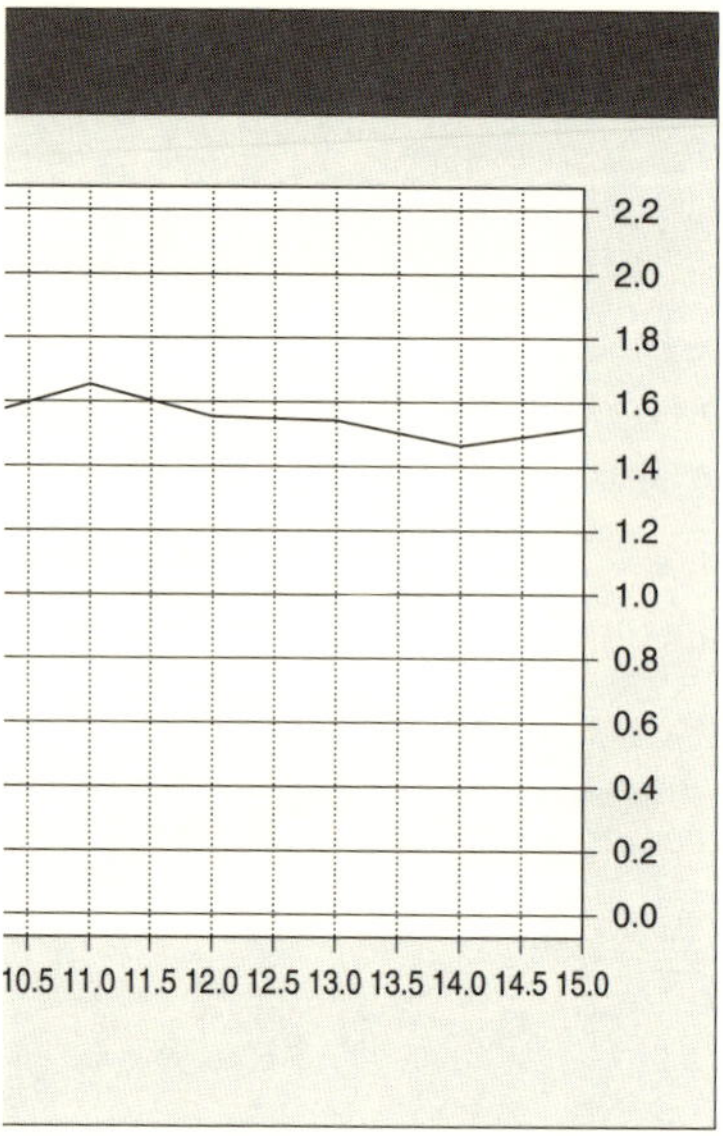

ストップを加える

　トレーダーの多くは、まったくストップを用いないことに関して不安をおぼえるようだ。あなたは、ダブル移動平均にストップを加えると、パフォーマンスはどうなると考えるだろうか。みんな、この手のことをあれこれ考えるのが好きだ。友人に尋ねたり、経験豊富なトレーダーのもとへ行って質問したりする人たちもいる。

図27　ATRを単位とするストップの大きさとMARレシオ

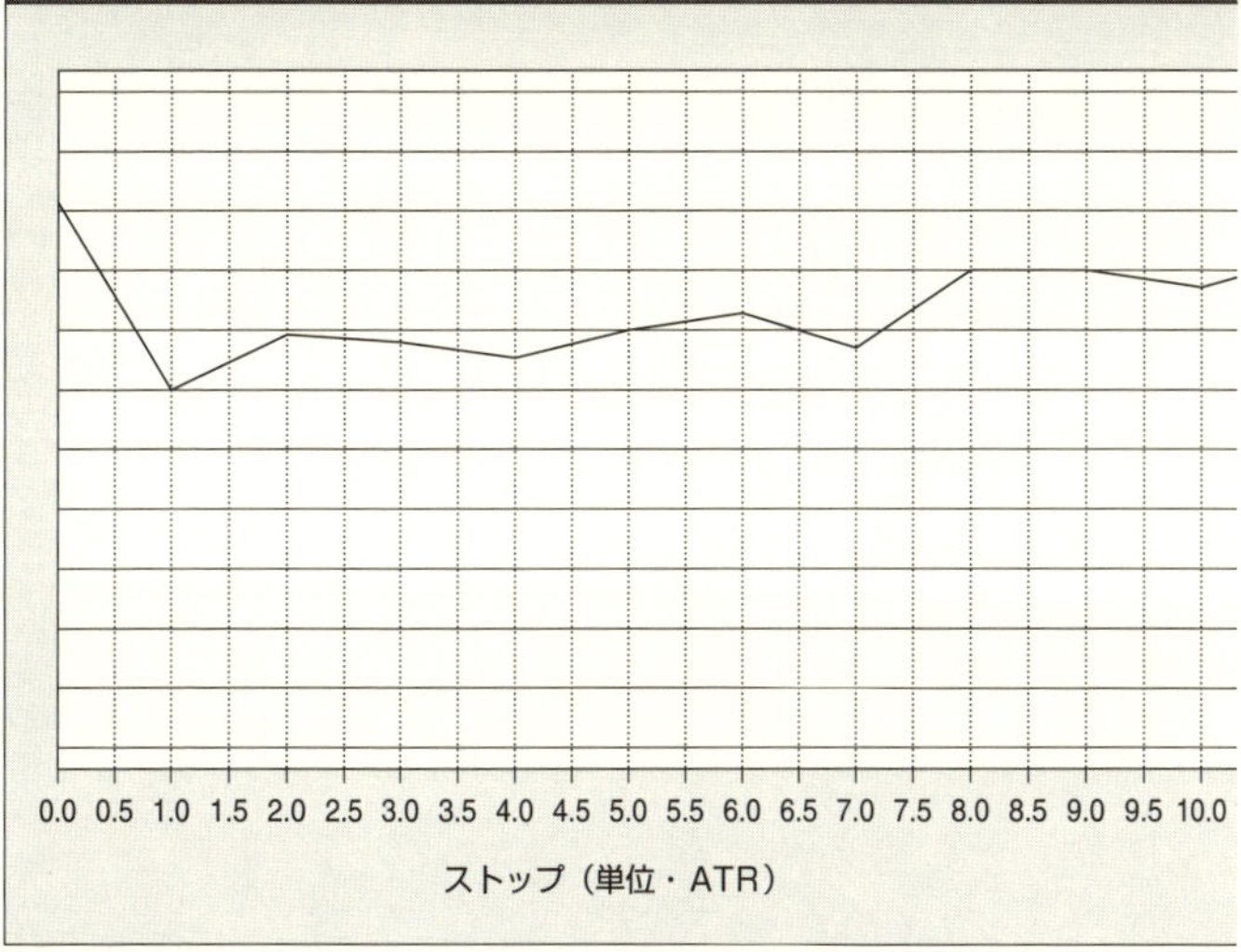

わたしなら、自分でアイデアを試してみて、得られた具体的な答えから確信を得る方法をとる。図27は、参入時から、ATRの大きさを変えてストップを用いた効果を示している。

ゼロの場合、つまり、ストップをまったく用いない場合、MARレシオ値は最高になっている。実際、ストップなしのテストはすべての測定基準――CAGR％、MARレシオ、シャープ・レシオ、ドローダウン、ドローダウンの長さ――のどれについても優っている。

トリプル移動平均のテストについても同じことがいえる。つまり、ストップを加えたものは、すべての基準で劣っている。同じテストを時限退出付きドンチアン・トレンド・システムについても適用すると、A

TRの10倍以上の非常に大きなストップの場合（これはストップなしのシステムとほぼ同じだった）を除いて、同じ結果となった。これは明らかに、つねにストップを用いなければならないという常識に反している。なぜか？　わたしたちは、資金を守るのにストップは非常に大事だと教わらなかったか？　ストップを加えてドローダウンが減少しなかったのはなぜか？

多くのトレーダーが、心配すべきはトレードで負け続けるリスクだと思い込んでいる。数日間しかポジションを持続しない短期トレーダーにとっては、それは真実かもしれないが、トレンドフォロー派トレーダーには当てはまらない。トレンドフォロー派にとって、ドローダウンは、通常大きなトレンドが終わったあとに現われるトレンド反転に起因する。トレンド反転のあと、ときとして市場は乱高下し、その中でのトレードはきわめてむずかしくなる。

トレンドの期間中蓄積してきた収益の一部をあきらめるのは、トレンドフォロー派としてはあたりまえのことだと、わたしたちタートルは承知していた。大きなドローダウンを経験することを予想していたのだ。そうはいってもこれは、何人かのタートル、とりわけ、資金を失うといちばん打撃を受ける人間には、痛手以外の何ものでもなかった。手にしたはずの儲けが消え去るのを目にするのは、わたしたちのトレーディング法、つまり、トレンドフォローのいちばんつらいところなのだ。

というわけで、トレンドフォロー派にとって、ドローダウンが起こるのは参入リスクではない。ドローダウンは収益の還元である。それについては第11章でもっと詳しく述べることにして、その前に、システムのテストに戻ろう。

図28　2006年11月までのシステムのパフォーマンス比較

システム	CAGR (%)	MAR レシオ	シャープ レシオ	取引数	勝率 (%)	最大 DD (%)	DD 期間 (月)
ATR CBO	45.9	1.15	1.27	216	43.1	40.0	8.3
ボリンジャーCBO	49.2	1.44	1.47	136	53.7	34.1	7.8
ドンチアン・トレンド	27.4	0.75	0.94	1901	38.7	38.7	27.6
時限付ドンチアン	57.1	1.31	1.34	773	59.1	43.6	12.1
ダブル移動平均	49.1	1.04	1.34	222	36.9	47.2	8.3
トリプル移動平均	41.2	0.97	1.21	186	41.9	42.3	8.5

再び、テスト結果

システムのテストは２００６年６月末まで行なわれたのだから、今わたしが本書を執筆している時点で、もう数カ月が経過している。その数カ月のあいだに、わたしたちのテストしたシステムがどうなったか、知りたい読者も多いのではないだろうか。

あなたなら、２００６年６月までのデータにもとづいて、どのシステムを選んだだろう？　ふたつ選べたとしたら、どのふたつを選んだだろう？　わたしはテスト終了の期日を２００６年11月に変更してみた。図28に更新済みの結果を示す。CAGR％とMARレシオをちょっと見ただけで、ほとんどすぐに、２００６年後半の数カ月がトレンドフォローのシステムには概して悪い時期だったことがわかる。ここで興味深い点は、この期間に発生したいくつかの変化だ。図29は、CAGR％とドローダウンの最高値の変化を示す。

図29　2006年6月までと同年11月までのパフォーマンス比較

システム	CAGR (%) 2006/11	CAGR (%) 06/06	Δ%	DD 最高値 (%) 06/11	DD 最高値 (%) 06/06	Δ%
ATR CBO	45.9	49.5	-7.3	40.0	39.9	0.3
ボリンジャーCBO	49.2	51.8	-5.0	34.1	34.1	0.0
ドンチアン・トレンド	27.4	29.4	-6.8	38.7	36.7	5.4
時限付ドンチアン	57.1	57.2	-0.2	43.6	43.6	0.0
ダブル移動平均	49.1	57.8	-15.1	47.2	31.8	48.4
トリプル移動平均	41.2	48.1	-14.3	42.3	31.3	35.1

いったい、何が起こったのか？　われわれのテスト結果は、どんなふうにしてここまで劇的に変化を遂げたのか？　なぜ、わたしたちが判定した最高のシステムがドローダウンの大きさにおいて、50パーセントも増加したのか？　なぜ、他のシステムが特に低迷している最後の5カ月間に、最も単純な退出を用いるシステムがそれまでと同じパフォーマンスを維持できたのか？　トレーダーは、どんなふうにして期待どおりの成果をあげる可能性のより高いシステムを構築するのか？　別の言いかたをすれば、どんなふうにして、トレーディングシステムがもたらすと想定される結果に合うように期待値を設定できるのか？

これらの疑問は、次章への格好の橋渡しとなってくれる。第11章では、これらすべての問題を検討し、あなたがバックテストで得る可能性のある結果と実際のトレーディングで得る可能性のある結果との違い、また、テスト結果と実際のトレーディング結果との違いをもたらす要素について、理解を深めることにする。

eleven

LIES, DAMN LIES, AND BACKTESTS

バックテストのうそ

ぺてん師と悪党が、暗い片隅で何も知らない人々を待ち伏せしている。
やつらの餌食《えじき》になってはいけない。

〝ストーンヘンジ・プラス・システムは、たった5年で５０００ドルを１００万ドルにしてみせました。当システムの開発者であるＮＡＳＡの科学者ステューペンダス・マグニフィカスは、火星探査機の打ち上げに用いたものと同じプロセスを、為替取引に利用する方法を発見したのです。
実に90パーセントを超える正確さを誇り、10年間で損失を出した月がひと月もありません。あまりに画期的ということもあり、１００部限定にて販売いたします。ぜひお早めにお買い求めください。今ならたったの１９９９ドルです〟

――あるシステム業者の広告

少しでもトレーディングに関わったことのある人、あるいはトレーディングに興味を持ってメーリングリストに名前を載せている人なら、先のような広告を見たことがあるはずだ。しかし買い手よ、ご用心あれ。無責任なマーケティング戦術と非現実的なバックテストの結果を使って、最新の開発品を売りつけようとするぺてん師がいるのだ。こういう業者の多くは、広告どおりの利益など達成できないことを承知のうえでシステムを作っている。多くはテスト結果を改竄《かいざん》して、自分たちのシステムの見栄えを実際よりもよくしようとする。

とはいえ、すべての業者がそこまで無節操なわけではない。基本的な方式に欠陥があることに気づかないまま、あるいはバックテストの限界やテスト結果を使った予測の落とし穴を知らないまま、システムがうまく働くことを信じて販売する業者もいる。むろん、バックテストの落とし穴を巧妙に避ける技術を持つ業者もいる。しかし残念ながら、そういう業者はごく少数で、経験の浅いトレーダーが、適切なテスト方式を使って開発されたシステムとそうでないシステムを見分けることはきわめてむずかしい。

経験豊かなトレーダーでさえ、システムのパフォーマンスが過去のシミュレーションよりも実際の取引ではるかに見劣りする理由がわからないことが多い。この種の現象が存在することは知っているし、補正もできるが、その原因が理解できないのだ。バックテストの結果と実際の取引で遭遇する事態とのあいだの食い違いには、おもに4つの原因がある。

●トレーダー効果……ある手法が最近莫大な利益をあげたという事実によって、ほかのトレーダーたちがそれに気づいて類似の着想を利用し始め、その手法が当初ほどうまく働かなくなる場合がある。
●ランダム効果……まったくのランダムな要因によって、バックテストが本来の優位性以上に良好なパフォーマンスを示す場合がある。
●最適化のパラドックス……あるパラメーターを定める行為、たとえば30日移動平均ではなく25日移動平均を選択する行為が、バックテスト自体の予測価値を下げてしまう。
●オーバーフィッティング、あるいはカーブフィッティング……システムがあまりに複雑だと、予測価値が失われる。過去のデータにぴったりと合わせすぎているので、市場の動きが少し変化しただけでひどく悪い結果を生じてしまう。

トレーダー効果

観察者効果とは、ある現象を計測する行為がときにその現象に影響をおよぼすという物理学の概念だ。つまり、観察者が観察するというその行為によって、実験結果が変わってしまう。似たようなことがトレーディングにも起こる。トレーディングの行為自体が、取引の成功が予測される対象商品の市況を変化させる可能性があるのだ。わたしはこれを**トレーダー効果**と呼んでいる。

ある程度の一貫性を持って繰り返されるものごとは、市場参加者の目につきやすい。それと同様、近い過去にとりわけうまく働いた戦略は、多くのトレーダーの目につきやすい。ところが、あまりに多くのトレーダーがひとつの戦略を利用し始めると、その戦略が以前ほどはうまく働かなくなってしまう。

ブレイクアウト戦略について考えてみよう。比較的取引量の少ない市場で、これから多数の大口トレーダーがブレイクアウトで買うことを知ったら、あなたはそこから利益を得るために、何をするだろうか？　大儲けするために、どんな戦略をとるだろうか？

おそらく他のトレーダーに先んじて買い注文を出し、その行為によって、大口トレーダーたちの注文を誘発するレベルまで価格を引き上げてしまうだろう。それからポジションを売り戻して、確実な利益を手にすることができる。結果的に見ると、他の買い手を出し抜くために価格を動かしたことになるのだ。

自分が金《ゴールド》のトレーダーになったと想像してみてほしい。たとえば、ＡＣＭＥ社から8月限金《ゴールド》４１０ドル50セントで１０００枚という大口の買い注文が出ることを知ったら、どんな手を打てるだろうか？

もしその逆指値に達するまでに相当量を買うことができれば、逆指値をヒットしたときにその契約を売り戻して、利益を得ることができる。価格がその逆指値からかけ離れている場合は、買い注文を招くまで確実に市場を動かすにはもっと資金が必要になるかもしれない。しかしその一方で、価格がかなり近く、たとえば４０８ドルなら、一連の成り行き買い注文が価格を引き上げ、ＡＣＭＥ社からの買い注文の誘発に至るかもしれない。

買ったあとすぐに売るあなたの行為が、ブレイクアウトそのものの意味を変える可能性もある。トレーダー効果が加わる前には、ブレイクアウトは抵抗線の突破を示していたのかもしれない。その場合は、ブレイクアウトが起こるとともに、同方向への価格変動が生じる可能性が高い。しかし、新規買いが加わり、その目的が市場を動かしてブレイクアウトを起こすためだけのものなら、ブレイクアウトの意味が変わってしまうのだ。

具体的な例を挙げて、この概念を説明しよう。４０８ドル以上で買いたい買い手はいないが、４０９ドル超なら１０００枚売りたい売り手がいるとする。この売り注文は、価格が４０９ドルを超えるのを阻む壁として働く。あなたの買い注文が加わらなければ、市場は４１０ドル50セントまで上昇することはなく、したがってブレイクアウトも起こらないだろう。つまり、あるブレイクアウト・ベースのシステムがこの取引についてシミュレーションする場合、ブレイクアウトは起こらず、取引もなかったことになる。

そこで、同じ状況であなたが市場に参入して、平均価格４０９ドルでその１０００枚を買い占めたとする。その価格での売り手はもういないので、さらに１００枚を４１１ドルで買う。この取引が大口の買い手の買い注文を呼び、その時点であなたは買い手に１０００枚を４１１ドルで売る。買い手はその価格に満足しただろうが、あなたはすばらしい取引をしたことになる。残るは追加の１００枚を処分することだけだ。最新価格では買い手がつかないので、安値で売らなければならず、１００枚を407ドルで市場に売り戻す。あなたは4ドル×100オンスで100枚、つまり4万ドルの損をするが、2ドル×100オンスで1000枚、手数料別で16万ドルの利益を新たに手にしたことになる。数秒の仕事としてはたいしたものだ。

ブレイクアウトの優位性を期待していたACME社のトレーダーたちは、どうしたか？　彼らはバックテストが示す理由とは異なる理由で手に入れた大きなポジションを取っている。これはトレーダー効果によるものだ。

その具体的な例として、数年前非常に人気になったシステムがある。長い年月にわたって優れたパフォーマンスを維持していたので、多くのブローカーが顧客にそのシステムをすすめ始めた。聞いた話によると、ひところは総計数億ドルがそのシステムを使って取引されていたらしい。

システムの人気が頂点に達して間もなく、その取引の関係者たちは、20年のバックテストで一度も起こったことがないほどの長期にわたるきびしいドローダウンを経験した。システムには、他のトレーダーが付け入るすきがあったのだ。終値があるレベルを超えると、翌朝寄り付きで買いあるいは売り注文が入る。他のトレーダーは注文を誘発する価格レベルを知っているから、翌朝寄り付きに先だって引け値買いするのは簡単なことだ。そして翌朝寄り付き直後に売ってポジションを脱することができる。システムの規則によって、ひと晩のうちに大量の買い注文が生まれているから、たいていはかなり値上がりしているはずだ。

しかも、このシステムの作成者は、木材やプロパンガスなどの流動性の低い市場を含むポートフォリオを使った。こういう市場は比較的少量で大きく値動きする可能性があるうえに、このシステムで取引する人のかなり多くがそれらの市場で取引していた。システムが突然かつてないほどのドローダウンを生じた原因のひとつに、この種の見越し買いがあることは間違いない。一定期間の優位性が事実上奪われてしまうのだ。

他のトレーダーたちはそれほど鈍くない。彼らは繰り返されるパターンに目をつけて、それを利用する。だからこそ、独自のシステムを開発したほうがいいのだ。システムを自分で構築すれば、トレーダー効果に優位性《エッジ》を奪われる可能性がずっと低くなる。いつ売り買いするのか、他のトレーダーたちに知られずにすむからだ。

リッチのもとで取引していたとき、タートルたち全員がほぼ同時に取引を開始することがよくあった。市場のトレーダーたちは、わたしたちから大口注文が入り始める時期と、その注文がかなり長く継続する見込みであることを知っていた。そのせいで、ときどきフロアトレーダーやブローカーがわたしたちの注文に先だって市場を動かすことがあった。

わたしたちは指値注文を使ったので、彼らのやりかたは少しリスクが高い。そういう状況で取引が執行されないように、わたしたちはいつでも注文を取り下げることができるからだ（それが、指値注文を使う理由のひとつでもある）。買いたいときに、地元《ローカルズ》の相場師たちがわたしたちの注文を見込んで市場を動かす傾向がある場合には、逆方向に偽《にせ》の注文を出すこともあった。そして市場が動けば、最初の注文を取り消して、もっと相場に近い、ときにはアスク（売り呼値）を超えた指値の買い注文を出した。たとえば、100枚買いたい場合、まず偽の売り注文を出すのだ。

その偽の注文が415ドルで100枚の売りとして、市場がビッド（買い呼値）410ドル、アスク412ドルで取引している場合、注文を出すことによって市場がビッド405ドル、アスク408ドルまで動く。そこでわたしは偽の指値注文を取り消して、指値410ドルで買い注文を出す。おそらく408ドルあるいは410ドルで執行されるだろう。これは最初の注文を出す前のアスクだ。

それほど頻繁にやるわけではない。ほかのトレーダーたちに行動を読まれずにいられる程度だ。いくつかの点で、ポーカーのブラフに似ている。ブラフばかりしていては、コールされてブラフに失敗し、賭け金を失ってしまう。しかし、たまにブラフをすると大きな効果が期待できる。実際によい手を持っているときにも他のプレーヤーたちがついコールしてしまい、勝負手で大きく儲けることができるのだ。ブラフ自体での稼ぎを加えれば、勝利の可能性は俄然高くなる。

たまにブラフすることで対戦相手に行動を読まれにくくなるのと同じように、タートルたちは、リチャード・デニスのトレーディング法を読もうとする人にかなりの混乱をもたらした。小幅な逆指値を使う者、大幅な逆指値を使う者、ブレイクアウト時を狙って買う者、直後や直前に買う者もいた。こういう行為でわたしたちは多くの人を困惑させ、リッチの注文を有利に運ばせることができたと思う。

トレーダー効果は、他のトレーダーたちの注文に先行しようという意図がなくても起こりうることに注意してほしい。あまりに多くのトレーダーが特定の市場現象を利用しようとすると、少なくとも一定期間、その現象のエッジがそこなわれてしまうことがある。彼らの注文がエッジを弱めるのだ。この問題は、比較的エッジが小さい裁定取引などで特に顕著となる。

ランダム効果

ほとんどのトレーダーは、完全にランダムな出来事が取引結果にどれほど影響をあたえうるかを理解していない。典型的な投資家は、典型的なトレーダーよりもさらに理解が足りない。年金基金やヘッジファンドを運用して意思決定を下している経験豊かな投資家でさえ、この効果のほどを理解していないことが多い。取引結果は、ランダムな出来事だけで驚くほど大きく変わることがある。ランダムな出来事を含めて一連のバックテストを行なうと、変化の度合はきわめて高くなる。この節では、長期トレンドフォローの領域で、完全にランダム効果のみが原因となりうる可能性について考えてみよう。

優位比率の考察では、コイン投げを模したコンピュータを使って、寄り付きでのランダムな長期あるいは短期の参入をシミュレーションした。わたしは、コイン投げにもとづくランダムな参入と、20日から120日の範囲での時間の経過にもとづく退出を組み合わせた完全なシステムをつくった。それから、第10章で使ったものと同じデータで100回テストを行ない、トレンドフォロー戦略間の比較をした。

シミュレーションで最もうまくいったテストでは、16・9パーセントの利益があり、テスト期間の10・5年で100万ドルが550万ドルになった。逆に最もうまくいかなかったテストでは、年間20パーセントの損失があった。つまり、完全にランダムな出来事を原因とする変動がかなりあるということだ。

もしここに少しエッジ（優位性）を加えたら、どうなるだろうか？　もしドンチアン・トレンド・システムで使うトレンドフィルタを採用して、自分たちのシステムをトレンドフォロー・システムに似せ、主要なトレンドと同じ方向へ進んでいる場合に限って、ランダムにトレードに参入するように作り変えたら？

こういう疑問に対する答えは興味深い。どこのトレンドフォロー・ファンドの実績を調べても、パフォーマンスには大きな変動があるからだ。あるファンドのパフォーマンスが良好だとしたら、そのファンドのマネジャーは当然、その成功は優れた戦略と実践によるものだというだろう。しかし、実際には、優れたパフォーマンスは優れた戦略よりランダム効果のおかげであることが多い。なんらかの優位性があるときに、そういうランダム効果が結果にどれほど影響をおよぼしうるかを考えれば、この事実がもっとよく理解できるだろう。

完全にランダムなシステムに、際立ったエッジを持つトレンドフィルタを加えれば、100回のテストの平均パフォーマンスは大幅に上昇する。わたしのシミュレーションでは、平均利益率は32・46パーセントに上がり、平均ドローダウン率は43・74パーセントに下がった。

しかし、トレンドフィルタを加えたあとでも、個々のテストのあいだにはやはり大きな変動がある。100回のランダムなテストのうち、最もうまくいったテストは、利益率53・3パーセント、MARレシオ1・58、最大ドローダウン率33・6パーセントを示した。最もうまくいかなかったテストは、利益率17・5パーセント、ドローダウン率62・7パーセントを示した。

運やランダム効果は、トレーダーやファンドの実際のパフォーマンスに大きな役割を果たしているが、一流トレーダーですら、投資家に対してそれを認めたがらない。投資家たちは、過去の実績を過大評価している。たとえば、あるファンドにこれから投資しようという人はふつう、そのファンドの過去のパフォーマンスと同等の運用実績を期待する。問題は、過去の実績を見ただけでは、平均的な運を持つ真に優れたトレーディング戦略と、すばらしい運に恵まれた平均的なトレーディング戦略の見分けがつかないことだ。ランダム効果があまりに大きく普遍的なので、確信を持って見分けるすべはない。

先に挙げた100回のシミュレーション中の、最高の実績について考えてみよう。仮に誰かがあまり積極的でない取引、たとえばタートルたちが行なったレベルの25パーセントの取引を行なったとしても、あるテストは10年の実績で25・7パーセントの利益率と17・7パーセントのドローダウン率を達成することになる。これまで説明してきたように、ランダムに参入したトレーダーが、その後も同レベルのパフォーマンスを保てる可能性は低い。ランダムな取引にはエッジがないからだ。しかし、残念ながら、実績だけに注目する人にとって、大きなトレーダー集団のうち運に恵まれた数人は、実際には理解していないのに、理解して実践しているように見えてしまうのだ。

幸運な遺伝子

ランダム効果を理解するもうひとつの方法は、自然界でのそれらの存在に注目することだ。知力、身長、運動能力、歌唱力——こういう素質はすべてランダム効果によって獲得される。もしあなたが、ある特質について有利な遺伝子を持つ（つまり両親ともにある特質を持つ）場合、たいていの人よりその特質に恵まれる可能性がかなり高い。ただし、両親と同程度というわけにはいかないかもしれない。もし両親そろって長身なら、おそらくあなたも長身になるだろう。しかし、両親の背丈が標準から遠く離れるほど、あなたの背丈がふたりよりも低くなる可能性が高い。

遺伝学や統計学では、これを**平均への回帰**あるいは**回帰効果**と呼ぶ。背の高い両親を持つ人は、背が高くなる遺伝子を持つ親ふたりと、ごく幸運なその組み合わせに恵まれたともいえる。しかし、幸運な遺伝子の持ち主は、遺伝子を次世代へわたすことはできても、幸運をわたすことはできない。したがって、その両親のもとに生まれた子どもの背丈は平均寄りになる可能性が高い。子どもが両親と同じ〝幸運な〟遺伝子配列に恵まれるとは限らないからだ。

投資家に凶報

パフォーマンス尺度を使って優良なファンドとそうでないファンドを区別しようとすると、必ずといっていいほどランダム効果に行き当たる。なぜなら、不運で優れたトレーダーより、幸運で平均的なトレーダーのほうが数が多いからだ。1000人のトレーダーから成る世界があるとしたら、真に卓越したトレーダーは5、6人いればいいほうだろう。

1000人のうち80パーセントがほぼ平均的なトレーダーだとして、運に頼らず好成績をあげられるトレーダーは5、6人しかいないが、幸運の助けが必要なトレーダーは800人もいるわけだ。うち2パーセントにあたる16人のトレーダーが実際に幸運に恵まれて、10年連続で良好な実績をあげるとすると、優れたパフォーマンスを残すトレーダーは合計21～22人。そのうち優秀なトレーダーはたった4分の1ということになる。

運と時間

時間は、ただの幸運なトレーダーよりも真に卓越したトレーダーに味方する傾向がある。10年連続で幸運に恵まれたトレーダーが16人いるとすれば、次の15年間での彼らのパフォーマンスは、平均値に近くなる公算がきわめて大きい。それとは逆に、5年間の実績だけを考える場合、優秀に見えて幸運なだけのトレーダーの数は急増する。なぜなら、評価期間が短くなるほど、ランダム効果の影響度が著しく増すからだ。

もし、2003年1月から2006年6月までの3・5年だけという短い時間枠を使ったら、テストの変動性はどうなるだろうか？　この期間のランダム参入システムの平均パフォーマンスは、利益率35パーセント、MARレシオ1・06だった。実際のシステムは、はるかに良好な結果を示した。トリプル移動平均システムは、利益率48・5パーセントでMARレシオ1・50。ボリンジャー・ブレイクアウト・システムは、利益率52・2パーセントでMARレシオ1・54。ダブル移動平均システムは、利益率49・7パーセントでMARレシオ1・25。

ランダムテストでは、100回のシミュレーションで何人の幸運なトレーダーが現われたか？ 純粋に運だけでわたしたちの最良のシステムのパフォーマンスに勝った人は何人いたか？ 100回のうち17回では、MARレシオが1・54より高かった。その17回のうち7回では、利益率が52・2パーセントを超えた。最も優れたランダムトレーダーは、利益率71・4パーセントでドローダウン率34・5パーセント、MARレシオ2・07を示した。今後、優れたパフォーマンスを示す3年間の実績を目にしたなら、よく考えてみなければならないだろう。

短期実績を見るときには、目にしているもののほとんどが運に起因することを忘れないでほしい。あるトレーダーが幸運な凡人なのか、優秀な少数派なのかを知るには、実績よりも深い部分を掘り下げ、実績の裏側にいる人物に注目しなければならない。

よい投資家は、過去のパフォーマンスではなく人に投資する。将来的に優れたパフォーマンスへとつながる特質の見分けかたを知り、平均的な取引能力を示唆する特質の見分けかたを知っている。ランダム効果を切り抜ける最良の方法はこれだ。

過去のシミュレーションを行なっている読者に朗報を伝えておくと、バックテストの結果がシステムの優位性ではなくランダム効果のせいであることは、けっこう簡単に見破れる。それを可能にする方法については、第12章で検討する。まずは、バックテストの結果が現実とそぐわないあとふたつの理由を見てみよう。

最適化のパラドックス

テスト結果と実際の結果のあいだにへだたりが生じるもうひとつの理由に、わたしが**最適化のパラドックス**と名づけた効果がある。このパラドックスは、特にコンピュータ・シミュレーションに不慣れなトレーダーにとって多くの混乱のもとになる。最適化とは、計算に特定の数字を要するシステムを使って取引する際に、その数値を決定する過程のことだ。これらの数字は**パラメーター**と呼ばれる。

たとえば、長期移動平均の日数や、短期移動平均の日数もパラメーターのひとつだ。最適化とは、これらのパラメーターについて最上の、つまり最適な値を選ぶことである。最適化はカーブフィッティングにつながり、パフォーマンスを悪化させるから無益だというトレーダーは多い。言っておくが、断じてそんなことはない！

正しく行なえば、最適化は役に立つ。パラメーターを変化させた場合のパフォーマンス特性を理解しているほうが、それを知らないでいるよりいいに決まっているからだ。ひとつのパラメーターに関するパフォーマンス尺度の変化を調べると、システムの優位性ではなく、ランダム効果やオーバーフィッティングが大きく作用していることが明らかになる場合が多い。最適化とは単純に、さまざまな値で特定のパラメーターを変化させてその影響力を探り、次にその情報を利用して、実際の取引にどのパラメーター値を使うかを判断する過程のことなのだ。

　最適化を無益、あるいは危険と信じるトレーダーたちがいるのは、最適化のパラドックスを理解していないから、そして、統計学用語である**オーバーフィッティング**につながる誤った最適化の効果を目にしてきたからだろう。

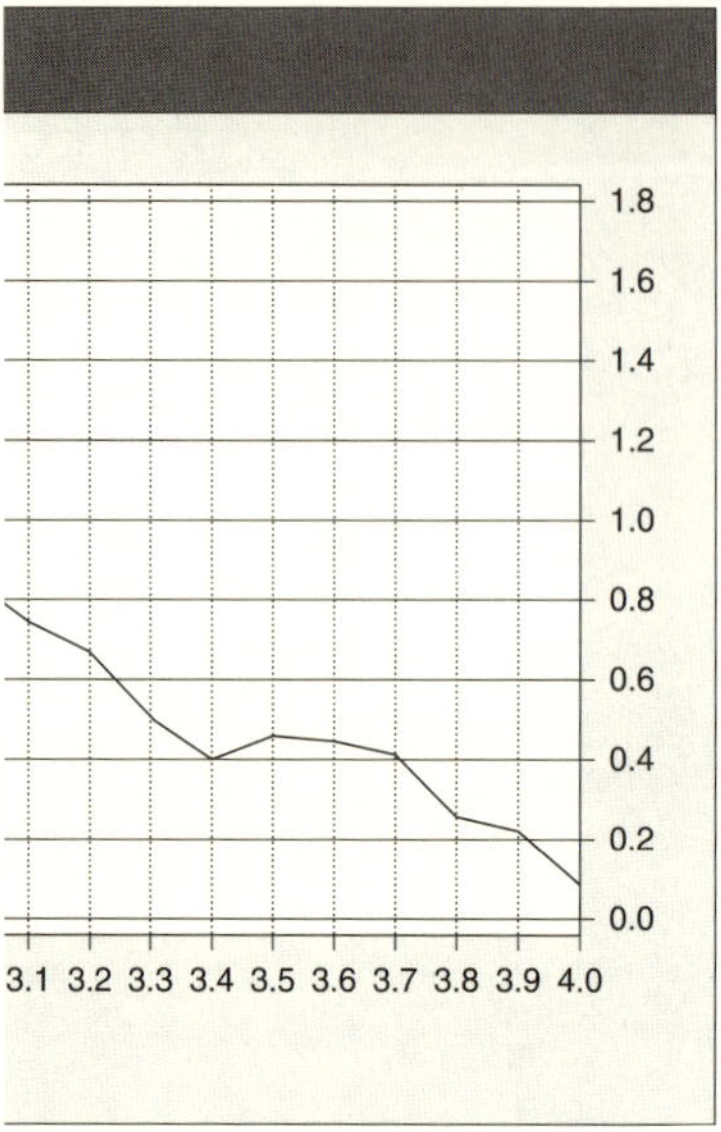

　最適化のパラドックスとは、パラメーターの最適化を行なうと、そのシステムが将来的によい実績をあげる可能性は高まるが、シミュレーションが示すほどよい実績をあげる可能性は低くなることをいう。つまり最適化は、システムの将来的なパフォーマンスを改善する一方で、過去のシミュレーション法の予測精度を低くしてしまう。

　わたしが思うに、このパラドックスとその原因の不完全な理解のせいで、多くのト

図30　参入点（標準偏差）の変化によるMARレシオの値

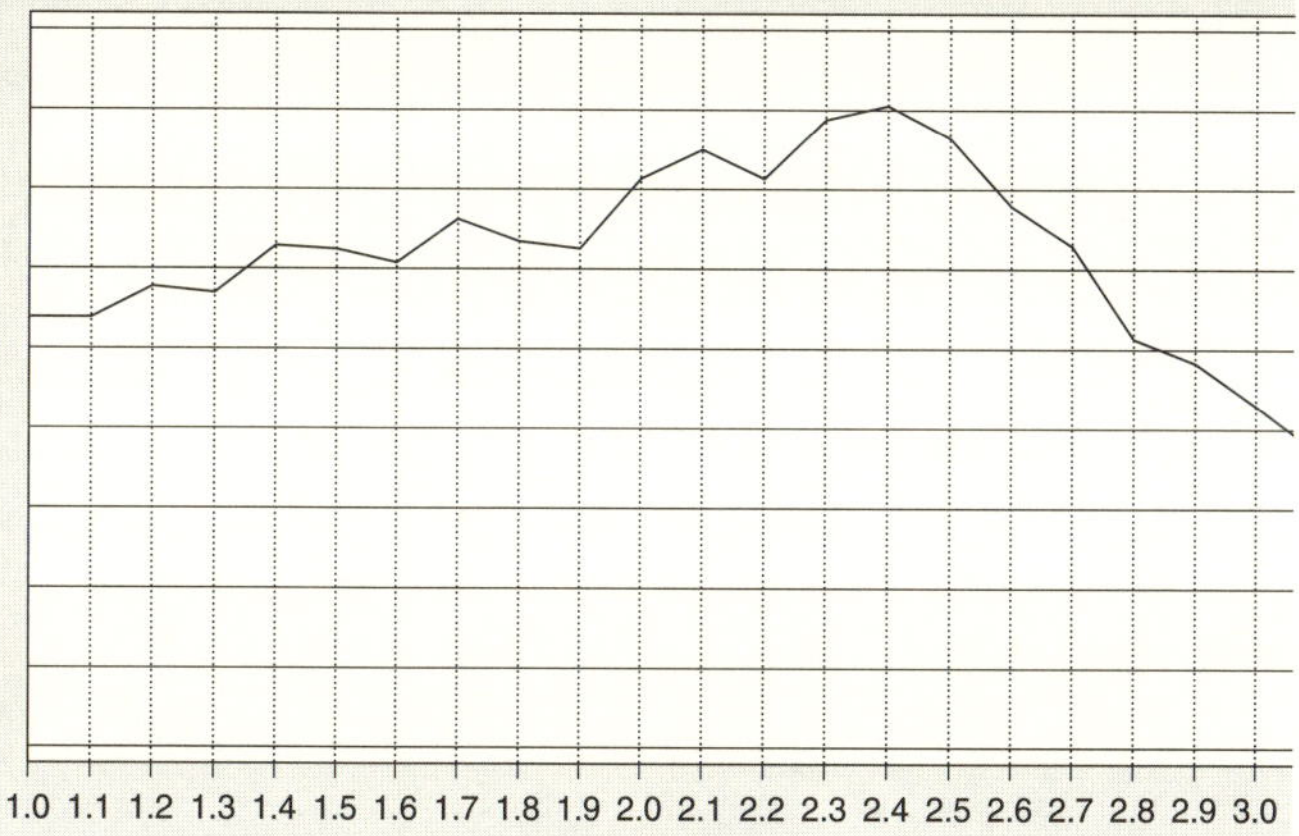

レーダーが、システムの過度の最適化やカーブフィッティングを恐れるあまり、最適化を敬遠しているようだ。しかし、妥当な最適化はつねに望ましい手段であることを強調しておきたい。

妥当な最適化から得られたパラメーター値を使えば、実際の取引で将来的によい結果が得られる見込みは高くなるはずだ。具体的な例を挙げて説明しよう。ふたつのパラメーターを持つボリンジャー・ブレイクアウト・システムについて考えてみる。図30は、標準偏差での変動チャネル幅を定義する参入ポイントが、1標準偏差から4標準偏差まで変化したときのMARレシオの値をグラフで示したものだ。

2・4標準偏差のチャネル幅での結果がこのシミュレーションのピーク値であるこ

とに注目してほしい。テスト中の2・4未満あるいは2・4超の参入点はいずれもそれより低いMARレシオを示している。

ここで、最適化は有益だという前提に戻ろう。たとえば、チャネル幅の最適化を考えず、任意に3・0のチャネル幅を使うことに決めたと仮定する。高校で習った統計学によれば、正規分布の値の99パーセント以上は平均値の3標準偏差以内におさまるからだ。過去と将来にさほどの違いがないとすれば、わたしたちは大金をテーブルの上に残したまま、2・4標準偏差の参入ポイントを選んだ場合よりもずっと大きなドローダウンにさらされることになる。どのくらい大きな差がつくかを知りたいなら、2・4を使えば、ドローダウン率を同じにした場合10・5年のテストで8倍利益があがることを考えてみてほしい。利益率は2・4では54・5パーセント、3・0では28・2パーセントだ。

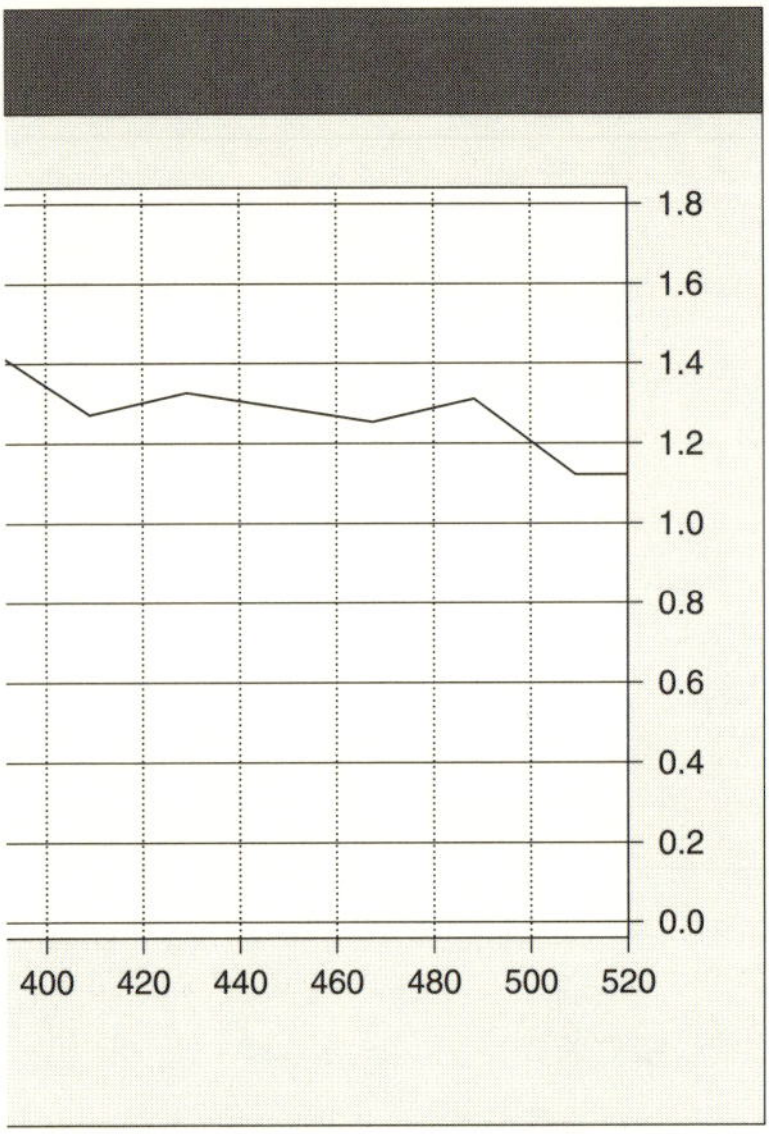

最適化を行なわなければ、無知のせいで成り行きに任せることになる。このパラメーターの変化があたえる効果を見たことで、参入点パラメーターのパフォーマンスに対する影響と、結果を左右する力がよくわか

図31　移動平均（日数）の変化によるMARレシオの値

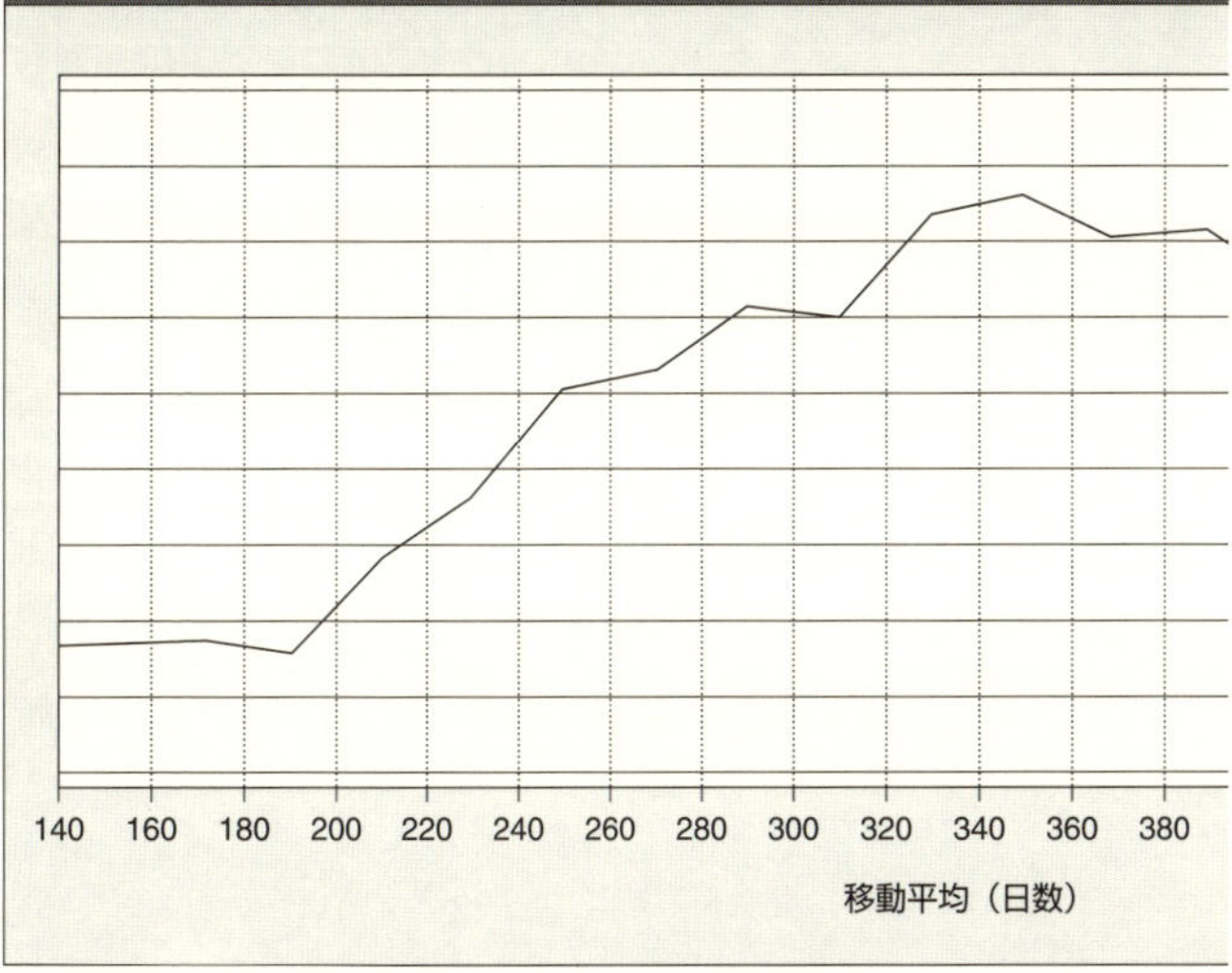

ったただろう。チャネル幅が狭すぎれば、取引を増やしすぎてパフォーマンスが低下する。かといって広すぎれば、参入を待つあいだ多くのトレンドを見逃して、やはりパフォーマンスが低下する。

過剰な最適化やカーブフィッティングを恐れるあまり、この研究を怠ると、大量の有用な知識をもてなくなる。その知識があれば、取引結果が著しく改善されるだけでなく、今後のシステムをさらによくする着想が得られるかもしれない。以下の項で、別のパラメーターをいくつか紹介しよう。これらも、変化によって山型もしくは丘型のグラフになることがわかるだろう。

移動平均日数パラメーター

図31は、ボリンジャー・バンドの変動チ

ャネルの中心を定義する移動平均日数が、150から500日までに変化したときのMARレシオの値をグラフで示したものだ。

350日めの結果がこのテストのピーク値であることに注目してほしい。テスト中の350日未満あるいは350日超の値は、いずれもそれより低いMARレシオを示している。

図32は、退出点パラメーターが変化したときのMARレシオの値をグラフで示したものだ。退出点とは、ポジションの解消ポイントを定義するパラメーターのことを示す。本書で先にボリンジャー・ブレイクアウト・システムについて考察した際には、終値がチャネルの中心を定義する移動平均をクロスして下へ抜けたときに退出した。今回のテストでは、クロスの前あるいはあとで退出したらどうなるかを見てみたかった。

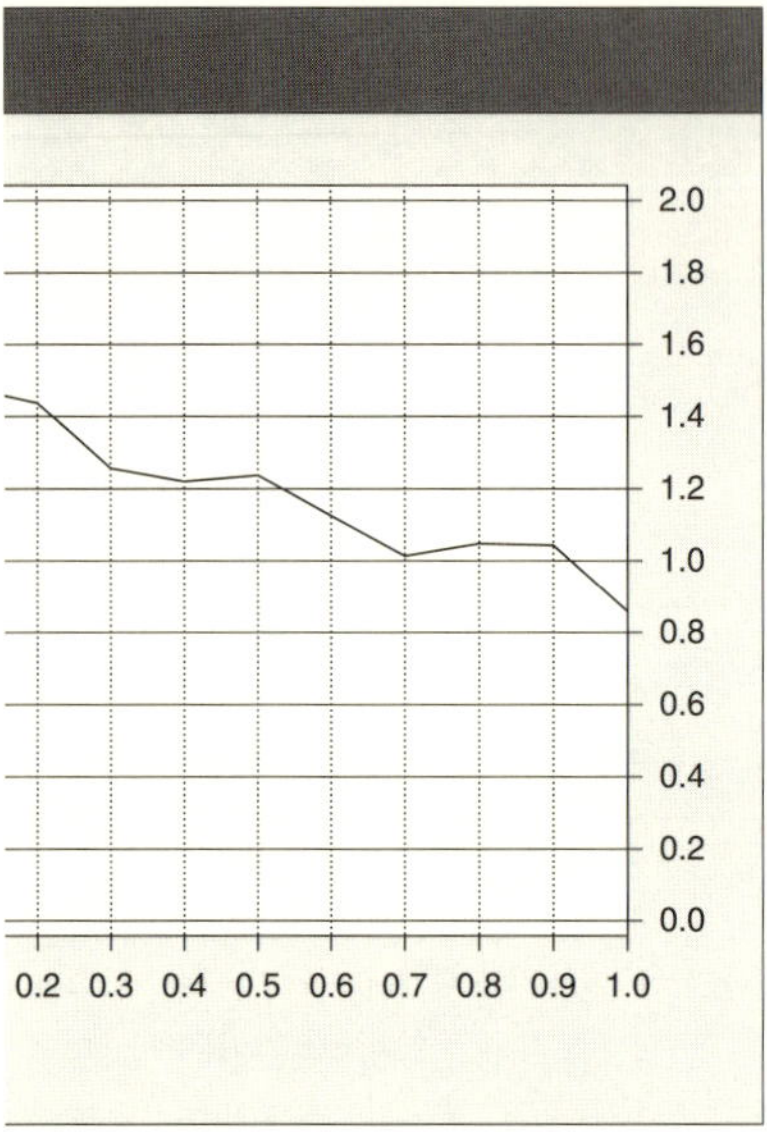

プラスの退出点は、ロング・ポジションでは移動平均より高い標準偏差値、ショート・ポジションでは移動平均より低い標準偏差値となる。

マイナスの退出点は、ロング・ポジションでは移動平均より低い値、ショート・ポジションでは移動平均より高い値となる。

図32　退出点の変化によるMARレシオの値

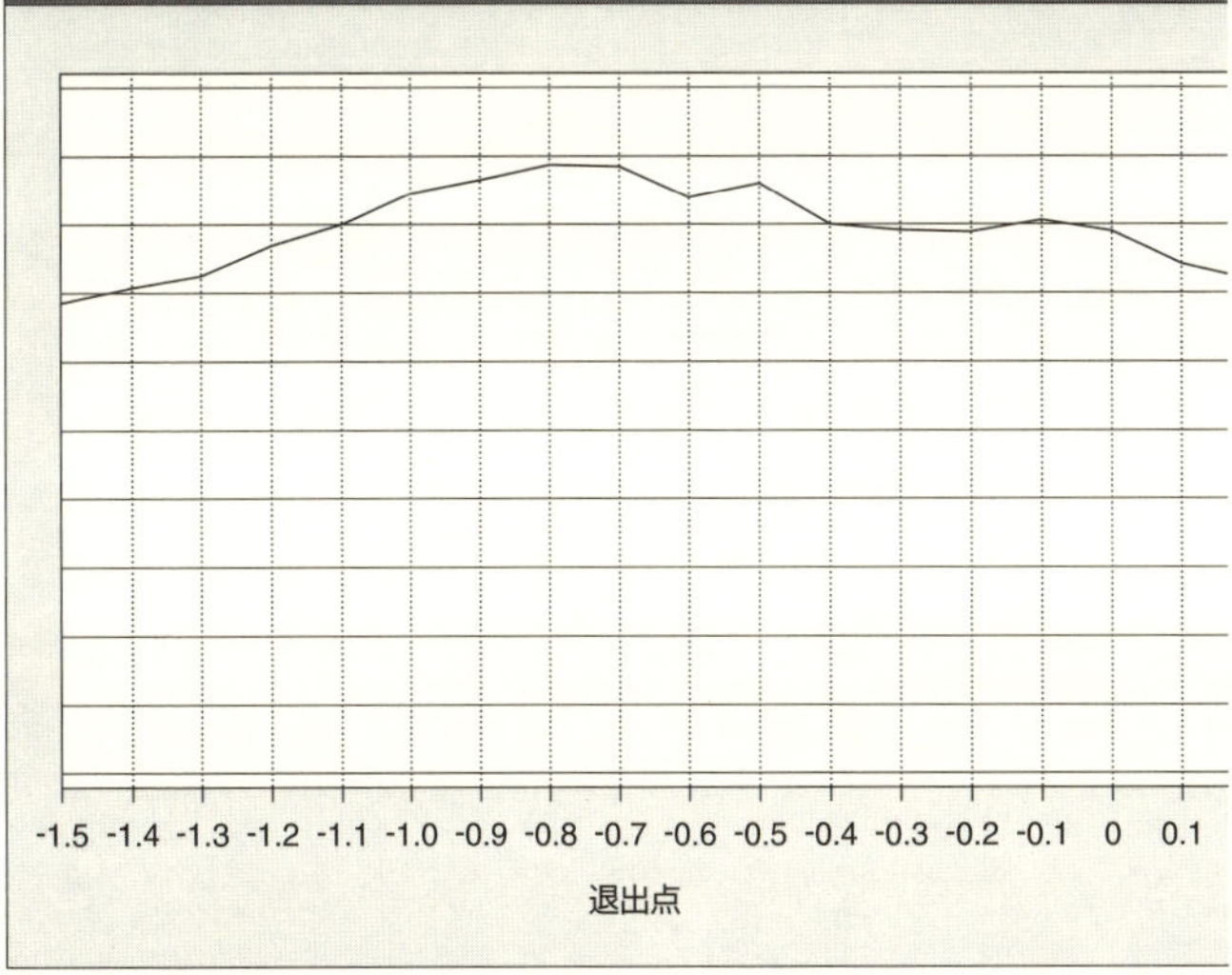

このパラメーターの値がゼロの場合は、元のシステムと同じで、移動平均での退出となる。

図32に示したように、退出点がマイナス1・5から1・0まで変化するとどうなるだろうか。マイナス0・8での結果がこのテストのピーク値であることに注目してほしい。テスト中のマイナス0・8未満あるいはマイナス0・8超の値はいずれもそれより低いMARレシオを示している。

予測価値の基準

バックテストの予測価値は、トレーダーが将来遭遇しうるパフォーマンスを示すことにある。将来が過去に似ているほど、将来の取引結果は過去のシミュレーションに近くなる。バックテストをシステム分析の

図33　任意のパラメーターAとB

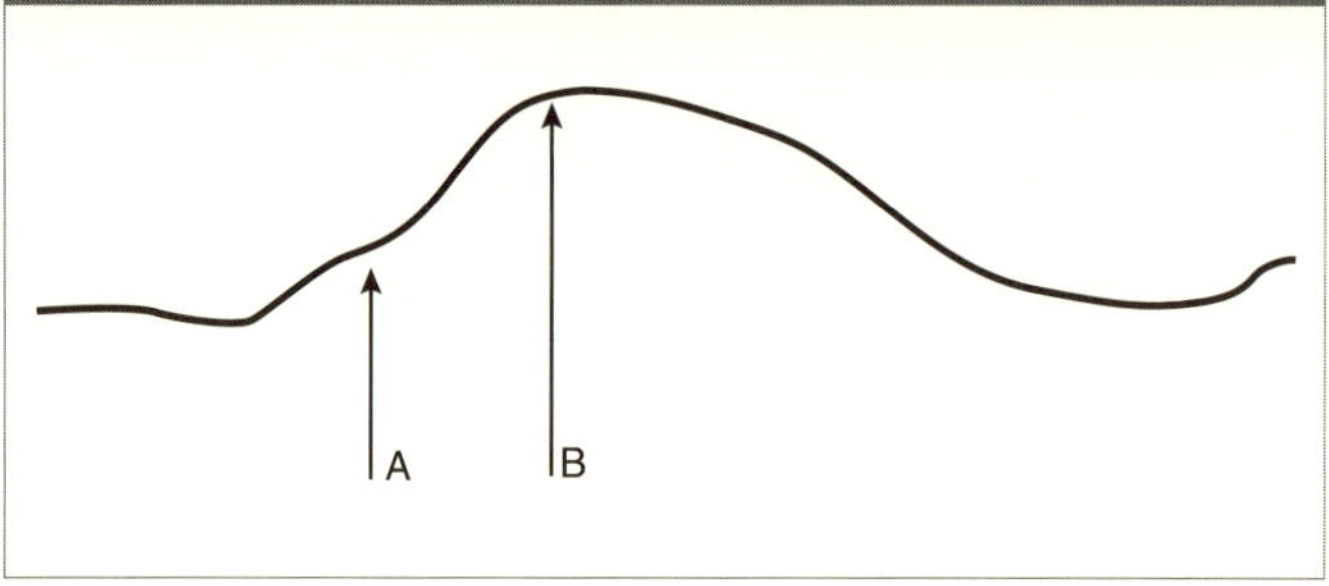

手段として使う場合の大きな問題は、将来が過去とそっくり同じになるはずはないということだ。

市場にはつねに変わらない人間行動の特徴が反映されるので、そこからシステムが得られる利益の範囲内で、過去は妥当な将来の見積もりを提示するが、それは厳密な値ではない。全面的に最適化したパラメーターを使って行なった過去のテスト結果は、非常に限定的な取引を表わしている。それらの取引結果は、システムが最良のパラメーターを使って取引した場合のものだ。それにともなうシミュレーション結果は、最良の条件下で見た過去ということになる。

将来が過去とそっくり同じなら、実際の取引でもその結果を期待できるだろうが、そんなことは起こりえない。ここで、本章でこれまでに示したグラフについて考えてみよう。グラフはいずれも、ピーク値を頂上にした山のような形だ。図33のグラフで、任意のパラメーターを取り上げてみよう。

A点の値が最適化されていない標準パラメーターで、B点の値が最適化された値だとすれば、Bのほうが**取引にとって有利なパ**

図34　誤差を設けたパラメーターAとB

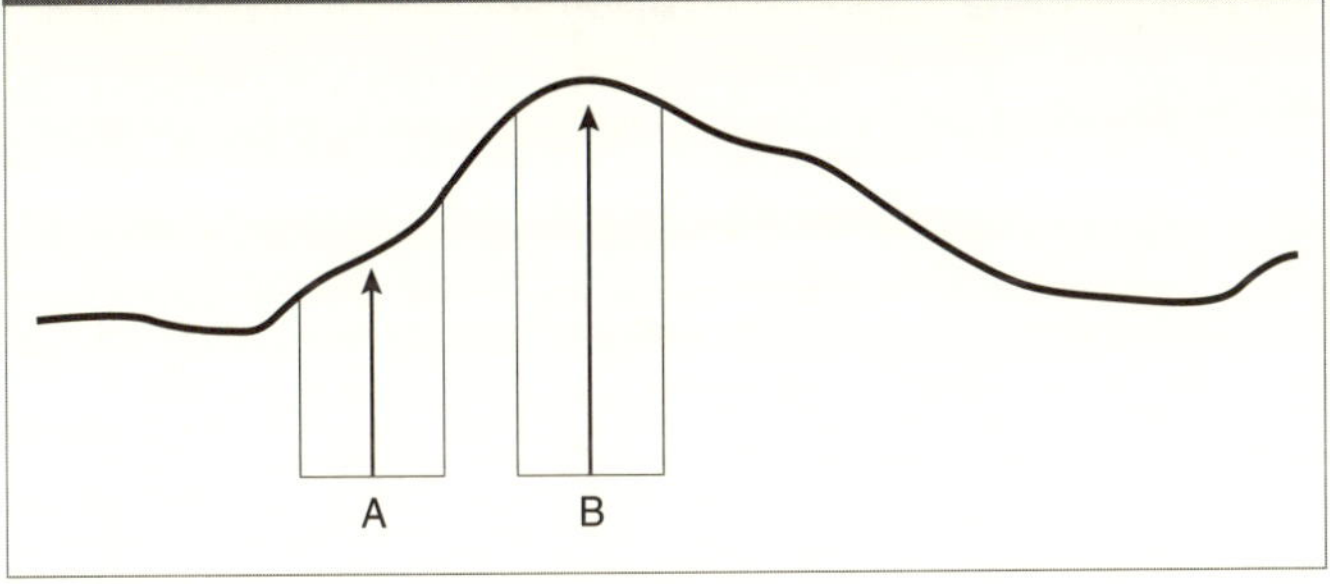

ラメーター値ではあるが、将来的な実際の取引結果がおそらくバックテストの結果よりも悪くなるパラメーター値だといえる。

Ａのほうが**取引にとって不利なパラメーター値**だが、予測価値は高い。システムがその値で取引されれば、将来的な実際の結果は、Ａの値をパラメーターとして使ったバックテストの結果よりもよかったり悪かったりするはずだからだ。

なぜだろうか？　具体的に説明するために、将来の方向は、グラフが左右のどちらかわからないが一方へわずかに動くことで変化すると仮定しよう。図34のグラフは、ＡとＢの左右に数値帯を設けたものだ。この数値帯は、将来が過去とは異なるせいで生じうる変動を表わす。これを〝誤差〟と呼ぶことにする。

Ａの場合、最適化パラメーター値が左へ変動すればA点よりパフォーマンスが低下し、右へ変動すればA点よりパフォーマンスが向上する。したがって、パラメーター値Ａでのテスト結果は、将来がどう変化するかにかかわらず適正な予測指標となる。将来の過剰な予測と不充分な予測はどちらも同じくらいありうることだからだ。

Bの場合はこれとは異なる。右へ変動しても左へ変動しても、すべてパフォーマンスは低下する。つまり、Bの値でテストを行なうと、将来的な結果の予測が過剰になる可能性が高い。この影響がさまざまなパラメーターにわたって混じり合うばかりでなく、将来の市場の変化の影響も混じり合ってくる。つまり、最適化されたパラメーターをたくさん使えば、それらのパラメーターで行なったテストによる予測ほど将来が明るくならない可能性が、どんどん高くなるのだ。

しかし、だから数値Aを取引に使うべきだというわけではない。かなり大きな変動がある場合でも、B点付近の数値はA点付近の数値よりもまだ高い。したがって、最適化が予測価値を下げたとしても、市場の変化が起こってもなおよい結果が得られる数値を取引に使うべきだろう。

最適化のパラドックスは、さまざまな詐欺やごまかしの原因となってきた。多くの悪徳システム業者が、最適化によって可能になるきわめて高い利益率と驚異的な結果を使った。特に、短期で市場に特化した最適化を使い、実際の取引では達成できるはずのない過去の結果を示してきた。しかし、最適化によって将来の結果が誇張される可能性があるからといって、最適化を退けるべきだということにはならない。実のところ、最適化は健全なトレーディングシステムの構築に不可欠なのだ。

オーバーフィッティングとカーブフィッティング

詐欺師たちはほかにもさまざまな方法を使って、非現実的な過去の実績を生み出そうとする。最も悪辣な方法は、意図的にオーバーフィットやカーブフィットをシステムに適用することだ。オーバーフィッティングは最適化のパラドックスとよく混同されるが、ふたつは別々の問題に関わっている。

オーバーフィッティングは、システムが複雑になりすぎると起こる。あるシステムに規則を加えて過去の実績を改善することは可能だが、それはその規則がごく少数の重要な取引に影響をあたえることによってもたらされる。そういう規則の追加は、オーバーフィッティングを生じうる。これが特に起こりやすいのは、取引がシステムの損益曲線中の決定的な時期に行なわれる場合だ。たとえば、特別に大きな利益を生んでいる取引において最高値近くで退出させる規則を加えれば、確かにパフォーマンスは改善されるが、充分な数の別の状況にも適用しなければオーバーフィッティングになってしまう。

わたしは、システム業者たちが一定期間お粗末な実績をあげたあとで、この方法を使ってシステムのパフォーマンスを改善した例をたくさん見てきた。彼らは、元のシステムに〝プラス〟や〝II〟を付け加えて、改善したシステムを売ったりもする。こんなふうに〝改善された〟システムの購入を検討している人は、改善を生み出した規則の本質を調べて、オーバーフィッティングによる利益が含まれていないかどうかを確かめたほうがいい。

理解を深めるためには、極端な現象を引き起こす事例を見てみると役立つ。ここで、データをオーバーフィッティングするのにかなり荒っぽい手口を使うシステムを紹介しよう。まずは、ごく単純なシステムであるダブル移動平均システムを取り上げて、データをオーバーフィッティングする規則を加えてみる。

このシステムには、最後の6カ月に大幅なドローダウンがあったことを思い出してほしい。したがって、いくつか新しい規則を加えてそのドローダウンを修正し、パフォーマンスを改善しよう。ドローダウンが特定の値に近づいたら、決まった割合だけポジションを減らし、その後ドローダウンが終わったら取引を通常の大きさに戻すことにする。

この着想を実行するために、システムに加える新しい規則として、ふたつの新しい最適化パラメーターを使おう。削減量と削減時期だ。シミュレーションの損益曲線を見て、38パーセントのドローダウン率に達したときにポジションを90パーセント減らせば、ドローダウンを制限できると判断した。

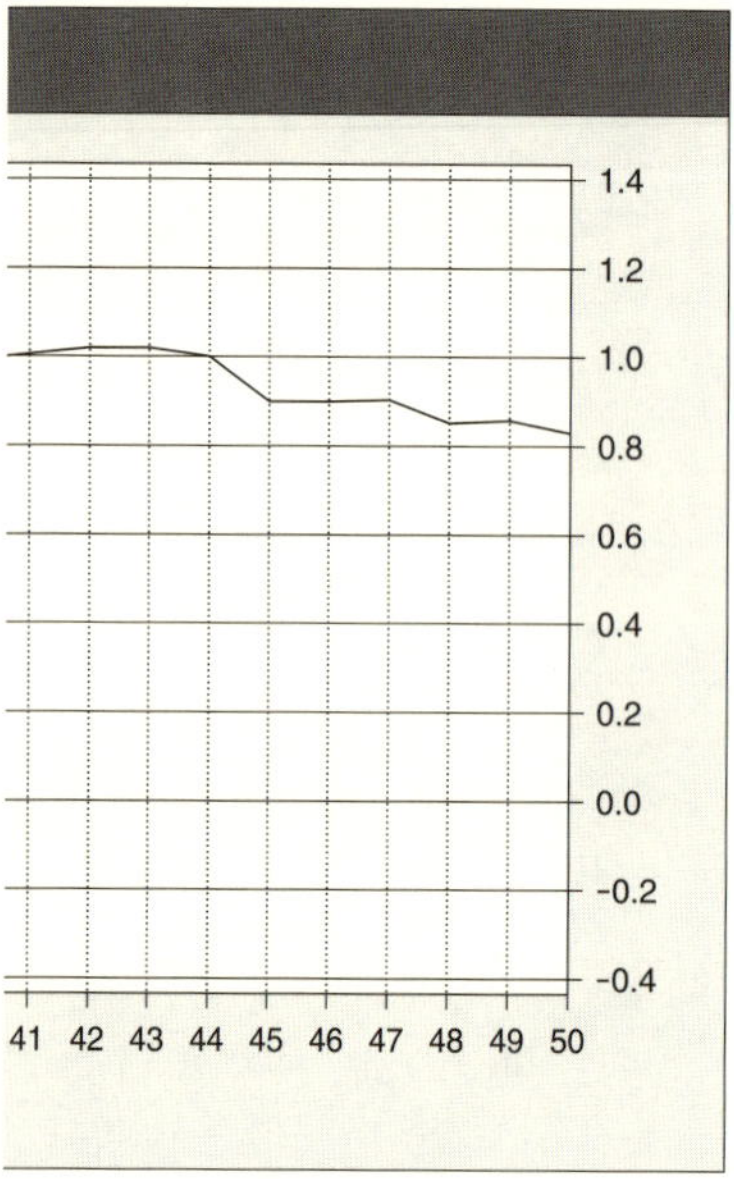

この規則の追加によって利益率は改善し、規則なしでは41・4パーセントだった値が、規則ありでは45・7パーセントに上がった。ドローダウン率は56・0パーセントから39・2パーセントに下がり、MARレシオは0・74から1・17に上がった。

図35　ドローダウン点の変化によるMARレシオの値

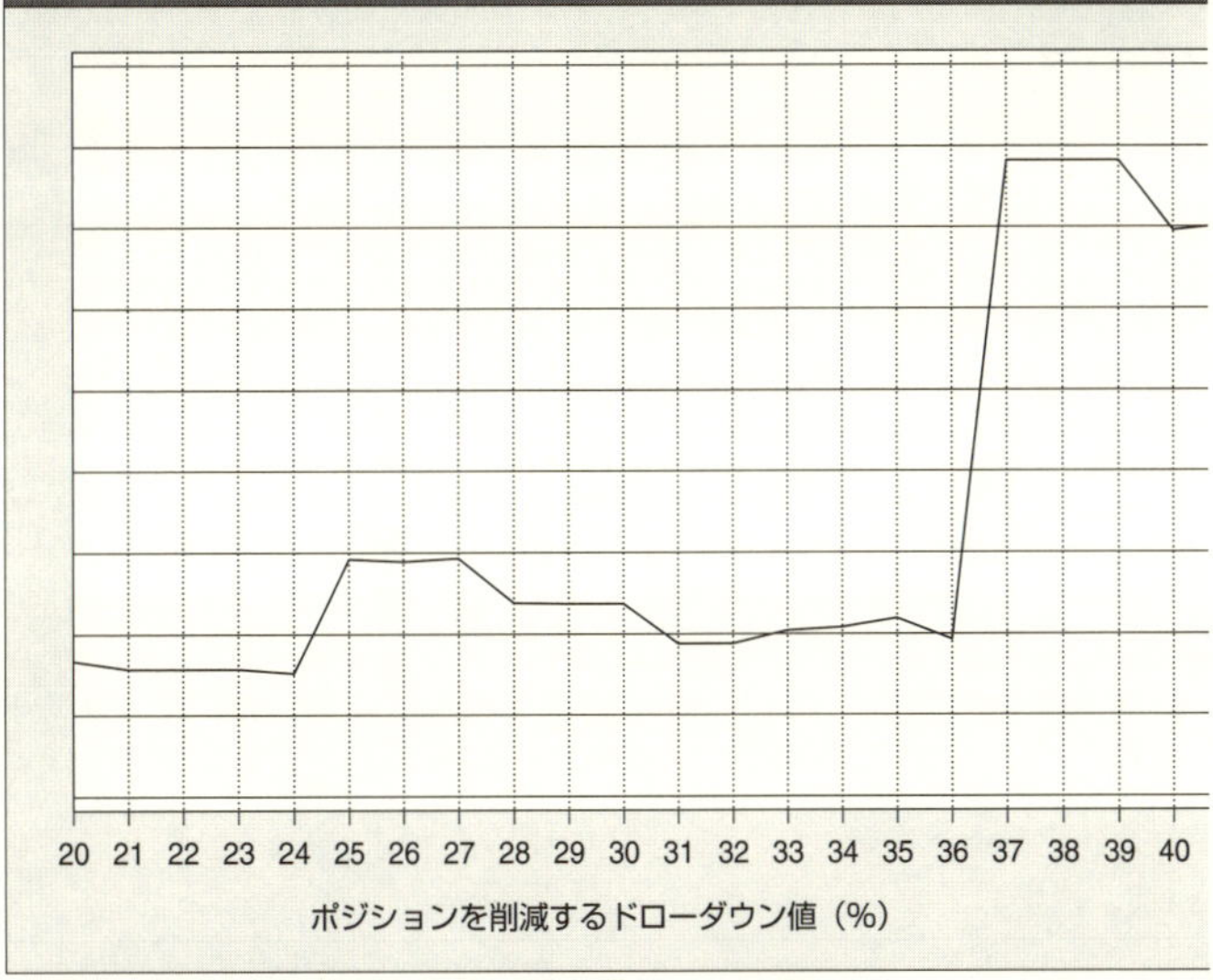

「すばらしい規則だ。これでシステムがずっとよくなった」と考える人がいるかもしれない。しかし、それは完全な間違いだ。

問題は、この規則が効果を示すのは全テスト中でたった1回だけだということにある。それが起こったのはテストの終期で、わたしは損益曲線に関する知識を利用して規則を作り、意図的にシステムをデータに適合させた。「どこがいけないんだ?」ときく人もいるだろう。図35のグラフの形を見てほしい。ポジションの削減を始めるドローダウン中のタイミング値を変化させたものだ。

37パーセント未満のドローダウン点を使うと、かなり急激にパフォーマンスが悪化することに気づくだろう。実際、ドローダウン点が1パーセント変化しただけで、年間45・7パーセントの利益から0・4パーセントの損失へと大きな差が生じてしまった。パフォーマンスが悪化した理由は、1996年8月にこの規則が適用となる機会があり、ポジションの量を大幅に減らしたので、システムがドローダウンで生じた穴から抜け出すだけの利益をあげられなかったことだ。どうやら、あまりよい規則ではないらしい。最初の機会でうまく働いたのは、単にドローダウンがテストの終期に近かったからなのだ。

トレーダーたちはこの現象を**断崖**《クリフ》と呼ぶ。断崖――パラメーター値のごく小さな変化で生じる実績の大きな変化――の存在は、よい指標になる。こういう場合は、データがオーバーフィッティングされており、実際の取引における結果がテストで得られた結果とは大幅に異なることが予測できる。これは、最適化パラメーターが役立つもうひとつの理由にもなる。取引を始める前に、断崖を見つけて問題のありかを確かめることができるからだ。

サンプルサイズの重要性

第2章で手短に触れたように、人は特定の現象が起こった数少ない機会を重視しすぎる傾向がある。しかし実のところ、統計学的な観点に立てば、ある事象中の少数の機会から引き出せる情報はごくわずかにすぎない。これがオーバーフィッティングの主要な原因だ。適用される場面が少ない規則は、不用意なオーバーフィッティングを招く可能性があり、それはバックテストと実際の取引でのパフォーマンスに大きな差をもたらすことになる。

これは多くの機会を通じて不用意に起こりうる。ほとんどの人はそういう側面から考えることに慣れていないからだ。その好例として、季節性がある。10年間のデータについて季節的変化をテストすると、特定の季節的な現象が起こる機会は最多で10回にしかならない。データがたった10年分だからだ。サンプルサイズが10個では統計学的な価値はほとんどないので、このデータを使ってテストしても、将来的なパフォーマンスを的確に予測することはできないだろう。

この考えかたを無視して、データをオーバーフィッティングする完璧な方法をコンピュータで探し、ある規則を作ってみよう。たとえば、2年ほどにわたって9月の実績が悪かったことに気づいたとする。そこで9月のポジションを一定の割合で減らす規則をテストしてみる。コンピュータを使えば、季節的に実績の劣る期間をすべて調べ、ポジションを減らせるのだ。

わたしは本章のシステムにこれを適用してみた。それから各月の初めにポジションを減らして、一定の日数のあいだ決まった割合を減らし続け、その日数が過ぎたあとで以前のポジションに戻して再開するテストを4000回行なった。テストに使った10年のデータのうち、これに該当する期間は2回あった。9月の初めから2日間と、7月の初めから25日間に96パーセント減らせば、よりよい結果が得られる。どのくらいよくなるのか?

この規則を追加すると利益率が改善されて、45・7パーセントが58・2パーセントになり、ドローダウン率は39・2パーセントから39・4パーセントへとほんの少し悪化するが、MARレシオは1・17から1・48に上がる。この場合も、「すばらしい規則だ。これでシステムがずっとよくなった」と考える人がいるだろう。

残念ながら、この規則がうまく働くのは過去のこの期間に大きなドローダウンがあったからであって、それらの期間に何か特別な条件があるからではない。将来の同じ期間にドローダウンが起こるとは考えにくい。これは最悪なオーバーフィッティングの一例だが、驚くべきことに、ふだんは聡明な人々がこの手の罠にひっかかることが非常に多いのだ。

そういう事実を知らなければ、このシステムを使って取引を始めてもよさそうだと判断するかもしれない。そして、友人や家族にすばらしいシステムとその実績について話し、その人たちから資金を集め始めてしまうかもしれない。問題は、あなたの使おうとしているシステムが実際には58・2パーセントではなく41・4パーセントの利益しかあげられないこと、そしてドローダウン率は39・4パーセントではなく56・0パーセント、MARレシオは1・48ではなく0・74であることだ。実際のパフォーマンスには、間違いなくがっかりさせられるだろう。あなたはカーブフィッティングによる安易な改善にそそのかされてしまったのだ。

次章では、本章で検討した問題を避ける方法について考える。トレーダー効果の影響をできるだけ抑え、ランダム効果を見つけ出し、うまく最適化を行ない、過去のデータのオーバーフィッティングを避けるために、実際に必要なものをシステムから読み取る方法を伝授しよう。

twelve

ON SOLID GROUND

地に足をつけて

粗悪な手法を使ってトレーディングすることは、
大しけの海に浮かぶ小舟に乗ってジャグリングを習うようなものだ。
もちろん、やってやれないことはないが、地に足をつけてするほうがずっと楽だろう。

バックテストででたらめな結果をつかまされるおもな道筋を知った今、あなたはこういぶかっているかもしれない。

「現実に達成できる数字を、どうやって見定めればいいのだろう？」
「どうしたら、11章に出てきたような問題を回避できるのか？」
「正しい方法でテストするには、どうすればいいのか？」

本章では、適切なバックテストを行なうための原則について考察する。本章を読む前に、第11章で考察したバックテストの予測誤差の根本的な原因を完全に理解することが必要になるので、ざっと目を通しただけの人は、あとから前章に戻ってじっくり読み返すといいだろう。

過去のシミュレーション結果から得られるのは、せいぜい将来起こりうる出来事の大まかな予測くらいだ。しかし、ありがたいことに、たとえ大まかな着想でも、優秀なトレーダーにとっては大きな利益をあげるためのエッジの獲得につながる。その着想に関する誤差、つまり**大まかさの度合**に影響する要因を理解するには、バックテストの基礎となるいくつかの基本的な統計的概念を知らなくてはならない。わたしは数式や長々しい解説で埋め尽くされた本があまり好きではないので、できるだけ数式は少なく、解説はわかりやすくしたいと思う。

テストのための統計的基礎

適切なテストは、テストの解説能力とその解説の限界に影響する統計的概念を考慮に入れているはずだ。不適切なテストは、現実には予測価値がほとんどないにもかかわらず、人を過信させてしまう可能性がある。実のところ、粗悪なテストは完全に間違った答えを出すこともあるのだ。

第11章で、過去のシミュレーションが将来の大まかな予測でしかない理由を紹介した。本章では、テストの予測能力を増し、最良の概算値を得る方法をお教えしよう。

母集団からのサンプル抽出による推測という統計学の一分野も、過去のデータを使うテストの予測能力の基礎となる。基本的な概念は、充分な大きさのサンプルがあれば、サンプルで得られた測定値を使って、グループ全体の測定値のおおよその範囲を推測できるというものだ。つまり、ある戦略に関して過去の取引から充分な大きさのサンプルを入手すれば、その戦略が将来的に達成しそうなパフォーマンスについて結論を引きだせる。

これは、世論調査で大きな母集団の行動を推測するときに使われるのと同じ統計学の一分野だ。たとえば、各州からランダムに抽出した５００人に世論調査を行なって、それをアメリカの全有権者の結論とみなす。同様に、科学者は比較的小さな試験群にもとづいて、特定の病気に対する特定の薬剤の効果を評価する。その推測には統計的基礎があるからだ。

母集団のサンプルから引きだした推測の妥当性には、ふたつのおもな要因が影響をあたえる。ひとつはサンプルのサイズであり、もうひとつはサンプルが母集団全体をどの程度代表しているかである。多くのトレーダーや新しいシステムの試験者たちは、概念としてのサンプルサイズを理解してはいるが、それは単にテストに含まれる取引数のことだと信じている。だが、たとえテストに数千回の取引が含まれていても、特定の規則や概念が取引中の少数の機会のみに適用されていたら、テストの統計的妥当性が低下しうることを、彼らは理解していない。

また彼らは、煩雑なうえにいくらかの主観的な分析なしでは測定がむずかしいという理由で、**サンプルがもっと大きな母集団を代表する必要性**を無視することが多い。システム試験者の根本的な想定は、将来起こりそうな出来事を過去が代表しているというものだ。もしこれが事実で、充分な大きさのサンプルがあるなら、過去から推測を引きだして、将来に適用することができる。もしサンプルが将来を代表していないなら、テストは無益で、そのシステムの将来的なパフォーマンスについて何も教えてはくれない。したがって、この想定は重大な意味を持つ。

仮に500人の代表サンプルが、2パーセントの誤差で誰が新大統領になるかを判断するのに充分だとした場合、それなら、民主党全国大会の出席者500人を対象にした調査で、全国民の投票について何かを知ることができるだろうか？　無理に決まっている。サンプルが全国民を代表していないからだ。その調査の母集団には民主党支持者しか含まれていないが、実際のアメリカの有権者には多数の共和党支持者が含まれている。共和党支持者は、この調査が示した候補者とは違う候補者に投票するだろう。このようにサンプルの抽出を誤れば、ひとつの答えを得て、それが望みどおりの答えだとしても、正しい答えを得られたとは限らない。

世論調査員は、**代表となるはずのサンプルが母集団をどの程度正しく反映しているか**が重要な問題であることを理解している。代表になりえないサンプルで行なった世論調査は不正確であり、世論調査員は不正確な世論調査を実施したかどで解雇される。トレーディングでも、これは重要な問題になる。残念ながら、サンプル抽出の統計学をおおむね理解している世論調査員とは違って、たいていのトレーダーは理解していない。こういう事態は、トレーダーがごく最近のデータのみを使ってペーパートレードやバックテストを行なう際に最もよく見られるようだ。民主党大会で世論調査をするのとなんら変わりはない。

短期のデータで行なうテストの問題点は、その期間に市場が第2章で説明したようなまれに見る市況にあったかもしれないということだ。ひょっとすると、平均への回帰とカウンタートレンド戦略がうまく働く〝全体に安定し変動大〟の状況にあっただけかもしれない。市況が変われば、テスト方式もそれほどうまく働かなくなる。トレーダーに損失をあたえる可能性もある。したがってテストを行なう際には、テストに含まれる取引が将来の出来事を代表する可能性を最大限に高めなければならない。

既存の尺度は堅固ではない

テストを行なうとき、あなたは相対的なパフォーマンスを見定め、将来的なパフォーマンスを評価し、その着想に長所があるかどうかを判断する。この過程で生じる問題のひとつは、一般に受け入れられているパフォーマンス尺度があまり安定していない、つまり堅固ではないことだ。このため、その着想の長所を相対的に評価することが困難になってしまう。数少ない取引における小さな変化が、その堅固でない尺度の値に大きな影響をあたえる可能性があるからだ。

尺度の不安定さから来る影響としては、ある着想に実際よりも大きな長所があると信じ込ませたり、もっと安定した尺度を使って調べたときに、同じくらい有望な結果が期待できないという理由でその着想を放棄させたりすることが挙げられる。

データセットのごく一部を変更しても、統計値が大幅に変わることがなければ、その統計値は堅固だといえる。既存の尺度は、データの変更にあまりに敏感で、あまりに変動しやすい。トレーディングシステムの調査で過去のシミュレーションを行なう場合、パラメーター値のわずかな変化がいくつかの尺度間で比較的大きな違いを生じさせる理由のひとつがこれだ。尺度自体が堅固ではない（つまり、データのごく一部に対して敏感すぎる）のだ。そのごく一部に影響をおよぼす出来事が何かあれば、結果にもきわめて大きな影響がおよぶ可能性がある。そのせいで、オーバーフィッティングしたり、実現できるはずのない結果を無理に信じ込んだりしやすくなるだろう。タートル流をテストする第一段階は、堅固で、基礎データの小さな変化に敏感でないパフォーマンス尺度を見つけて、この問題に対処することだ。

タートル塾に応募したときの最初のインタビューで、ビル・エックハートがわたしに投げかけた質問のひとつが、「堅固な統計的推定値とは何か、知っているかい？」だった。わたしは数秒間ぼんやりと見つめ返したあと、「わかりません」と認めた（今ならその質問に答えられる。不完全な情報とへたな憶測という問題に取り組む数学の一分野がある。それが堅固な統計学だ）。

この質問から明らかなのは、過去のデータと根拠に乏しい理論にもとづくテストや研究には不完全さがあることをビルが重視していたということだ。当時ではまれなことであり、今日でもそれは変わらない。これは、ビルの取引実績が長年にわたって好調を保っている理由のひとつだと思う。

この事例からも、リッチとビルの研究と考察がいかに業界に先んじていたかがわかるだろう。学べば学ぶほど、この分野へのふたりの貢献に対するわたしの尊敬の念は深まっていく。1983年当時リッチとビルが持っていた知識から先へ、まだ業界がほとんど進歩していないことにも驚かされる。

堅固なパフォーマンス尺度

本書の前半の章では、MARレシオとCAGR%とシャープ・レシオをパフォーマンス尺度として使った。これらの尺度は、テストの開始日と終了日に敏感すぎるので堅固とはいえない。10年未満のテストの場合は、特にそうだ。あるテストの開始日と終了日を数カ月ずらしたらどうなるかを考えてみよう。その効果を明らかにするため、テストの開始からひと月、終了からふた月を除いて、1996年1月1日のかわりに2月1日に始まり、2006年6月30日のかわりに4月30日で終わるテストを行なってみる。

トリプル移動平均システムのテストを元の期日で行なうと、利益率43・2パーセント、MARレシオ1・39、シャープ・レシオ1・25となる。開始日と終了日をずらすと、利益率は46・2パーセントに跳ね上がり、MARレシオは1・61、シャープ・レシオは1・37に上昇する。ATRチャネル・ブレイクアウト・システムのテストを元の期日で行なうと、利益率51・7パーセント、MARレシオ1・31、シャープ・レシオ1・39となる。期日をずらすと、利益率は54・9パーセント、MARレシオは1・49、シャープ・レシオは1・47に上がる。

図36　CAGR（%）に対する開始日と終了日の変化の効果

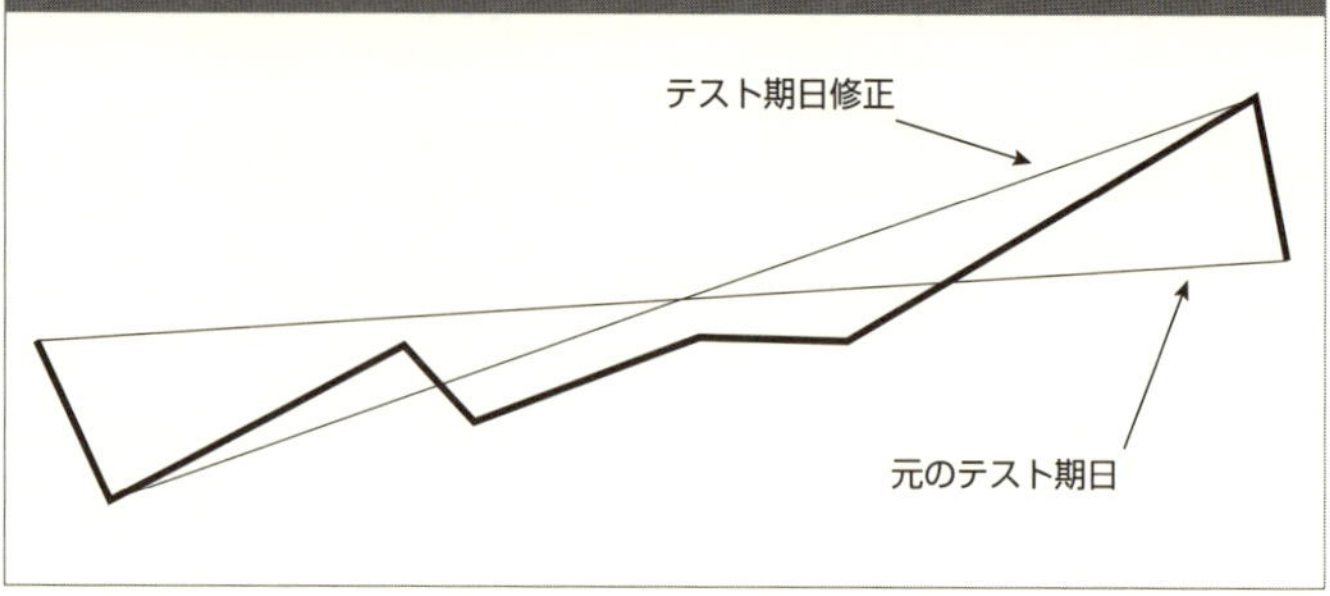

3種類の尺度すべてについて感応度を調べた理由は、MARレシオとシャープ・レシオは分子の成分として利益率を含んでおり、利益率はMARレシオに使われるCAGR％にせよ、シャープ・レシオに使われる月平均利益率にせよ、開始日と終了日に敏感だからだ。最大ドローダウンも、開始日と終了日に対して敏感になりうる。ドローダウンがテストの初期や終期に起こる場合だ。これにはMARレシオをきわめて敏感にする効果がある。MARレシオのふたつの成分の両方が開始日と終了日に敏感だからだ。したがって、変化の効果はレシオの算定によって数倍になる。

CAGR％が開始日と終了日の変化に敏感なのは、その値が、対数グラフ上でテストの開始から終了まで伸びる直線の勾配に反映されるからだ。開始日と終了日を変更すると、その線の勾配を大きく変えてしまうことがある。図36にその効果を示す。

〝テスト期日修正〟と記された線が、〝元のテスト期日〟と記された線よりも急勾配であることに注意してほしい。先ほどの例では、テスト初期の1996年1月中にドローダウンがあり、テストの最後2カ月の2006年5月から6月にかけてもドローダウンがあった。つまり、テスト期日を数カ月動かすことで、2回のドローダウンの両方を削除できたのだ。図36が示すとおり、テストの両端のドローダウンを削除すれば、CAGR%を定義する線が急勾配になる。

回帰年間利益率（RAR%）

それよりも優れた勾配の尺度は、すべての点から1本の線をもとめる単純な**直線回帰**だ。数学の苦手な読者のために言い添えておくと、直線回帰という高尚な名前のほかに、**最良適合線**という呼び名もある。すべての点からいちばん近い場所を通る直線を表わすと考えれば、概要がつかみやすいだろう。全体的な方向は変えずに両端をひっぱってグラフを伸ばし、すべての隆起を取り除いたらどうなるかを見るようなものだ。

わたしはこの直線回帰線とそれが表わす利益を新しい尺度として、**回帰年間利益率**（略してRAR%）と名づけた。この尺度は、テスト終期のデータの変化に対して感応度がずっと低い。図37は、RAR%の終点が変化しても線の勾配の変化がずっと少ないことを示している。

図36と比較すると、RAR%尺度がいかにテスト期日の変化に影響を受けにくいかがわかる。2本の線がほとんど同じ勾配を描いているからだ。元のテストのRAR%は54・67パーセント、期日変更後のRAR%は54・78パーセントで、0・11パーセントだけ上昇している。それとは対照的に、CA

図37　RAR（%）に対する開始日と終了日の変化の効果

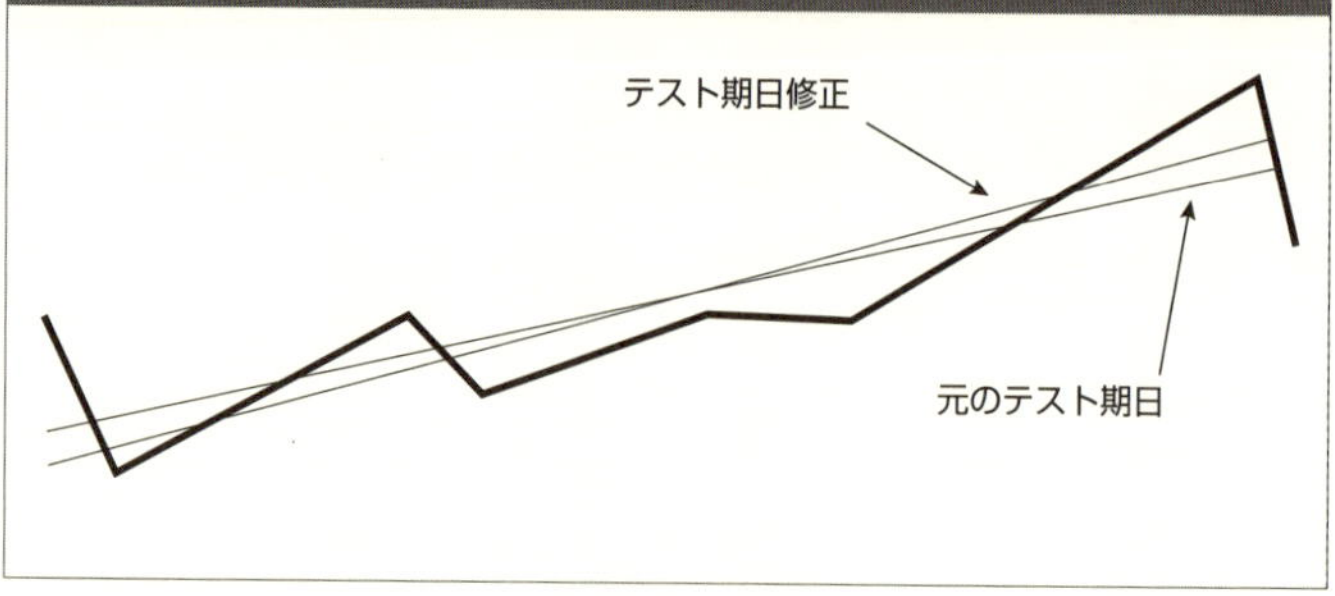

GR%尺度では3・0パーセントの変化があり、43・2パーセントが46・2パーセントになった。このテストでは、CAGR%は期日の変化に対してほぼ30倍、感応度が高かった。

シャープ・レシオで使われる月平均利益率も、こういう変化に対する感応度が高い。テストの末端から業績の悪い3カ月を削除してしまえば、CAGR%ほどではないにしろ、平均利益率も影響をこうむる。RAR%のほうが、分子として使用するのに優れた尺度といえるだろう。

先に述べたように、MARレシオの成分である最大ドローダウンも、開始日と終了日の変化に対する感応度が高い。最大ドローダウンがたまたまテストの両端にくると、パフォーマンス尺度のMARは大きな影響を受ける。最大のドローダウンが損益曲線中の単なる1点になるので、大きな山（谷間）をひとつ、データから逃してしまうことになる。優れた尺度とは、より多くのドローダウンを含むものだ。たとえば32、34、35、35、36パーセントの5回の大きなドローダウンを含むシステムは、20、25、26、29、36パーセントのドローダウンを含むシステムよりも取引はきびしいだろう。

それに、ドローダウンの程度はひとつの側面にすぎない。30パーセントのドローダウンがすべて同じ意味を持つわけではない。ドローダウンが2カ月だけ続いて新高値まで回復するなら気にならないが、2年もかかって新高値に達するのでは困る。回復期間やドローダウン自体の長さも非常に重要だ。

Rーキューブド——新しいリスク／リターンの尺度

これらすべての要素を考慮に入れて、わたしは新しいリスク／リターンの尺度をつくり、堅固《ロバスト》なリスク／リターン・レシオ（RRRR）と名づけた。新鋭のコンピュータ会社にちなんで**Rーキューブド**と呼ぶこともある。Rーキューブドは分子にRAR％を使い、分母に**期間調整平均最大ドローダウン**と名づけた新しい尺度を使う。この尺度にはふたつの成分が含まれる。平均最大ドローダウンと期間調整だ。

平均最大ドローダウンを計算するには、大きい順に5回のドローダウンを拾って5で割る。期間調整を行なうには、最大ドローダウンの平均日数を出して365で割ってから、その数を平均最大ドローダウンに掛ける。平均最大ドローダウン期間を計算するには、同じアルゴリズム、つまり長い順に5回のドローダウンを拾って5で割る。

したがって、もしRAR％が50パーセントで平均最大ドローダウンが25パーセント、平均最大ドローダウン期間が1年（365日）の場合、Rーキューブドの値は、50％÷（25％×365÷365）で2・0となる。

Rーキューブドは、重大さと継続期間という両方の視点から見たリスクを含むリスク／リターンの尺度だ。そのために、開始日と終了日の変化に対する感応度が低い尺度を使っている。この尺度はMARレシオよりも堅固だ。つまり、テストに小さな変化が起こっても変化しにくい。

堅固なシャープ・レシオ

堅固なシャープ・レシオとは、RAR％を年換算した月間利益の標準偏差で割ったものだ。先に概説したように、RAR％がCAGR％よりも感応度が低いのと同じ理由で、この尺度もデータセットの変化に対する感応度が低い。図38は、堅固な尺度がいかにテスト期日の変化に対して影響を受けにくいかを示している。

図38を見ればわかるように、堅固な尺度は既存の尺度よりも変化に対する感応度が低い。Rーキューブド尺度は大きなドローダウンの追加や削除には敏感だが、MARレシオよりは影響を受けにくい。1回のドローダウンによる衝撃は、Rーキューブド尺度に使われる平均化の過程でうすめられる。

3種類の堅固な尺度はすべて、通常の尺度よりもデータの変化に影響を受けにくかった。もし最大ドローダウンを変化させていなければ、Rーキューブド尺度はRAR％と同じ0・4パーセントの変

図38　既存の尺度と堅固な尺度の比較

既存の尺度	96/01 ～ 06/06 までのテスト	96/02 ～ 06/04 までのテスト	Δ%
CAGR（%）	51.7	54.4	5.2
MAR レシオ	1.31	1.47	12.2
シャープ・レシオ	1.39	1.46	5

堅固な尺度	96/01 ～ 06/06 までのテスト	96/02 ～ 06/04 までのテスト	Δ%
RAR（%）	54.7	54.9	0.4
R－キューブド	3.31	3.63	9.7
R－シャープ	1.58	1.6	1.3

化を示し、**尺度間の違いはもっと顕著になっていただろう。** MARの5・2パーセントの変化（その分子であるCAGR%と同じ）に対し、R－キューブド尺度は0・4パーセントの変化を示したはずだからだ。

堅固な尺度がいかに安定しているかという実例は、第7章で行なった6つの基本的なシステムのパフォーマンス比較でも見られる。2006年6月から11月までの5カ月間を含めると、パフォーマンスが大幅に落ちたことを思い起こしてほしい。図39と図40が示すように、堅固な尺度は比較的不利な状況にある最後の数カ月のあいだも、ずっと安定している。図39に、これらのシステムにおけるRAR%の変化率とCAGR%の変化率の比較を示す。

この時間枠でのRAR%は、CAGR%の6分の1未満しか変化していない。これは、RAR%尺度がCAGR%よりもずっと堅固であることを示している。つまり、実際のトレーディング時にも安定していると

図39　CRGR% と RAR% の堅固さの比較

システム	CAGR(%) 06/06	06/11	Δ%	RAR(%) 06/06	06/11	Δ%
ATR CBO	52.4	48.7	-7.0	54.7	55.0	0.5
ボリンジャー CBO	40.7	36.7	-9.8	40.4	40.7	0.6
ドンチアン・トレンド	27.2	25.8	-5.2	28.0	26.7	-4.6
時限付ドンチアン	47.2	4	-0.4	45.4	44.8	-1.4
ダブル移動平均	50.3	42.4	-15.7	55.0	53.6	-2.6
トリプル移動平均	41.6	36.0	-13.5	41.3	40.8	-1.2
平均Δ			-8.6			-1.4

いうことだ。同じように、リスク／リターン尺度のR－キューブドも、同類のMARレシオに比べて堅固といえる。図40に、これらのシステムにおけるR－キューブドの変化率とMARレシオの変化率の比較を示す。

この時間枠でのR－キューブド尺度は、MARレシオの約半分の変化にとどまっている。

堅固な尺度はそうでない尺度に比べて、運の影響も受けにくい。たとえば、あるトレーダーがたまたま休暇中で特定の取引の大きなドローダウンを避けられた場合、同僚たちに比べて高いMARレシオが得られるはずだ。R－キューブドと並べると、これがはっきりわかる。R－キューブド尺度では、ひとつの出来事がそれほど大きな影響をあたえることはないからだ。堅固でない尺度を使っていると、トレーダーが狙う市場パターンが出現したためではなく、それがなかったことにより、よいテスト結果を得られる可能性が高い。それが堅固な尺度を使うもうひとつの理由でもある。

堅固な尺度を使えば、オーバーフィッティングを防ぐこと

図40 R−キューブドとMARレシオの堅固さの比較

システム	MARレシオ 06/06	06/11	Δ%	R^4 06/06	06/11	Δ%
ATR CBO	1.35	1.25	-7.4	3.72	3.67	-1.4
ボリンジャーCBO	1.29	1.17	-9.3	3.48	3.31	-4.9
ドンチアン・トレンド	0.76	0.72	-5.3	1.32	1.17	-11.4
時限付ドンチアン	1.17	1.17	-0.0	2.15	2.09	-2.8
ダブル移動平均	1.29	0.77	-40.3	4.69	3.96	-15.6
トリプル移動平均	1.32	0.86	-34.9	3.27	2.87	-12.2
平均Δ			-16.2			-8.0

もできる。少数の出来事によって起こる大きな変化が表われにくくなるからだ。オーバーフィッティングの考察で、ダブル移動平均システムを改善するために加えた規則の効果を考えてみてほしい。ドローダウンの大きさを縮小するために加えた規則は、CAGR％を41・4パーセントから45・7パーセントに改善し（10・3パーセント）、MARレシオを0・74から1・17に改善した（60パーセント）。

それとは対照的に、堅固な尺度RAR％は、53・5パーセントから53・75パーセントへと、0・4パーセントしか変化していない。同様に、堅固なリスク／リターン尺度Rーキューブドも、3・29から3・86へと、17・3パーセントの変化にとどまっている。堅固な尺度は、少数の取引に起こった変化で大きな改善を見せることが少ない。カーブフィッティングはたいてい少数の取引のみに有利に働くので、堅固な尺度を使えば、カーブフィッティングによるパフォーマンスの大きな改善を見ることは少なくなる。

将来のシステムパフォーマンスを予測する際の、バックテストの信頼性に影響をおよぼすその他の要因についても考えてみよう。

代表サンプル

サンプル取引とテスト結果が将来起こりうる出来事をどこまで代表しているかは、ふたつのおもな要因によって決定される。

- **市場の数**……より多くの市場を使って行なったテストは、さまざまな状況の変動性とトレンドを含んでいる可能性が高い。
- **テストの継続期間**……より長期にわたって行なったテストは、より多くの市況を網羅し、将来の象徴となる過去の実例を含んでいる可能性がより高い。

テストは、手に入るデータすべてを使って行なうほうがいい。充分な市場数あるいは充分な年数についてテストしなかったがために、あるシステムの成功を信じて使ってしまい、損失をこうむるはめになるより、データを購入するほうがずっと安上がりだ。過去20年間に3、4回存在した市況に初めて遭遇したとき、それがテストに使われていなかったせいでシステムが働かないとしたら、がっくりこないだろうか?

若いトレーダーたちは特に、この種のあやまちを犯しやすい。彼らは、目にしている状況が通常の市場を代表していると考えてしまう。市場がさまざまな過程を経て時とともに変化し、しばしば以前に存在した状況に戻ることに気づかない。人生と同じく取引においても、若者は自分たちの存在以前の歴史を学ぶことを軽視してしまいがちだ。若くあるのはいい。しかし、愚かであってはならない。歴史を学ぼう。

インターネットブームのあいだ、あらゆる人がデイトレーダーになり、天才になったことをおぼえているだろうか？　そのあと、それまで成功していた方式が働かなくなったとき、その崩壊を生き延びた天才が何人いたか？　もし彼らがなんらかのテストを行なっていれば、自分たちの手法がブームの特殊な市況に頼っていることに気づいただろう。そして、その市況が存在しなくなったときに、これまでの手法を使うのをやめたかもしれない。あるいは、あらゆる市況でうまく働く堅固な手法を採用したかもしれない。

サンプルサイズ

サンプルサイズの概念は単純だ。有効な統計的推測を行なうには、充分な大きさのサンプルが必要となる。サンプルが小さいほど、その推測で得られる結論は粗《あら》くなり、サンプルが大きいほど、その推測で得られる結論は精密になる。決まった数はなく、大きいほどよく、小さいほどよくないというだけだ。サンプルサイズが20未満では、大幅な誤差が出るだろう。サンプルサイズが100以上なら、予測価値もずっと高まる。サンプルサイズが数百あれば、ほとんどのテストには充分だろう。どの程度のサンプルサイズが必要なのかという質問に、具体的な答えをあたえる具体的な公式と方法論はあるのだが、残念ながら、その公式はトレーディングで遭遇する種類のデータ用には作られていない。トレーディングでは、図6に示した女性の身長の分布のように、きちんとした推測結果の分布は得られないからだ。

しかし、ほんとうの難題は、正確なサンプル数の決定にあるわけではない。問題が起こるのは、過去のデータから得た推測を評価して、たまにしか効果を発揮しない特定の規則を検討する場合だ。つまり、この種の規則には、充分な大きさのサンプルを入手する方法がない。大きな価格バブル終盤の市場行動を例にとってみよう。市況に特有の規則を考案してテストすることは可能だとしても、判断の基準となる大きなサンプルを入手することはできないだろう。そういう場合に理解しておかなければならないのは、もっとずっと大きなサンプルがないかぎり、テストが妥当な答えを出すことはないということだ。先に概説した季節的な傾向も、同じ問題を生じる分野のひとつといえる。

あるシステムについて新しい規則をテストする場合、その規則が結果に影響をあたえた回数を計測しなければならない。ある規則がテスト中に効果を発揮するのが4回だけなら、その規則が役立つかどうかを判断する統計的基礎はないということになる。目にしている効果がランダムである可能性は非常に高い。この問題に対する解決策は、もっと頻繁に効果を発揮するよう規則を一般化する方法を探すことだ。そうすればサンプルサイズも、規則に関するテストの統計的価値も増すだろう。小さいサンプルサイズの問題を悪化させるありがちな行為がふたつある。単一市場の最適化と、複雑すぎるシステムの構築だ。

- 単一市場の最適化……市場ごとに個別の最適化方式を採用すると、充分なサンプルサイズでテストすることが非常にむずかしくなる。単一市場では取引の機会がずっと少なくなるからだ。
- 複雑なシステム……複雑なシステムにはたくさんの規則があり、ひとつの規則が効果を発揮した回数やその効果の度合を判断するのが非常にむずかしくなることがある。したがって、複雑なシステムを使って行なうテストの統計的価値を信じることは困難だ。

これらの理由から、単一市場の最適化はおすすめしない。わたしはもっと強固な統計的意味を持つシンプルな手法を好んでいる。

未来に戻る

ここでどうしても出てくる質問のひとつは、「現実の取引で達成できそうな数字を、どうやって判断すればいいのか?」だろう。

この質問に答えるには、まず現実の収益率の低下をもたらす要因や、堅固な尺度の必要性、充分な数の代表サンプルの必要性を理解しなければならない。それがわかれば、市場の傾向および変化の効果や、経験豊かなトレーダーが構築した優れたシステムでさえその結果に変動がある理由について、考え始めることができる。システムの将来的なパフォーマンスを予測することもできない現実の中で、最善の策は、予想値の範囲とその値に影響する要因についてヒントをあたえてくれるツールを使うことだ。

幸運なシステム

あるシステムが、近い過去にとりわけ優れたパフォーマンスを見せた場合、それは運のなせるわざかもしれないし、そのシステムに好都合な市況が存在したのかもしれない。通常、優れた実績を示したシステムは、順調な期間のあと不調な期間に入る傾向がある。将来も幸運なパフォーマンスが繰り返されることを期待してはならない。期待どおりになる可能性もあるが、あてにはできない。最適とはいえないパフォーマンス期間を経験する可能性のほうが高いのだ。

パラメーターの組み替え

いずれのシステムを使ってトレーディングする場合にも、始める前に必ず行なっておくべき優れた演習法が、〝パラメーターの組み替え〟だ。いくつかのシステムパラメーターを取りあげて、その値をかなり大きく、たとえば20～25パーセント変化させてみる。図36と図37に示した最適化カーブのかなり下にある点を選ぶ。そしてこのテストの結果を見る。

　わたしはボリンジャー・ブレイクアウト・システムを使って、350日で退出点マイナス0・8という最適値を、250日で退出点0・0に変えるとどうなるか、見ることにした。すると、RAR%は59パーセントから58パーセントに、R‐キューブドの値は3・67から2・18に減少した。かなり劇的な変化だ。過去のデータを使ったテストから市場での実際の取引に移れば、この種の劇的な変化が起こることもまれではない。

ローリング最適化ウィンドウ

ローリング最適化ウィンドウを使えば、テストから現実の取引へ移るときの経験にもっと近い演習ができる。まず、8年か10年ほど前の1日を選んで、その時点以前のあらゆるデータを最適化する。その際、通常使っているのと同じ最適化方式を使い、通常行なっているのと同様のトレードオフを行ない、その時点までのデータしか入手していないことにする。最適なパラメーター値が決まったら、最適化した期間後の2年間のデータを使ってそれらのパラメーターをシミュレーションする。その後数年間のパフォーマンスはシミュレーションどおりのものが維持されているだろうか？

　この過程をもう2、3年手前（6年か8年前）の1日についても繰り返す。元のテストと最初のローリングウィンドウと比べてどうだろうか？　元のパラメーター値（入手したすべてのデータにもとづく最適値）を使ったテストと比べてどうだろうか？　現在の時間枠に達するまで、この過程を繰り返してみよう。

わかりやすく説明するために、ボリンジャー・ブレイクアウト・システムの最適化を行ない、広範囲にわたって3つのパラメーターそれぞれを変化させてみた。それから最適なポジションにもとづく最適な設定を選んだ。通常これは、最大Rーキューブド値が得られた点の近くになる。この最適化を、5回の10年テストで行なった。図41に、列挙した期間後1年間のローリング最適化のパフォーマンスを示す。

Δ%	テスト時のR^4	実際のR^4	Δ%
6.3	7.34	5.60	−23.7
0.6	5.60	5.32	−5.0
1.4	7.68	3.94	−5.0
−8.3	5.53	3.90	−29.5
N/A	3.90	N/A	N/A

図を見ればわかるように、各ローリング期間のテスト値ごとにパフォーマンスが大きく変化する。さらに最適値は各テスト期間で異なる。これは、テスト過程の不正確さと、テストから実際の取引へ移るときに遭遇する変動性を示している。

モンテカルロ・シミューレーション

〝モンテカルロ・シミュレーション〟は、システムの堅固さを判断し、「もし過去がほんの少しだけ違っていたら？」

図41　ローリング最適化ウィンドウテストと実際のRAR%の比較

期間	移動平均（日）	参入	退出	テスト時のRAR（%）	実際のRAR（%）
1989 to 1998	280	1.8	－0.8	55.0	58.5
1991 to 2000	280	1.8	－0.5	58.5	58.8
1993 to 2002	260	1.7	－0.7	58.5	59.3
1995 to 2004	290	1.7	－0.6	63.9	57.7
1997 to 2006	290	1.7	－0.6	55.1	N/A

とか「将来はどうなるのだろう？」という質問に答えるひとつの方法だ。実際の過去の価格データから取った代表的な出来事のデータを使って、少しだけ違うもうひとつの世界をつくり出す方法と考えることもできる。

モンテカルロ・シミュレーションとは、ある現象を調査するためにランダムな数字を使う方法の総称だ。数学的に正確な説明が不可能だったり困難だったりする現象には、特に役立つ。〝モンテカルロ〟という名前は、カジノで有名なモナコの町に由来する。ルーレット、クラップス、ブラックジャックなど、カジノが提供するゲームの多くはランダムな出来事で結果が決まるからだ。この方法は、マンハッタン計画で科学者たちが原子爆弾をつくる際に使われ、その時代から今の名称で呼ばれるようになった。

科学者たちは、ウランの核分裂の特徴を割り出して、原子爆弾をつくるのに必要なウランの量を特定しようとしていた。濃縮ウランはとてつもなく高価なので、間違った決定を下すわけにはいかない。もしウランが足りないせいで爆弾が爆発しなければ、お金はもちろん、何カ月もの期間をむだにすることになるからだ。同様に、見積もりが過剰で必要量より多くのウランを使うことになると、テスト期間を数カ月延長しなければならないだろう。あいにく、爆弾内部のウラン原子の複雑な相互作用を正確にモデル化することは、当時の技術では不可能で、必要なコンピュータ資源は最近になるまで入手できなかった。

　必要な核分裂性ウランの量を決定するためには、原子分裂によって放出される中性子の割合をいくつにすれば次の原子分裂を起こせるかを知る必要があった。有名な物理学者リチャード・ファインマンは、数学者チームを使って単一の中性子の相互作用の特徴をつかんでから、その中性子が別の核に吸収されるか、別の原子を分裂させるかを判断することができると考えた。ファインマンは、原子分裂のとき放出されるさまざまな種類の中性子を表わすために、ランダムな数字が使えることに気づいた。それを数千回行なえば、ウランの核分裂の特徴の正確な分布を見ることができ、物質の必要な量を決定できるだろう。工程が複雑すぎて将来の予測はできないが、理解可能な部分から問題に取り組み、ランダムな数字を使って中性子の特性をシミュレートすれば、いずれにせよ問題の答えは得られる、とファインマンにはわかっていた。こうして彼は、各原子が各時点でどうなるかを正確に予測できなくても、本質的なウランの核分裂の特徴を理解することができた。

もうひとつのトレーディング世界

　市場は核分裂反応よりもさらに複雑だ。市場は、自分の経験と脳内物質にもとづいて決断を下す数千もの人々の行動から成り、中性子よりもずっと予測がつきにくい。幸いにも、ファインマンがウランの分析で行なったのと同じように、たとえ将来を予測できなくても、ランダムな数字を使ってトレーディングシステムの将来的な特徴をうまくつかむことができる。ものごとが少しだけ違っていたら、歴史がどう展開していたのかを具体的に示すもうひとつのトレーディング世界を検討してみることができるのだ。

モンテカルロ法を使ってもうひとつのトレーディング世界を作るには、二つの一般的な方法がある。

●**トレードの組み替え**……実際のシミュレーションのトレードの順序・開始日をランダムに変化させてから、組み替えたトレードの結果で各トレードの損益率を計算し直し、損益曲線を作成する。

●**損益曲線の組み替え**……もとの損益曲線の一部を組み替えて新しい損益曲線を構築する。

ふたつの手法のうちでは、損益曲線の組み替えのほうが、より現実的なもうひとつの損益曲線をつくれる。トレードの組み替えでのモンテカルロ・シミュレーションは、ドローダウンの可能性を過小評価する傾向にあるからだ。

最大ドローダウン期間は必ずといっていいほど、大きなトレンドや好調な持ち分増加期間の終期に起こる。そういうときには、複数の市場が通常よりずっと大きな相関関係を示す。これは先物や株式によくある現象だ。大きなトレンドの終わりにそれが崩壊して反転すると、突然すべてが自分の思惑とは逆方向へ動いているように見える。大きなトレンドが崩壊する大変動期間には、通常は相関していないように見える市場までが相関し始めるのだ。

トレードの組み替えではもとのトレードの期日が変更されることによって、同時に反転していた他の多くのトレードの損益曲線に対する効果も消える。つまり、モンテカルロ・シミュレーションではドローダウンの大きさと頻度が現実よりも小さく現われる。

２００６年春の金と銀の動きを見てみよう。たとえば、このふたつの市場で取引するトレンドフォロー・システムをテストする場合、取引を組み替えれば、ふたつの市場のドローダウンは異なる時期に起こることになり、それぞれのドローダウンの効果が大幅に減少する。実際には、この効果は、砂糖などのあまり関係なさそうないくつかの市場にも波及した。金と銀が値を下げていた２００６年５月中旬から6月中旬までの20日間に、砂糖市場でも大きなドローダウン期間があったのだ。つまり、トレードの組み替えは長期および中期のトレーディングシステムで遭遇しやすいドローダウンを過小評価するので、あまりおすすめできない。

この現象のもうひとつの例として、１９８７年の米国株式市場の大暴落があげられる。ユーロダラーが寄り付きから大幅に高かった日、通常は相関しない多くの市場も、わたしのポジションに逆行し、大きなギャップをつけて高かった。トレードの組み替えを使うモンテカルロ・シミュレーションは、そういう非常に現実的な出来事を希薄にする傾向がある。複数の取引を散らしてしまうので、同日に起こった不利な値動きが消えてなくなるのだ。

モンテカルロ・シミュレーションを実施している多くのソフトウェア・パッケージは、損益曲線の組み替えを使って新しい曲線を作る方法を提供している。しかしそれらは、もうひとつの重要な問題を考慮に入れていない。わたしはテストと実地経験から、大きなトレンドの終期に生じる不調期間の長さと重大さが、ランダムな出来事から予測されるよりもはるかに不利であることにも気づいた。大きなドローダウンのときには、トレンドフォロー・システムの損益曲線が、連続相関、すなわちある日の純変動と前日の純変動の相関を示す。簡単にいえば、不調な期間はランダムな発生とはいえないほど集中して発生することが多い。

２００6年春の金、銀、砂糖のドローダウンという、先ほどと同じ最近の例を使うと、日々の純変動のみを組み替えた場合、5月中旬から6月中旬までに起こったやや長期の大規模な持ち分の変化が消えてしまう。もしシミュレーションの結果から、あるいは実際の損益曲線からでさえ、ランダムに抜き出せば、そのような大規模な変化が同時に含まれることはほとんどありえないからだ。

これを自分たちのシミュレーション・ソフトウェアで明らかにするため、わたしたちは「トレーディング・ブロックス」で、損益曲線の純変動を使うと同時に、１日の変動ではなくまとまった複数日の曲線を使って組み替えができるようにした。この方法なら、シミュレーションされた損益曲線のなかに、現実取引で遭遇するひとまとまりの不調な期間を保持できる。わたしが行なったテストでは、20日間をひとまとまりとして損益曲線の組み替えに使ったところ、損益曲線の自己相関が保持された。これはシミュレーション結果の現実的な予測価値が高まったことを意味する。

モンテカルロ・レポート

モンテカルロ法でつくったもうひとつの損益曲線のシミュレーションで何ができるのか？　それらを使って一定の尺度となる結果の分布図をつくり、予想値の範囲を決定して、シミュレーションで生み出した別の世界の中で将来を予測することができる。図42は、もうひとつの世界の損益曲線のシミュレーションを２０００回行ない、それぞれの曲線についてＲＡＲ％を計算してから、曲線の分布をグラフで示したものだ。

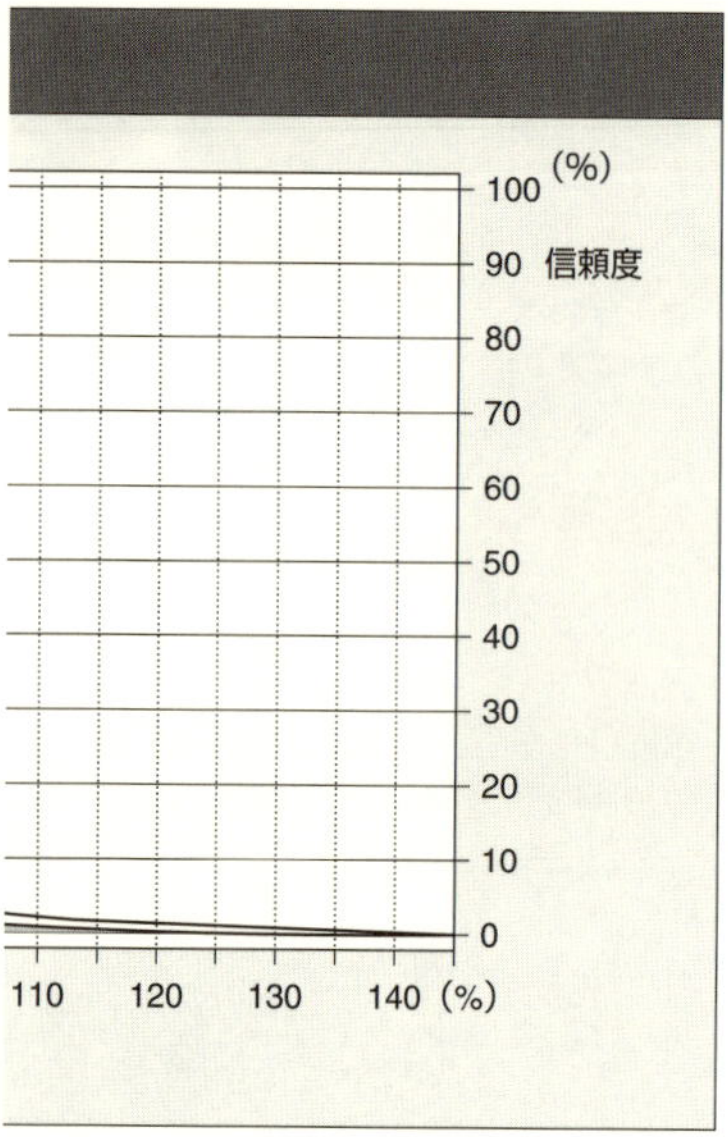

グラフの上端で曲線と交差する垂線は、２０００回シミュレーションした損益曲線の90パーセントが超えたＲＡＲ％の値を示している。この事例では、２０００回の曲線の90パーセントが42パーセント超のＲＡＲ％を示した。

この種のグラフはとても役に立つ。将来が不明確で、複数の可能性からもたらされることを気づかせてくれるからだ。

しかし、こういうレポートの詳細をあま

図42　モンテカルロ・シミュレーションによるRAR%の分布

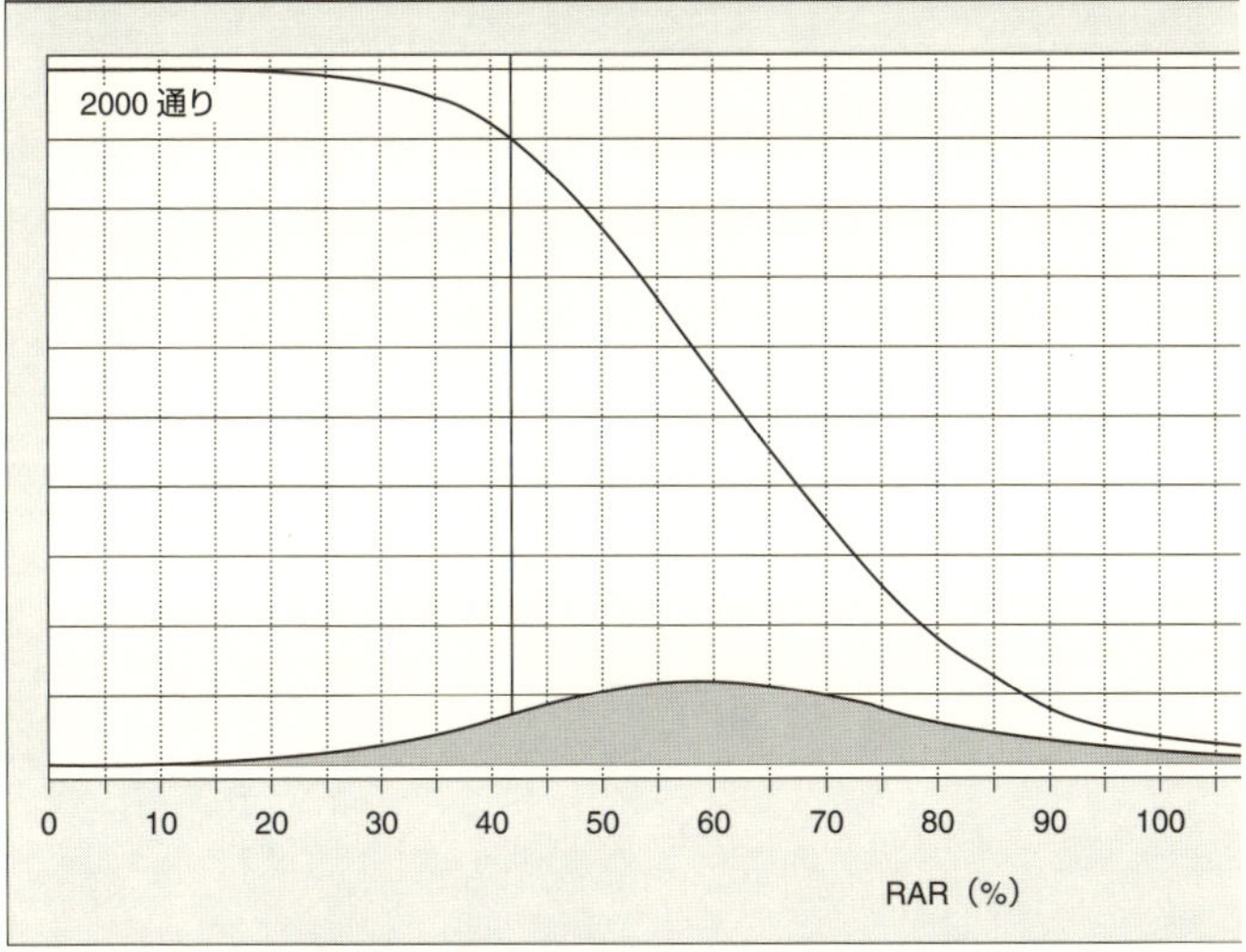

り深読みしすぎてはいけない。これらの数字は、過去のデータに依存した損益曲線から取られているので、第11章で概説したようなあらゆる落とし穴につながる可能性があるのだ。

モンテカルロ・シミュレーションが劣悪なテストを改善するわけではない。シミュレーションされたもうひとつの世界の損益曲線は、元となる過去のシミュレーションと同程度の効用しか見込めない。

最適化のパラドックスのせいでＲＡＲ％が20パーセント過大評価されていれば、同じ最適化パラメーター値を使ったモンテカルロ・シミュレーションでも、もうひとつの世界の損益曲線に関するＲＡＲ％が過大評価されてしまう。

大まかなのがお好き

本章の演習で示したように、バックテストは将来何が起こりうるかを大まかに推測するものにすぎない。堅固な尺度は、感応度の高い尺度よりも将来のパフォーマンスを適切に予測できるが、その過程はやはり不正確だ。決まったレベルのパフォーマンスが期待できると持ちかける人がいれば、その人はウソをついているか、自分の言っていることを理解していないかのどちらかだろう。何かを売りつけようとしている場合は、前者であると考えてまず間違いない。

第13章では、トレーディングをもっと堅固にする方法——つまり、パフォーマンスの激しい変動に悩まされにくくする手法をいくつか紹介しよう。

thirteen

BULLETPROOF SYSTEMS

隙のないシステム

トレーディングは短距離走ではない。ボクシングだ。
市場はあなたを殴りつけ、もてあそび、打ち倒すためならどんなことでもする。
しかし、12ラウンド終了のゴングが鳴り響くとき、
勝利するためにはリングに立っていなければならない。

トレーディングシステムを構築する新参のトレーダーたちは、バックテストで最良の予測結果を示すただひとつの完璧なトレーディングシステムを探している。過去のデータで優れたパフォーマンスを示すシステムは、将来の取引でも同様のパフォーマンスを見せるはずだと信じているのだ。だから、あるシステム（仮にオメガとしよう）がテストで別のシステム（仮にアルファとしよう）よりも10パ

ーセント高いCAGR%と0・2高いMARを示しているなら、アルファを使って取引するのは愚かなことだと結論づけてしまう。

その後、経験を積むにつれて、完璧なシステムなど存在しないことに気づく。オメガ・システムはある種の市況ではうまく働くかもしれない。また、過去にきわめて有利な市況が続いていたおかげで、オメガ・システムはテストでアルファ・システムよりはるかに優れたパフォーマンスを示すかもしれない。

しかし残念ながら、そういう市況が過去と同じ頻度で将来にも生じるとは限らない。言い換えれば、市場のタイプはさまざまであり、その分布は過去と将来では異なるかもしれないのだ。したがって、テストでオメガとアルファが見せるパフォーマンスの違いが、市場のタイプの分布によるものなら、将来その分布が変化すれば、違いも帳消しになるだろう。

次の例について考えてみよう。市場が〝トレンドありで変動小〟の場合にはオメガがアルファよりずっと優れているが、市場が〝トレンドありで変動大〟の場合にはアルファのほうが優れているとする。次に、20年のテストを行なった際、13年間はトレンドの変動がおおむね小さく、7年間はトレンドの変動が全体的に大きかったとする。将来同じ分布が生じれば、オメガは優れたパフォーマンスを見せるだろう。

しかし、変動大の7年のうち5年が、テスト後半の10年間で起こったとしたらどうだろう？　トレーダー効果のせいで市場行動に変化があり、将来トレンドの変動がもっと大きくなったら？　その場合は、アルファ・システムのほうが将来優れたパフォーマンスを示す可能性が高い。アルファは、トレンドの変動が大きいときによいパフォーマンスを見せるからだ。逆に、市場が変動小から変動大への周期的な移行を示していたら、どうだろう？　市場が先ごろの変動大のトレンド期間から変動小のトレンドに戻るなら、オメガ・システムのほうが将来よいパフォーマンスを示す可能性が高くならないだろうか？

将来のことはわからない

多くの場合、確信を持ってこの種の判断を下すには、十分な情報を持っていないのが現実だ。その理由は、データが足りないことにある。例えば、QQQVVQという文字配列について考えてみよう。この配列が市場の変動小と変動大の期間を表わすとすれば、将来的な市場の変動の大小に関する相対的確率を、確信を持って判断することができるだろうか？　前半の章をじっくり読んだ人なら、サンプルサイズが6個では、どんな結論を引き出すにも不充分であることに気づくだろう。たとえ、文字配列がもう少し長いVQQVQVVQQQQVVQで、そこに周期があるように見えても、確信を持って評価を下すにはデータが不足している。

こういう場合には、データが不足しているのだから将来のことはわからないという事実を受け入れるのがいちばんだ。つまり、大まかな部分を除けば、将来のシステムの相対的パフォーマンスを正確に予測することはできない。この現実をしっかり理解することが、堅固なトレーディング・プログラムを構築するために不可欠だ。トレーディングの多くの側面にもいえるように、真実を見ることが重大な最初のステップになる。いったんそれを目にすれば、真実を踏まえた判断を下し、それに応じて行動を調整することができるのだ。

堅固なトレーディング

堅固なトレーディングを行なうには、将来何が起こってもうまく働くトレーディング・プログラムを構築する必要がある。その基本は、誰にも将来はわからず、過去のデータにもとづくテストには元来きわめて大きな誤差があるという現実を受け入れることだ。

皮肉にも、将来が不明であることを考慮に入れたトレーディング・プログラムを構築すれば、取引のパフォーマンスがもっと予測しやすくなることに気づくだろう。一見矛盾する事柄が生じるわけはこうだ。将来のことはわからないという前提でトレーディング・プログラムを構築すれば、そのプログラムには織り込み済みであなたが予測していなかった状況が将来起こっても、心の準備ができている。それとは逆に、決まった特徴を持つ市場を想定してトレーディング・プログラムを構築すれば、プログラムが基礎とする状況が存在しないと損失をこうむることになる。

では、決まった市況に頼らないトレーディング・プログラムを構築するには、どうすればいいのだろうか？

あらゆる堅固なトレーディング・プログラムに共通する特性が、おもにふたつある。**多様性と単純さ**だ。これらの要因がなぜ堅固さを増すのかを示す格好の例が、自然の中にある。生態系における個々の種の生存能力と、トレーディング・プログラムの堅固さは、非常によく似ている。

多様性

生態系のレベルでは、自然はひとつかふたつの種に頼って仕事をさせたりはしない。捕食動物も、食料源も、草食動物も、死骸の後始末をする清掃動物も、1種類だけではない。多様性が重要なのは、それがひとつの種の個体数に激変を起こすさまざまな影響から生態系を守るからだ。

単純さ

複雑な生態系はより活発なので、環境が安定しているときは、複雑な種のほうが単純な種よりもずっと有利に見える。しかし変化の時期には、複雑な種のほうが絶滅する可能性が高い。そういう時期に最も強い種は、非常に単純な生物であるウイルスやバクテリアなどだ。

単純な生物が強いのは、決まった環境に依存する度合が低いからだ。巨大な隕石が地球にぶつかったり、火山の大噴火が気温を大幅に下げたりして、生態系が大きな変化にさらされたとき、そういう単純さはきわめて有利に働く。気候が変動したとき、それまでの気候に依存していてはひどく不利になるのだ。

堅固な生物

複雑であっても堅固な、あるいは多様な環境下で生存可能な種もいる。それらの種はたいてい、気候や環境の絶え間ない変化にさらされながら進化したので、変化のなかで生き残る能力を持つ。堅固なシステムを開発するには、こういう堅固な種をモデルにするとよい。

さて、堅固さの本質をになうふたつの基本要素――多様性と単純さ――に関する考察の次は、それらをトレーディング・プログラムに加える方法を探ってみよう。単純さを加えるには、特定の市況への依存を生む規則を最小限にすることだ。多様性を加えるには、互いに相関することのない、できるだけ多くの市場で取引することだ。また、さまざまな種類のシステムを同時に使って取引するのもよい。そうすれば、将来どんな市況になっても、ポートフォリオ中のなんらかのシステムがうまく働いてくれるだろう。

堅固なシステム

システムを堅固にするおもな方法は、さまざまな市況に適応し、かつシステムの単純さを保ちながら市場の変化の影響を受けにくくする規則を作ることだ。

市況の変化に適応するシステムを作れば、より堅固なシステムを構築できる。このアプローチは、多様な環境下で生存できる自然界の複雑な生物と似ている。彼らには優れた適応能力がある。人類はその一例だ。人間は、サハラ砂漠や北極の氷原でも生存できる。そういうさまざまな環境への適応を可能にする知力を持つからだ。

どんなシステムも、決まった市況のもとではほかより優れたパフォーマンスを示すだろう。トレンドフォロー・システムは、市場が〝トレンドありで変動小〟のときにうまく働く。カウンタートレンド・システムは、市場が〝全体に安定し変動大〟のときにうまく働く。ポートフォリオ・フィルタは、システムを堅固にする規則のひとつだ。特定の市場が特定のシステムにとって有利な状態にない場合に、市場をふるいにかけることができる。

たとえば、ドンチアン・トレンド・システムにはポートフォリオ・フィルタがある。市場がトレンドに逆行するブレイクアウトを見せている場合、市況が有利な状態にないとして、取引を行なわせないフィルタだ。トレンドありの市場では、トレンドに沿ったブレイクアウトのほうが頻繁に起こる。このフィルタを加えることで、システムが堅固になる。

同様に、単純な規則はシステムを堅固にする。そういう規則は多種多様な環境下でうまく働くからだ。複雑なシステムはたいてい、システム開発中に見られたなんらかの市況や市場行動を活かすよう設計されているせいで複雑になっている。規則がさらに追加されれば、システムはますます特定の市況や市場行動に強く結びついてしまう。これによって、将来その特定の市場行動がない市場や、それらの規則がうまく働かない市場が現われる可能性が高まる。

確たる概念のもとに構築された単純な規則は、決まった市場行動に合わせて作られた複雑な規則よりも、実際の取引で持続的にうまく働くだろう。システムを単純に保てば、長期にわたって優れたパフォーマンスが得られることがわかるはずだ。

市場の分散

トレーディング全体の堅固さを改善する最も効果的な方法のひとつは、多様な市場をとり入れることだ。多くの市場で取引すれば、少なくともそのひとつで自分のトレーディングシステムに有利な市況に遭遇する可能性が増す。トレンドフォロー・システムの場合、多くの市場で取引すれば、そのひとつで一定期間にトレンドが生じる確率が高まる。

つまり、できるだけ多くの市場を含むポートフォリオを持ったほうがよいということだ。市場は新たな機会を提示すべき場所なので、他の市場とあまり密接に相関していてはならない。たとえば、数種のアメリカの短期金利商品は、ほとんど連動している。ポートフォリオにこれらの商品をふたつ以上加えると、多様性をそこなうだろう。

じっくりモニターする必要がないトレーディングシステムを使っているなら、外国市場での取引を検討するとよいだろう。外国市場は豊かな多様性を加え、取引の堅固さと一貫性を高めるのに役立つ。

これまでに紹介したシステムのうち、終値データにもとづく寄り付き買いをするものはみな、世界市場での取引を比較的容易に行なえるだろう。市場の寄り付きと引けのみを注視すればいいなら、時差はあまり重要ではないからだ。

どの市場で取引するか

現時点で最も好評なテストシステムのプラットフォームであるトレード・ステーションには、一度に複数の市場をテストすることができないという致命的な限界がある。これに関わる副次的な悪影響のひとつは、多くのトレーダーがポートフォリオではなく市場を基準に考えてしまうことだ。その結果、ある種の市場は利益が見込めないとか、他と比べてパフォーマンスが悪いなどの理由で、そういう市場をトレンドフォロー・ポートフォリオからはずすべきだという誤った信念が広まってしまった。

この考えかたにはふたつの問題がある。第1に、いくつかの市場ではトレンドは数年ごとにしか現われないので、5年や10年程度の短いテストでは市場の完全な潜在能力はわからないだろう。第2に、市場の分散から得られる利点は、おそらく収益性へのマイナス面を上回るだろう。

第4章のココア市場の例について考えてみよう。有利なトレンドが現われるまでに、かなり長期にわたって取引で損失を出したことを思い出してほしい。これは非常によくあることなのだ。タートル時代の特に注目すべき例を挙げよう。１９８５年前半、リッチはわたしたちに、もうコーヒーの取引

図43　コーヒー（CSCE）――タートルが逃した取引

はしないようにと命じた。たぶん、コーヒーを取引するには出来高が充分ではなく、わたしたちが損失を出し続けていることに気づいたのだと思う。この決断によってわたしたちは、タートル史上最大の取引となったはずの市場で大損することになった（図43）。

わたしはこの取引には参入しなかったので、正確にどのくらい儲かるはずだったかは思い出せない。そこで、１９８６年3月限コーヒーの契約からデータを拾って、テストを行なってみた。参入時、Nの値は１・29セントだった。

１９８５年当時は合計５００万ドルの口座で取引していたので、１０３枚のユニットサイズで取引することになっただろう。わたしたちは1回に4ユニットを取引していたから、４１２枚のコーヒーを買い持ちすることになったはずだ。利益は、1枚につき約3万4000ドルになる。

この取引の総利益は、412枚掛ける3万4000ドルで約1400万ドルになり、ひとつの取引で500万ドルの口座に280パーセントの利益をもたらしたはずだった。タートル時代、わたしたちが関わった取引で、ここまで大きなものはほかにない。わたしたちはそれを逃した。

これはつまり、あらゆる市場で取引すべきだということだろうか？　特定の市場を取引から排除するもっともな理由はないのだろうか？　特定の市場を取引からはずすおもな理由は、流動性だ。活発な取引と充分な出来高がない市場は、取引がひどくむずかしくなることがある。トレーディングで成功をおさめるにつれ、これは大きな制限要因になっていく。

だからリッチは、コーヒーの取引から手を引かせたのだ。わたしたちの分とリッチの分の取引サイズを合わせると、参入時と退出時のコーヒーの取引は数千枚にもなった。確かに、持続可能な出来高の限界ぎりぎりのところだ。したがって、リッチの決断はきわめて妥当だったといえる。できれば、価格の高騰が起こるまで決断を待ってほしかったが……。

口座額が小さければ、流動性の低い市場でも取引できる、とあなたは考えるかもしれない。使っているシステムの種類によってはそれもありうるが、失敗する可能性もある。流動性の低い市場の問題は、参入と退出がきわめて困難なことではなく、ある種の状況では、注文がたくさんあっても反対取引をするトレーダーがいないことだ。流動性の低い市場とは、買い手と売り手がほとんどいないことを意味する。つまり、あなたの1枚の買い注文が、200枚から500枚もの買い注文に加わる一方で、売り手がひとりもいないということもある。流動性の高い市場では、こういうことはあまり起こらない。

流動性の低い市場は、価格ショックの影響も受けやすい。玄米、木材、プロパンやその他の一日数千株以下の取引しか行なわれない市場のチャートを見て、大きな値動きが生じた日数を、もっと流動性の高い市場と比較してみてほしい。流動性の低い市場では、予想外の大きな値動きを生じる日数がずっと多いことがわかるだろう。

さまざまな市場

ある種の市場を取引からはずすべき理由はもうひとつある。シミュレーションで他の市場に比べて利益が薄いからといって、その市場を除外すべきだとは思わないが、ある種の市場間に基本的な違いがあるのはほんとうである。それはある種のシステムでの取引からその種の市場全体を除外する正当な理由になる。

トレーダーの中には、多様な市場はひとつずつ異なるのだから、それ相応に扱わなければならないと考える人もいる。わたしの考えでは、現実はもっと複雑だ。実際には、はっきりと異なる動きを見せる市場は3種類あるが、その分類中の市場間の違いは、ランダム効果に大きく影響される。おもな市場の種類は次のとおりだ。

1 ファンダメンタルズ主導の市場

通貨や金利など、トレーディングが主要な力を持たない市場。もっと大きいマクロ経済学的な出来事や力が相場を動かす。時とともに状況は変わってきたようだが、通貨や金利の市場では、現在でも連邦準備理事会および他の中央銀行や国の金融政策のほうが、スペキュレーターよりも相場に大きな影響力を持つといっていいだろう。これらの市場は最も流動性が高く、はっきりしたトレンドをともなうので、トレンドフォロー派にとっては最も取引しやすい。

2 スペキュレーター主導の市場

株式やコーヒー、金、銀、原油などの先物で、スペキュレーターが政府や大手ヘッジャーよりも大きな影響力を持つ市場。相場は参加者の相場観主導で動く。トレンドフォロー派にとってこれらの市場は取引しにくい。

3 集合的デリバティブ市場

主導するのは投機だが、取引される商品が、個々の銘柄の集合体である他の市場のデリバティブであるため、投機が希薄になっている市場。その好例がe-ミニS&P先物契約だ。上下動はするが、その範囲は基礎となるS&P500株価指数によって抑制されている。同時にS&P株価指標も、間接的にのみスペキュレーターによって動く。株価指標は、多くの銘柄の純粋に投機的な動きを統合するので、アベレージング・アウト（平均化による個々の上下動相殺）とモメンタムの希薄化の働きがある。トレンドフォロー派にとってこれらの市場は最も取引しにくい。

わたしの主張はこうだ。どの種類の市場でも、取引の方法は同じ。流動性と種類のみに従って、取引するかしないかを決めればいい。タートル時代、わたしは集合的デリバティブ市場ではまったく取引しないことに決めたが、多くのタートルたちがその市場で取引していた。わたしは、自分たちのシステムが集合的デリバティブ市場に合わないと考えた。取引ができないわけではなく、わたしたちが使っていた中期ブレイクアウト・トレンドフォロー・システムではあまり取引がうまくいかないということだ。したがって、タートル時代にはＳ＆Ｐでの取引は一切行なわなかった。

各分類の市場はみな、同じような動きをする。確かに、数年か数十年の期間では違いがあるように見えるが、長期的にはこの違いは、大きなトレンドについてのトレーダーの記憶、それにその背後にある根本的な要因がたまにしか起こらず、しかもランダムな性質のものであることを反映したものにすぎないことがわかるだろう。

トレーダーの記憶

トレーダーの記憶に関する好例は、金と銀だ。わたしがトレーディングを始めたころ、金で利益をあげるのは不可能だった。１９７８年の巨大なトレンドの記憶（金が１オンス９００ドル、銀が１オンス50ドル超まで上がった）が、まだ人々の心に鮮明に焼きついていたからだ。価格が少しでも上昇傾向を見せ始めるたびに、ありとあらゆる人が金を買い始める。そのせいで値動きが非常に荒くなり、上がったり下がったりを繰り返した。要するに、トレンドフォロー派にとっては取引がきわめてむずかしかったのだ。20年経過して、１９７８年のトレンドをおぼえている人はほとんどおらず、２００６年春の市場では、以前よりもずっと取引しやすくなった。チャートを見れば、金市場の性質が変わったのだと思うだろう。

どの市場が次に金のように変化するのか、どの市場が次にココアのように再びトレンドを生じるのか、わかるようになるわけではない。ある市場が過去20年間大きなトレンドを生じなかったからといって、取引に不利な市場だとは限らない。わたしの考えでは、充分な出来高があり、ポートフォリオ中の他の市場とのあいだに違いが見られるなら、その市場で取引すべきだ。

市場の分散を妨げるのは、資金の不足であることが多い。許容リスク限度内におさめるには、多数の市場で取引できる金額が必要だ。これは、大手ヘッジファンド経営者のほうが個人トレーダーより有利であり、大口トレーダーのほうが小口トレーダーより着実なパフォーマンスを達成しやすい理由にもなっている。

10カ所の市場で取引する資本しかなければ、50カ所か60カ所の市場で同時に取引できる資本がある場合よりも、不安定なパフォーマンスを予期しなければならない。妥当な分散を持って、先物契約を使った長期トレンドフォロー・システムの取引をするには、最低限でも10万ドルが必要だ。そのレベルでさえ、ほとんどのトレーダーにとって必要とされるリスクはきわめて高い。

システムの分散

市場の分散に加え、システムも分散することで、トレーディング・プログラムの堅固さを向上させることができる。複数のシステムを同時に使えば、トレーディングシステムを飛躍的に堅固にできる。特に、システム間の違いが大きいほうが望ましい。

ふたつのシステムについて考えてみよう。パフォーマンスのよいほうはRAR％が38・2パーセントでR－キューブドが1・19、悪いほうはRAR％が14・5パーセントでR－キューブドが0・41。両方のシステムをテストした場合、どちらで取引するだろうか？　よいほうだけで取引するだろうか？　それが理にかなった選択に思える。

しかし、その選択は、システム同士が相関していない場合の「分散」という利点を見逃している。その利点は、システム同士が逆相関している（すなわち、一方が利益をあげる傾向にあり、もう一方が損失を出している）場合、さらに大きくなる。つまり、特定のシステム同士を組み合わせれば、非常に大きな利益が得られる場合があるのだ。その例を示そう。

両方のシステムで同時に取引すると、RAR％は61・2パーセント、R－キューブドは5・20になる。いうまでもなく、それぞれのシステムを単独で使うよりもパフォーマンスが大幅に改善される。

例に挙げたシステムは、実は2種類のボリンジャー・ブレイクアウト・システムだ。よいほうのシステムは長期の変動チャネル・ブレイクアウトのみで取引し、悪いほうのシステムは短期の変動チャネル・ブレイクアウトのみで取引する。ふたつのシステムを組み合わせるとうまく働くしくみを理解するのは割と簡単だ。しかし、パフォーマンスの改善はまったく劇的だ。

異なる市況でうまく働くシステムを組み合わせる方法でも、同様の利益を得ることができる。ひとつがトレンドのある市場でうまく働き、もうひとつがトレンドのない市場でうまく働くような場合だ。一方がドローダウンに見舞われても、もう一方は利益をあげるかもしれない。いつも期待どおり円滑に働くとは限らないが、こういうアプローチによってトレーディング・プログラムの堅固さを大幅に改善することができる。

市場の分散と同じく、システムの分散が妨げられるのも、多くのシステムで同時に取引するために大きな資本や管理努力を必要とすることが多いからだ。これは、大手ヘッジファンドのマネジャーのほうが個人トレーダーより有利である理由にもなっている。長期トレンドフォロー・システムを適切に分散するには、おそらく20万ドル必要だろう。4種類か5種類のシステムで取引するには、100万ドル以上必要かもしれない。この要因だけをとっても、多くの人々が自分の口座で個人的に取引するより、商品先物ファンドやヘッジファンドを経営する優秀なプロのトレーダーに資金を預ける理由がわかるだろう。

現実に向き合う

堅固なトレーディング・プログラムは、実際の取引で遭遇する市況を予測することはできないという前提のもとに構築される。適応性が高くシンプルで、特定の市況に依存していない堅固なシステムを構築することによって、堅固な取引が実現する。成熟した堅固なトレーディング・プログラムは、多様な市場で多様なシステムを使って取引するので、少数の市場に特化した少数のシステムで取引するプログラムより、将来着実なパフォーマンスをあげる可能性がずっと高い。

fourteen

MASTERING YOUR DEMONS

心の悪魔を手なずけろ

市場はあなたの気持ちなどおかまいなしだ。

落ち込んでいても、自尊心をくすぐってくれたり、慰めてくれたりはしない。

ゆえに、トレーディングは万人向きのものではない。市場に関わる真実と、自分自身の限界、恐れ、失敗に関わる真実に向き合うつもりがないなら、成功する可能性は低いだろう。


わたしは、1982年に初めてエドウィン・ルフェーブル著の『欲望と幻想の市場』を読み、偉大な投機家ジェシー・リバモアについて知った。そのときと同じような興奮を、このタートルの物語に感じる読者がいてくれることを願う。リチャード・デニスが2週間でトレーダー集団を訓練し、その後4年間で1億ドル以上の利益をあげさせたという事実は、トレーディングの世界で最も魅力的な物語のひとつになった。タートルの実験が成功したことで、リチャード・デニスの持つ一連の原則を教えることは可能であり、それにきちんと従えば取引で利益をあげられることが実証されたのだ。

おかしなことに、デニスが教えてくれた原則のほとんどは、目新しいものではない。その一部は、彼が生まれる前から有名なトレーダーたちが信奉してきた基本原則だ。しかし、教わった原則が単純であるがゆえに、最初の数カ月間、わたしたちはいくつかの点でそれに従うことに困難を感じた。人間は、複雑な着想のほうが単純な着想よりも優れていると信じたがる。リチャード・デニスがひと握りの単純な規則を使って数億ドル稼ぐ可能性があることを、なかなか理解できない人は多い。なんらかの秘密があるに違いないと考えるのも、無理からぬことだ。

タートルの多くは、取引を始めた最初の数カ月間、心の悪魔と闘った。そんなに簡単に取引を成功させられるわけがない、何かほかの秘訣があるはずだと考えるメンバーもいた。そういう考えかたは一部のタートルの取引を大きく妨げて、彼らはデニスが概説した単純な規則に従うことができなくなってしまった。

わたしが思うに、そういう考えに頼って複雑さをもとめてしまうのは、不安になると何か特別に感じられるような理由が欲しくなるからではないだろうか。秘密の知識を持てば、それは特別に感じられるが、単純な真実を手にしてもそうは感じない。つまり、わたしたちの自我は、自分が他者よりどこかしら優れていることを示すために、特別な知識を手にしていると信じさせたがるのだ。わたしたちの自我は、一般に知られる真実だけでは我慢できない。自我は秘密をもとめている。

自我に生きる者は自我に死ぬ

これが、新米トレーダーが裁量トレードに引き寄せられるおもな理由だ。裁量トレードは自我を満足させる。個人の判断に頼る取引だからだ。それとは対照的に、システムトレードでは、〝正確にいつ、いくら売り買いするか〟を指定する規則を使って取引の意思決定を行なう。つまり裁量トレードでは、自分の判断で取引して勝利すれば、自我が勝利したことになる。そして、自分がいかにして市場を制覇したかを友人に自慢できるのだ。

まさにそういう行動を、オンライントレードのフォーラムでよく見かける。特に、新米トレーダーを引きつける広域的なフォーラムに多い。掲示板にはしょっちゅう、値上がり直前に買ったことや、〝聖杯〟を見つけて90パーセントの正確性を持つシステムを手にしたこと、取引を始めて3カ月で200パーセントの利益をあげたことなどが書き込まれている。

それを達成するには、間違いなく過剰なレバレッジで取引しているはずなので、5000ドルが1万5000ドルになる可能性もある。しかし、あまりに強気な取引をしているせいで、その1万5000ドルを失うリスクも非常に高い。数カ月後に同じトレーダーが破産して、すべてを失ってしまったと書き込むかもしれない。こういう人たちは、自我を満足させるために取引している。ことわざにあるように、自我に生きる者は自我に死ぬのだ。

成功している裁量トレーダーはたくさんいるが、成功していない人のほうがはるかに多い。その最大の理由は、トレーダーとしての自我はいい友人になれないからだ。自我は正しくありたがり、予測したがり、秘密を知りたがる。自我は、利益の妨げになる認知のゆがみを避けられないので、良好な取引を行なうことがきわめて不得意なのだ。

そのことが実感できるタートル時代の逸話をご紹介しよう。

白熱した卓球対決

トレーディングは部外者にはとても多忙な仕事に見えるので、こう言うと信じてもらえないかもしれないが、取引中のほとんどの時間、わたしたちには何ひとつやることがなかった。わたしたちは退屈していた。市場はほとんどの場合、静かなものなのだ。要するに、タートルたちは自由時間を持て余していた。

幸いにも卓球台があったので、わたしたちはよく卓球をした。ほとんど全員が、最低でも1日1回はやった。あまりにしょっちゅうやっていたものだから、ある日、隣の大手保険会社の誰かが「殺すぞ」という脅し文句をドアに貼ったほどだ。自分たちがあくせく働いているのに、わたしたちが1日じゅう遊んでいるのが気に食わないらしかった(たぶん、自分たちの仕事がきらいだったのだろう)。

それまで真剣に卓球をやったことはなかったが、わたしはすぐにまずまずの技術を身につけ、数カ月後には自分よりじょうずだった人たちを負かすようになった。ラケットの握りにはシェイクハンドを採用した。フォアハンドとバックハンドの切り替えが簡単にでき、スピンを多用するわたしの攻撃的なスタイルに合っていたからだ。

しかし、「飛び抜けてじょうずなタートルがひとりいて、彼には誰も勝てないことをみんなが知っていた。卓球歴の長い彼のプレーを、わたしたちは感嘆の目で眺めた。たいてい10点差とか、ときにはそれ以上の大差で難なくわたしたちをやっつけ、しかもほんのお遊びでやっていることは明らかだった。汗ひとつかかずに勝ってしまうのだ。

数カ月プレーを続けたあと、あるタートルが勝ち抜き戦をやろうと言いだした。負けずぎらいのトレーダーがそろった集団にあって、これは真剣勝負だった。この勝ち抜き戦は事実上、2位決定戦だとみんなが感じていた。誰がいちばんうまいかは明白だったからだ。しかし、誰が優勝するかを確かめたくもあった。試合が始まると、へたな者たちはひとりずつ脱落していき、とうとう上位8人にまでしぼられた。いちばんうまいひとりを除けば、わたしたちの実力は拮抗していた。

勝ち抜き戦に向けて、わたしはスタイルを変えることにした。いつものように機会さえあればスマッシュを打ち込もうとするのではなく、守りを固めるプレーを心がけた。ラケットの握りさえ、シェイクハンドからペンホールドに変えて、ラバーも、厚くてスピンをかけやすいものから、表面がざらざらしていて相手のスピンの影響を受けにくいものに変えた。いちばんうまい男はスピンの技術でも勝っていたので、それに比べると弱々しいわたしのスピンなどわけなく制してしまうだろう。つまり、善戦を望むなら、スピン技術で勝るという相手の優位性を弱めるラケットを使うのが得策だった。

わたしの戦略は効果をあげ始め、次のふたりの相手を接戦の末どうにか破った。こうしてプレーヤーはふたりにしぼられ、わたしは自分よりずっとうまい相手、優勝間違いなしと全員に思われている人物と決勝戦を闘うことになった。わたしはベストを尽くし、向こうはわたしを叩きのめして優勝するだろう。わかりきったことだった。タートル全員が、この決勝戦を見るために集まった。若さと闘志対、経験と技術の闘い。

試合が始まったとき、わたしはある事実に気づいた。相手は本気で試合に勝ちたがっている。真剣そのものなのだ。彼にとって、勝つことが非常に重要なのは明らかだった。誰よりも実力で勝っている人間、いちばんうまい人間と見なされていたのだから、負けたら失うものが大きい。それとは反対に、わたしには失うものは何もない。みんなが感じているように、わたしはすでに勝ち抜き戦で勝利していた。誰もわたしが優勝するとは思っていないし、優勝できるとも思っていなかった。

彼は最初の数ポイントをあっけなく奪った。実際、あまりにあっけなかったので、わたしはもしかすると1点も取れないのではないかと心配になった。しかし、相手のスピードと攻撃に慣れ、守りに徹するうちに、向こうが消耗してきた。彼はいつもより攻撃的にプレーしていた。できるだけ速くわたしを片づけたかったからだ。わたしはいつもより慎重にプレーしていた。チャンスはそこにしかないとわかっていたからだ。

そのうち、相手がポイントを奪う前に長いラリーを続けられるようになり、とうとう相手からポイントを奪えるようになった——最初は少しずつ。わたしがさらにポイントを奪い始めると、相手のプレーは乱れた。へたな相手をわずかでも調子づかせてしまったことに、いらいらし始めたのだ。

徐々に形勢がわたしのほうに有利に傾き、2ゲーム目では逆転を狙えそうになってきた。わたしはどうにか同点にまで追いついてから、それを維持し、ついにはそのゲームを取った。こうして、2ゲーム終わった時点で1対1のタイになったが、残りの1ゲームでは勢いに乗ったわたしのほうに分があった。

最終ゲームは激しい戦いになった。逆転また逆転で、互角のままゲームが進み、お互いあと1ポイントで勝利という場面を数回繰り返した。ついに、わたしが打ち込んだ最後のスマッシュを、相手が返しそこねた。結局、勝ち抜き戦のプレッシャー、自分のほうがうまいことを実証しなければならないプレッシャーに苦しめられ、押しつぶされてしまったのだ。彼がいちばんうまかったのは間違いない。わたしにはわかっていたし、彼にもわかっていた。しかし、結局のところそれとは関係なく、彼はプレッシャーに耐えきれずに負けてしまった。彼にとっては勝利の持つ意味が大きすぎて、プレーにまで影響をあたえたのだ。

この対戦相手は、タートル・プログラムでも成功しなかった。わたしが思うに、そこには彼が卓球の勝ち抜き戦で負けたのと同じ理由がある。彼の自我は自分のトレーディングとあまりにも強く結びついていたので、うまくいかない理由が自分の中にあると考えることができなかったのだ。

偶然でもなんでもなく、この卓球の達人は、リチャード・テニスがわたしだけにトレーディングの秘密を教えたのではないかと疑っていたあのタートルだった。自分が損失を出しているのにわたしが利益をあげている理由を認めるのは、彼にはつらすぎた。わたしは規則を忠実に守って、自我の問題を追いやったおかげで、彼よりうまくトレーディングを進めることができた。彼はそれを、秘密を教えてもらえなかったせいにした。真実と向き合いたくなかったのだ。

謙虚さこそトレーダーにとって最も大切なもの

優れたトレーダーになりたいなら、自我を乗り越え、謙虚さを身につけなければならない。謙虚になれば、将来を計り知れないものとして受け入れることができる。謙虚になれば、予知しようという気を起こさずにすむ。謙虚になれば、取引が不利な展開になったり、損失をこうむって退出を余儀なくされたりしても、腹を立てずにすむ。謙虚になれば、単純な概念にもとづく取引を採用できる。自分を特別と感じるための秘密を持つ必要がないからだ。

小賢しいやつにはなるな

わたしはタートルの中でたぶん誰よりも楽に稼ぎをあげていたが、だからといって、わたしが自我にとらわれないロボットか何かで、認知のゆがみには影響されず、自分の心理を自由に操れるとは思わないでほしい。まったくそうではない。一例を示そう。

タートル塾2年目のあるとき、大きな動きが起こりつつあり、わたしはふたたび、規則の一部として許されている最大限の4ユニットをロードしていた。わたしは数人のタートルたちに、いくつのユニットに関わっているか尋ねた。なかには、4ユニット未満しか持っていない人もいた。つまり、課せられただけの利益をあげていないということだ。したがって、彼らのポジションを尋ねたわたしの行為があてつけに聞こえても無理はなかった。

その日遅くなってから、いつもと同じように通勤電車に乗るためにオフィスを出た。そのころは、イリノイ州リバーサイド西部の郊外に住んでいたのだ。ほかにも数人のタートルが電車で通っていて、ほぼ同じ時刻に帰ることも多かった。ドアをあけて廊下に出ると、少し前にオフィスを出た男がほかの誰かにこう話しかけていた。

「きょうのあいつの態度を見たか？　まったく小賢しいやつだ」

　実際、そのとおりだった。わたしは小賢しいやつ、しかも最悪な部類の小賢しいやつで、そのことに気づいてもいないマヌケだった。自分の行為が他人にどんな影響をあたえているのか、じっくり考えたことがなかったのだ。

　ちょっと振り返ってみるだけでも、自分の好成績をハナにかけた態度をとっていたのは明らかだった。高校を出たばかりの青二才に、そういうえらそうな顔をされるのは、相手にとっていっそう苦々しいことだったに違いない。

　わたしはあの会話の断片を耳にして以来、二十数年にわたって何度もその日のことを振り返った。あの日わたしは、もう二度と小賢しいやつにはならないよう、行動する前に自分の言動が他人にあたえる影響についてもう少し慎重に考えることを誓った。それと同時に、ときおり遭遇するマヌケで小賢しいやつに対して、もう少し寛容になろうと努めている。ときどき自分もそうなるという事実を忘れないようにして。

一貫性を身につける

人生で最も重要な教訓は、シンプルだが実践がむずかしい。トレーディングでは、一貫性が鍵となる。システムトレード法と、それにともなう限界への完全な理解、そしてトレーディングシステムの構築に使われるツールがそろえば、持続的に成功する可能性が高まる。トレーディングをうまく進めるには一貫性を持たなければならない。計画を実践できなければ、その計画に意味はない。

わたしたちタートルが成功した最大の要因をひとつ挙げるとすれば、それはわたしたちが伝説的なトレーダーに教えを受けたという事実だろう。この認識があったからこそ、リチャード・デニスが教えてくれる手法を信頼できたし、一貫性と持続性を持って彼の規則に従うことがずいぶん容易になった。大多数の人たちは、彼に匹敵する有名なトレーダーに教わって、自信をあたえてもらうという機会には恵まれないだろうから、その場合は、自分自身を信頼しなければならない。自分の手法、そしてその手法を使って長期的に利益をあげる能力に自信を持たなければならない。

わたしの考えでは、システムトレード法を信頼する最善の方法は、トレーディング・シミュレーション・ソフトウェアを使って、自分でいくつかシステムを検討してみることだ。ソフトウェアは、実際の取引と同じ方法で過去を見せてくれるだろう。その過程で、さまざまなトレーディングシステムを調査し、自分の想定を実際の市場データと照らし合わせて欠点に気づくこともあるはずだ。実際の取引を始めれば、考えていたよりずっとむずかしいことがわかるかもしれない。実際に資金を投じることは、練習やペーパートレーディングとは違う。

あなたがトレーディングで身を立てるつもりなら、重要な事実を心に留めておいてほしい。それは、わたしがとてもめずらしい人間だということだ。生物学上の変種なのか、幼いころ受けたしつけのせいか、わたしにとってトレーディングで一貫性を保つことはむずかしくなかった。わたしの心理構造は、認知のゆがみをさほど苦もなく退けることができた。したがって、トレーダーの心理的な挫折や弱さの影響を目にしてはきたが、誰かが問題を乗り越えるための手助けを必要としていても、わたしは最上のカウンセラーにはなれない。自分が克服してきた問題ではないからだ。

もうひとつ考慮すべきなのは、わたしがトレーディング心理学の専門家ではないということだ。そういうわけで、わたしは心理的な強さの重要性をじかに観察することはできるが、本書の内容を超えて心理的な強さを養う方法について、具体的な助言をあたえることはできない。

幸いにも、その種の心理学を研究している人たちがいる。彼らなら、トレーディングにわたしが感じた以上の困難を感じる人たちに具体的な助言をあたえることができる。バン・タープ、ブレット・スティーンバーガー、アリ・キエフ、マーク・ダグラスなどの著作は、みずからの努力でトレーディングの悪魔を手なずけた例として、多くの人の役に立っている。これらの資料を参考にするといいだろう。

最後に、わたしの経験は、おもにトレンドフォロー派としてのものだ。デイトレードやスウィングトレーディングを含むほかのスタイルでも研究や取引を行なったので、本書で概説した原則をその種のトレードにも適用できることはわかっている。

トレンドフォローに焦点を当てているからといって、これが最良のトレーディング法だと暗に訴えているわけではない。実のところ、トレンドフォローはおそらくほとんどの人には適さないだろう。

それぞれのスタイルには特有の心理構造が必要であり、それを持つか持たないかはきわめて個人的な資質の問題だ。自分の性格の強みと弱みをうまくつかんで、ひとつのトレーディングスタイルに取り組むことがとても重要になる。先ほど挙げた著者たちの中には、このテーマについてもっときちんと説明してくれる人がいるだろう。

タートルズの教え

1　エッジ（優位性）のある取引をせよ……正の期待値を持つトレーディング戦略、すなわち、長期で見てプラスのリターンを生むトレーディング戦略を見つけること。

2　リスクを管理せよ……取引を継続できるよう、リスク管理すること。でなければ、正の期待値を持つシステムから利益を得られない。

3　首尾一貫せよ……計画は、首尾一貫して遂行すること。そうすれば正の期待値を達成できる。

4　シンプルであれ……シンプルなシステムは、複雑なシステムよりも長期にわたって持ちこたえる。

計画は、実行に移されなければなんの意味もないことを忘れないでほしい。本気でトレーディングで成功したいなら、最初の一歩を踏み出そう。

わたしはそうした。

そして、それを悔やんだことは一度もない。

epilogue

WHEN ALL IS SAID AND DONE

人生の目標は何か

森の中で道がふたつに分かれ、そしてわたしは——
わたしは足跡が少ないほうの道を選んだ
それがそのあと起こったすべての鍵だった

——ロバート・フロスト

ここ数カ月のあいだ、わたしは本書の前半部分を仕上げるのに多くの時間を費やした。エピローグにふさわしい導入部にしたかったからだ。わたしがいちばん完成にこだわっていたのは、この最終章だった。

ひとたびトレーダーの人生——タートルの人生——を歩み始めると、トレーダーとしての人生観がその後のあらゆる経験に浸透する。市場に関する認知のゆがみをうまく回避する方法を見つけ、頭の中で調整するように、あなたは人生のほかの領域でも同じことをやり始める。優秀なトレーダーが平凡なトレーダーと大きく異なる点のひとつは、彼らが恐れることなくほかの人とは違う人間になり、誰もやらないような何かをやり、自分だけの道を進んでいることだ。

自分だけの道を進め

わたしは19歳のときに、トレーダーになることを決意した。成功する自信があったから、数人の親しい友人に、21歳までに億万長者になってみせると言った。見得を切るつもりではなく、トレーディングで成功するという希望を分かち合いたかったのだ。目新しい魅力的な世界だった。わたしはトレーディングにのめり込み、ついには大学を中退する決心をした。わたしの父は大学の学位を持たず、それが自分のキャリアを妨げたと考えていたので、いい顔をしなかった。

しかし、わたしは昔から個人主義者で、はばかることなく自分の意見を口にしたし、権威者との意見の不一致にもひるまなかったので、ほかのみんながどう思ってもあまり気にしなかった。これが自分にとって正しい決断であることを知っていたのだ。この独立心と歯に衣着せぬ物言いのせいで、面倒に巻き込まれることもあった。ずいぶん母を心配させたに違いない。しかし、自分自身の役には立った。

ほかのすべてを切り捨ててトレーダーになる決意をしなかったら、自分の人生はどうなっていただろう。それを想像するのはむずかしい。確かなのは、リチャード・デニスの新聞広告には応募しなかっただろうということだ。

そして、今のわたしには、トレーダーとしての人生が、その人の手腕しだいであることがわかる。冒険をしなければ何も得られない。リスクは友だちだ。恐れてはいけない。理解し、制御し、ともに踊れ。トレーダーは好結果を期待してチャンスに賭けるが、定期的に損失を出すことも予期している。彼らは、間違いを恐れて行動をためらったりしない。それは生活の中で身につくひとつの資質だ。彼らは自分だけの道を歩み、たまに何かの試みに失敗してもくよくよしない。それも人生の一部であることを知っているからだ。失敗が成功と学習の必要条件であることを、理解しているからだ。

わたしは以前から、途方もない難題や、たいていの人がばからしいとか、非現実的だとか、不可能だとか言うことに挑戦するのを楽しんできた。多くの人が障害を見つけるところに可能性を見つけ、その機会を追求せずにはいられない。そのせいで何度も失敗したが、同時にそれぞれの経験で成功もし、新たな何かを学んだ。

もし誰かに人生の目標は何かときかれたら、わたしはこう答えるだろう。

「もちろん、世界をよりよい場所にすることだよ」

人々の持てる力を寄せ集めれば、たとえ小さな変化であっても、なんらかの具体的な方法で世界をよくすることができる。そう、わたしは思う。それは価値のある目的だ。もし、トレーディングに専念するだけで新しいことに挑戦していなかったなら、わたしは今よりはるかに裕福で、もっと〝成功〟していただろう。タートルの中にはそういう道を選んだ人もいて、数億ドルあるいは数十億ドルを運用するヘッジファンドを経営し、たいへんな成功をおさめている。同様に、もしわたしがソフトウェア産業の特定のニッチに専念していたら、今よりもっと成功していただろう。ほかの人々の成功の基準に照らせば、ということだが。

いずれにせよ、わたしは自分の成功に関するほかの人々の意見など気にしない。わたしの人生の最期に、自分は何かを成し遂げられただろうか、人生を立派に心ゆくまで生きただろうか、と考えるのは彼らではない。わたし自身なのだ。

道なき道

旧友たちが口をそろえて言うには、わたしは長期にわたってある種の〝中年の危機〟におちいっているらしい。彼らの目には、わたしは無責任で風変わりな人間に映るのだろう。中年の危機というものが、人生を吟味して、社会とメディアがつくりあげた成功の基準に沿って生きるのをやめることなら、わたしはまさにその状態だ。まだあなたがそれを経験していないなら、ぜひ経験することをおすすめする。そうでなければ人生はおもしろくない。

わたしはたびたび、義務的なものごとをむなしく追求して自分を見失っている人々に会う。両親や教師を喜ばせるため、よい仕事に就くため、たくさんのお金を稼ぐためなどの目的で、彼らは自分で選んだのではなく、他者が用意した道を歩んできた。小学校時代からそれが始まった人もいる。大学時代から、あるいは最初の仕事に就いて責任を負い始めた直後からそれが始まった人もいる。

当然彼らは、夢に見たものや自分がなりたかったものからかけ離れた場所へと連れられていく。自分には選択肢があったという事実を、見失ってしまうのだ。人生のどの時点になっても別のことをやる決心はできる。道をはずれて、世界と自分自身を少しばかり探求する決心をすることはできる。

多くの企業には、この決められた道を表わす言葉がある。それは〝出世レール〟とか、ただの〝レール〟とか呼ばれる。うまいたとえだ。機関士はどの路線を走るか決められない。意思決定はレールを敷く人間と、走行中にポイントを制御する人間が行なう。最近わたしはこの現象についてよく考え、ほとんどの人々が夢を追いかけないのは、努力が報われずに失敗することが怖いからではないかと気づいた。彼らは、自分が切り開いた道で試されるよりも、無難に歩き通せることがわかっている道、あらかじめ決められた道を行くほうがよいと信じている。

意識的にこういう意思決定をしている人はいないだろう。それは怠惰や行動の欠如によって起こる。

「大きらいな会社のために退屈な仕事をするのがほんとうに好きなんだ」

と自分に言いきかせる人はいない。結果的にそうなってしまうだけだ。

彼らは気づかないうちにレールに乗る。そしていったん乗ってしまうと、そこからはずれるには意識的な努力を必要とする。そうしないかぎり、彼らはレールの導くまま終点にたどり着き、そこはおそらく行きたかった場所ではないのだ。意識的にレールに乗るわけではないので、夢から遠く離れてしまうまで、自分がどこにいるのかさえ気づかないかもしれない。

個人の成功を防げるのは、客観的な現実ではなく、自分には不可能だと考えて限界を設けてしまうことなのだ。成功を信じられないからといって一歩を踏み出さなければ、成功までの道のりに障壁を築くことになる。その障壁は現実よりもずっと厚い。挑戦すれば、失敗するかもしれない。しかし、成功するかもしれないのだ。一度も挑戦しなければ、成功することも不可能になる。

失敗なしでは学べない

それに、失敗はそれほど悪くない。ダライ・ラマは、敵に感謝せよと言った。敵は、友人や家族よりも多くのことを教えてくれるからだ。失敗はそういう敵のひとつであり、とても強力な敵でもある。

わたしにそれがわかるのは、周りの誰よりも数多く、多様な試みで失敗してきたからだ。同時に、失敗のリスクを負うつもりがなければ得られなかっためざましい成功も、いくつか味わった。それを一歩先へ進めて考えてみれば、これまでにあげたどんな実績よりも、間違いや失敗からずっと多くを学んできたことになる。失敗のリスクを負わなければ学ぶことはできない。わたしがそれなりに失敗を経験した理由の一部もそこにある。新しいことを学ぶのが好きなのだ。学ぶには失敗する必要がある。間違いや失敗を受け入れる気持ちがなければ、学ぶことはできない。

ほとんどの人は、大人になるにつれて脳になんらかの変化が起こるせいで、学ぶことがどんどんむずかしくなると信じている。そして、子どもたちが新しい言語を身につけるまでの速さを指摘し、大人が新しい言語を習得するむずかしさと比べて、若さをその要因と考える。わたしが思うに、新しい言語を習得する能力についての子どもと大人の大きな違いは、子どもがおかしな発音や文法の間違いを恐れないのに対して、大人はそれをひどく恐れているという点だ。

わたしは最近、アルゼンチンのブエノスアイレスに引っ越し、ここでスペイン語を学ぶたくさんの人たちと親しくなった。彼らは年齢も国籍もさまざまだ。その付き合いのなかで発見した、非常に興味深い事実がある。以前この国に数カ月か数週間でも滞在したことのある人は、きちんと語学を修得した経験がなくても基本レベルの会話ができるのだ。それ以外の人たちは、学校で長年スペイン語を勉強したのかもしれないが、ブエノスアイレスで数週間生活しながら集中的に授業を受けても、うちとけた会話ができないでいる。

この習得の差は、ほとんど完全に、間違えたり発音が変だったりすることを恐れる度合によるものだろう。自分の言葉がどう聞こえるかを気にしない人もいる。彼らはとにかく会話を始める。言語を学ぶ人は誰でも間違えることがあるし、それも学ぶ過程のひとつだとわかっているのだ。そういう人は失敗しながら経験とともに進歩していく。自分が言ったことに相手がぽかんとした顔で反応するたびに、彼らは学ぶ。レストランで料理を注文して、頼んだものと違う料理が出てくるたびに、彼らは学ぶ。こういう人たちは失敗しながら学ぶことがとても得意なので、すぐにスペイン語で流暢《りゅうちょう》に会話することができるようになり、毎日の練習でさらに話術を進歩させていくだろう。

進路変更

もし間違った道——望まない場所へと続くレール——を進んでいることに気づいたら、埋没費用効果に関する考察を思い出してほしい。好きでもないキャリアにどれほど時間をかけたか、うまくいかないとわかっている関係にどれほどお金を費やしたかを気に病んではいけない。現実から逃げることの誤りを、トレーダーは心得ている。

取引がうまくいっていないことを市場が示すなら、それは事態が変わることを期待したり、違う状況だったらと願ったり、現実ではないふりを装ったりしているときではないと、トレーダーは知っている。みずから進んで取引から退出するときなのだ。

現実は、どんなに消えてほしいと願っても執拗に迫ってくる。タートルたちは、現実を避けないで受け入れる。そうすれば、ものごとが望みや期待と異なっているとき、方向性を変えることが容易になる。わたしたちは不平を言わず、気に病まず、空頼みをしない。具体的な行動を起こして、新しい現実認識に適応するのだ。

儲けるということ

わたしの考えでは、あまり儲けに執着しないほうがたくさん稼げるようになる。特に、トレーダーの場合はそうだ。わたしたちが大きなポジションを取っていたとき、あるタートルが、市場の変動によって生じた大幅な損失にひどく影響を受けたことがあった。大金を稼ぐことは、彼にとってとても重要だった。あるとき、わたしが休暇から戻ると、彼は電話機を壊してしまっていた。市場が思いどおりに動かなかったことに、ひどく腹を立てたのだ。

彼がなかなかシステムに従えなかったのは、偶然ではないだろう。大金を稼ぎたいという欲求のせいで、首尾一貫して取引するためのシステムを実行することが困難になってしまったらしい。わたしが成功したのは、少なくとも部分的には儲けにこだわらなかったからだ。わたしは取引をうまく行なうことにこだわり、リチャード・デニスがわたしの取引をどう思うかにこだわったが、自分の口座を毎日出たり入ったりしているお金の額にはこだわらなかった。

お金は道具であり、何かを手に入れるために必要なものだ。とても便利だが、それ自体を目的とするのはあまりにもさびしい。裕福になっても、幸せにはなれない。わたしにはわかる。何度か試したことがあるからだ。

ついでに、その正反対のことも試した。33歳のとき、わたしが設立して株式公開し、人に任せていた会社の株が急落した。つまり、ほぼひと晩でわたしの流動資産が枯渇してしまったのだ。そのころ離婚したばかりだったので、その会社の株以外にはあまり資産を持っていなかった。離婚の際、妻に家を渡してしまったからだ。

すでに会社から離れていたので、経営に信頼を置いてはいなかった。したがって、自分のことを投資家ではなくトレーダーだと考えていた。株価が下がり続けている以上、トレーダーの役割として、わたしは売り続けた。不運なことに市場がとても薄く、マーケットメーカーも最良ではなかった。さらにわたしは、慎重にならなければ、自分が売るだけで株価をゼロ近くまで押し下げかねないほどの株数を所有していた。したがって、株価が急落する前に、数カ月にわたって2週間おきくらいに1万から2万株を売っていた。

わたしは当時、新たな航空会社の立ち上げに取り組んでいて、新規事業と生活費に関わるコストを、株を売った金で支払っていた。しかし、もうその選択肢はなくなった。数年分の蓄えが、ほぼ一夜で2カ月分にも足りないほどになり、わたしは収入を得る手段を見つける必要に迫られた。仕事を探さなければならない。

タートル時代以来、誰かのもとで働いたことはなかった。実際、リチャード・デニスと、高校・大学時代に初めて手がけたプログラミングの仕事以外には、誰かのもとで働いたことがなかったのだ。わたしは数カ月かけて仕事を探し、小さな新規インターネット事業のマーケティング・プロジェクトに関わるコンサルタント業務に就いた。その時点で現金の持ち合わせがまったくなくなり、最初の給料をもらうまでは滞在しているホテルの宿泊料さえ満足に支払えないほどだった。

これを恐ろしい体験だと考える人もいるかもしれないが、わたしはそうは思わない。わたしの人生の楽しみは、境遇の変化にはあまり影響を受けなかった。わたしは友人と昼食や夕食に出かけたり、興味深い人々と討論したり、どこかのグループとやりがいのある事業について話したりするのが好きだった。そういう活動にはあまりお金がかからないし、かつて住んでいたタホ湖やリノでよりも、シリコンバレーの新しい仕事でのほうがそういう機会がたくさんあった。実際、億万長者だったときと同じくらい、いやそれ以上に人生を楽しんでいた。ほんとうに好きなことができたからだ。

あの経験のおかげで、お金のない人や貧しい境遇にある人たちの気持ちがよくわかるようにもなった。お腹が空いているのに食べるものがなく、その日暮らしをするのがどういうことか、今では理解している。

また、その時期には新規事業や起業についても非常に多くのことを学んだ。自分で気づいていなかったが、従業員としての経験がないことが、たいへん不利に働いていたのだ。管理される側に置かれたことがなかったら、当然ながら社員をうまく管理することがむずかしくなる。

わたしはコンサルタントとして、組織図の底辺にいた。わたしには直属の部下もいなければ、社員がもらえるちょっとした特別手当もなかった。自分の手に入らないとなると、それすらなぜか重要なものに思えた。わたしには実権もなかった。あとは自分の影響力で変化を起こすしかない。まったく不利な立場ではあったが、説得の技術を磨き、やがては周囲がわたしの見かたを信じてくれた。そして、なんらかの変化を起こすことができたのだ。実権を持たずに変化を起こすことはこれまでにない挑戦だったので、大いに楽しみもした。

あの時期に学んだ教訓と技能はかけがえのないものであり、わたしの今後の取り組みにもずっと役立ち続けるだろう。わたしは多くの人が恐れるような経験をした。わたし自身もそれらを恐れた。しかし、どの場合にも、実際の現実は、恐れ自体ほど過酷ではなかった。

こんな話をしたのは、たとえあなたが今まであきらめていたとしても、これから夢を追いかけてほしいからだ。試みて失敗したら、その失敗から学び、もう一度挑戦すればいい。粘り強く続ければ、自分の目標にどんどん近づくことができる。あるいは、別の目標がもっと重要になってくるかもしれない。

思いきって、その取引に乗りだそう。望みや期待どおりの結果は得られないかもしれない。あるいは逆に、思っていたよりよい結果が得られるかもしれない。試してみるまではわからないのだ。

bonus chapter

ORIGINAL TURTLE TRADING RULES

タートル流トレーディング規則原本

いつも言うように、わたしのトレーディング規則を新聞で発表したところで、誰も従わないだろう。重要なのは、一貫性と自己規律だ。ほとんど誰だって、わたしたちが教えた内容の8割がたの完成度を持つ規則のリストをつくり出せる。その人たちにできないのは、ものごとが悪い方向へ進んでも、確たる自信を持ってその規則を守ることだ。

――ジャック・D・シュワッガー著『マーケットの魔術師』に引用されたリチャード・デニスの言葉

完全なトレーディングシステム

最も成功したトレーダーたちは、メカニカル・トレーディングシステムを使っている。これは偶然ではない。優れたメカニカル・トレーディングシステムは、トレーディングの全工程を自動化する。システムは、トレーダーが取引中に行なうべきあらゆる意思決定について答えをあたえてくれる。何をすべきかを明確に定義する一連の規則があるので、首尾一貫した取引が容易になる。トレーディングの操作がトレーダーの判断に任されることはない。

自分のシステムが長期的には利益をあげると知っていれば、損失を出している期間にもシグナルを受け取り、システムに従って取引することが容易になる。自分の判断に頼った取引をしていると、大胆になるべきときに怖気《おじけ》づき、慎重になるべきときに無鉄砲になってしまうかもしれない。

うまく働くメカニカル・トレーディングシステムを持ち、首尾一貫してそれに従えば、たとえ長く続く損失や大きな利益による心の葛藤があっても、トレーディングに一貫性を保てるだろう。徹底的にテストされたメカニカル・システムによって得られる自信、一貫性、自己規律こそが、最大級の利益をあげるトレーダーたちの成功の鍵となっている。

タートル流トレーディングシステムは、**完全な**トレーディングシステムだった。その規則はトレーディングのあらゆる側面を網羅し、トレーダーの主観的な気まぐれにはいっさい判断を任せなかった。そこには完全なトレーディングシステムの全要素が含まれ、取引の成功に必要な意思決定がすべて網羅されている。

●市場……何を買い、何を売るか

- ポジション・サイジング……いくら買い、いくら売るか
- 参入……いつ買い、いつ売るか
- ストップ……負けポジションからいつ出るか
- 退出……勝ちポジションからいつ出るか
- 戦術……どのように買い、どのように売るか

市場――何を買い、何を売るか

最初の意思決定は、何を買い、何を売るか、要するにどの市場で取引するかだ。取引する市場があまりに少ないと、トレンドに乗る機会が大幅に減ることになる。また、出来高が少なすぎる市場や、トレンドが弱い市場で取引するのも避けたほうがよい。

ポジション・サイジング――いくら買い、いくら売るか

いくら買い、いくら売るかの意思決定は基本的な事項なのに、いい加減で不適切な扱いをしているトレーダーが非常に多い。

いくら買い、いくら売るかは、分散と資金管理の両方に影響をあたえる。分散とは、多くの投資対象にリスクを分散し、良好な取引をつかむ機会を増すことによって、利益獲得のチャンスを増やす試

みだ。そのためには、多くの異なる投資対象に対して、まったく同じでなくても同程度の賭けを行なう必要がある。資金管理とは、大きく賭けすぎて有利なトレンドが来る前に資金を使い果たさないよう、リスクを制御することだ。

いくら買い、いくら売るかは、トレーディングの最も重要な側面だといえる。ほとんどの新米トレーダーは、それぞれの取引をあまりに大きなリスクにさらし、たとえ他の点では有効なトレーディング・スタイルを持っていたとしても、破産する可能性を大幅に高めてしまう。

参入――いつ買い、いつ売るか

いつ買い、いつ売るかの意思決定は、「参入の意思決定」とも呼ばれる。自動システムが出す参入シグナルは、売りまたは買いで市場に参入すべきときを示す具体的な価格と市況を定義する。

ストップ（損切り）――負けポジションからいつ出るか

損切りをしないトレーダーは、長期的には成功しない。損切りをする際に最も重要なことは、ポジションを取る前にどのポイントで出るかを決めておくことだ。

退出――勝ちポジションからいつ出るか

完全なシステムとして売られている多くの〝トレーディングシステム〟は、勝ちポジションからの退出を具体的に扱っていない。しかし、勝ちポジションからいつ出るかという問いは、システムの収益性にとってきわめて重要だ。勝ちポジションからの退出に対応していないトレーディングシステムは、完全なシステムとはいえない。

戦術――どのように買い、どのように売るか

シグナルが発信されたら、執行の操作についての戦術的な考察が重要になる。特に留意すべきなのは、ポジションの参入と退出が、きわめて不利益な値動き、すなわちマーケット・インパクトを生じうるような大きなアカウント（口座）の場合だ。

トレーディングで首尾一貫した利益をあげるには、メカニカル・システムを使うのが最良の方法だろう。自分のシステムが長期的には利益をあげると知っていれば、損失を出している期間にもシグナルを受け取ってシステムに従うことが容易になる。繰り返しておくが、自分の判断に頼って取引していると、大胆になるべきときに怖気づき、慎重になるべきときに無鉄砲になってしまうかもしれないのだ。

利益を見込めるメカニカル・トレーディングシステムを持ち、忠実にそれに従えば、トレーディングは利益をあげるようになり、システムは、長く続く損失や大きな利益によって必ず生じる心の葛藤を乗り越える手助けをしてくれるだろう。

タートルが使ったトレーディングシステムは、完全なトレーディングシステムであり、それはわた

したちの成功の重要な要因となった。わたしたちのシステムは、重要な意思決定をトレーダーの裁量に任せなかったので、首尾一貫した良好な取引を容易にしてくれた。

市場——タートルが取引したもの

タートルたちは先物トレーダーだ。当時は〝商品トレーダー〟と呼ばれることが多かった。わたしたちは、最も活気のあるアメリカの商品取引所で先物取引をした。数百万ドルの取引をしていたので、1日の契約枚数が数百枚しかない市場では取引できなかった。わたしたちの注文によって市場が激しく変動し、大きな損失をこうむらずに参入や退出を行なうことがひどく困難になってしまうからだ。タートルたちは、流動性がきわめて高い市場のみで取引した。実際、市場の流動性は、リチャード・デニスがどの市場で取引するかを決定する際に使った第一の基準だった。

原則としてタートルたちは、流動性が高いアメリカ市場ならどこでも取引したが、穀物と食肉は除外した。リチャード・デニスは、すでにみずからのアカウントで穀物を取引所のポジション限度いっぱいまで取引していたから、取引所のポジション限度を越えずにわたしたちに穀物を取引させることができなかった。食肉を取引しなかったのは、食肉売り場のフロアトレーダーの汚職問題のせいだった。タートルズが解散して数年後、ＦＢＩは、シカゴの食肉売り場で大規模なおとり捜査を実施し、多数のトレーダーを価格操作やその他の汚職で起訴した。

以下に、タートルが取引した先物市場を挙げておく。

シカゴ商品取引所

- 30年もの米国財務省債券
- 10年もの米国財務省債券

ニューヨークコーヒー・砂糖・ココア取引所

- コーヒー
- ココア
- 砂糖
- 綿花

シカゴ・マーカンタイル取引所

- スイスフラン
- ドイツマルク
- 英ポンド
- フランスフラン

- 日本円
- カナダドル
- S&P500株価指数
- ユーロダラー
- 90日もの米国財務省短期証券

🐢ニューヨーク商品取引所

- 金
- 銀
- 銅

🐢ニューヨーク・マーカンタイル取引所

- 原油
- 灯油
- 無鉛ガソリン

タートルたちは、ここに挙げられたどの商品でも、取引からはずす裁量を与えられた。しかし、もしある市場を取引からはずすことにしたなら、その市場ではまったく取引してはならない。一貫性を持たずに市場で取引することは禁じられていたからだ。

ポジション・サイジング

タートルたちは、当時としてはとても進歩的なポジション・サイジング・アルゴリズムを使っていた。それは、ポジション・サイズを金額変動にもとづいて調整することによって、ポジションの変動性を正規化するものだった。すなわち、ある日のあるポジションは、その市場の個別の変動性にかかわらず、金額ベースで（他の市場でのポジションと）ほぼ同額の上下動に落ちつく。

これを行なったのは、1枚につき大きな上下動がある市場でのポジションの契約枚数を、変動性の低い市場でのポジションより少なくして正規化するためだ。

この変動の正規化は非常に重要だった。異なる市場での異なる取引において、同じ確率で一定の金額の損失あるいは利益を出すことになるからだ。これによって、多くの市場で多様性のある取引を行なう効果が高まった。

ある市場の変動性が低いとしても、大きなトレンドがあればかなりの利益が見込める。タートルたちは変動性の低い商品の契約枚数を増やしているはずだからだ。

変動性：Nの意味

タートルたちは、リチャード・デニスとウィリアム・エックハートが〝N〟と名づけたコンセプトを使った。これは、ある市場の潜在的変動性を表わす。

Nとは単純に、真の値幅《レンジ》の20日指数移動平均のことで、現在ではATR（アベレージ・トゥルー・レンジ）と呼ぶほうが一般的だ。

概念としては、Nはある市場が1日のうちに経験する値動きの平均値幅を示しており、寄り付きギャップも考慮に入れている。Nの測定は、それぞれの契約について同じ期間をとって行なわれた。

日々のトゥルー・レンジを計算するには、下の関係性を使う。

トゥルー・レンジ＝最大値（H-L、H-PDC、PDC-L）
H＝当日高値
L＝当日安値
PDC＝前日終値

Nを計算するには、
次の公式を使うことができる。

$$N=\frac{(19\times PDN+TR)}{20}$$

PDN＝前日のN値
TR＝当日のトゥルー・レンジ

この公式には前日のN値が必要なので、まず20日間のトゥルー・レンジの単純な平均値から計算しなければならない。

金額ベースのリスク調整

ポジション・サイズを決める最初の一歩は、対象市場の価格変動（そのNによって定義される）による金額変動を確定することだ。

これは実際よりもややこしく聞こえるが、下の単純な公式を使って計算できる。

金額変動＝N×1ポイントの金額

リスク調整されたポジション・ユニット

タートルたちは、ユニットと呼ばれる細かい単位でポジションを作った。ユニットの大きさは、1Nが口座の持ち分の1パーセントに相当する値になるようにした。

つまり、ひとつの市場あるいは商品のユニット・サイズは下の公式を使って計算できる。

$$\text{ユニット・サイズ}=\frac{\text{アカウントの1\%}}{\text{市場の金額変動}}$$

または

$$\text{ユニット・サイズ}=\frac{\text{アカウントの1\%}}{\text{N×1ポイントの金額}}$$

次に例を挙げておく。

●灯油（2003年3月限）

2003年3月限灯油について、価格、トゥルー・レンジ、およびN値を見てみよう。

表A

日付	高値	安値	終値	トゥルー・レンジ	N
2002/11/1	0.7220	0.7124	0.7124	0.0096	0.0134
02/11/4	0.7170	0.7073	0.7073	0.0097	0.0132
02/11/5	0.7099	0.6923	0.6923	0.0176	0.0134
02/11/6	0.6930	0.6800	0.6838	0.0130	0.0134
02/11/7	0.6960	0.6736	0.6736	0.0224	0.0139
02/11/8	0.6820	0.6706	0.6706	0.0114	0.0137
02/11/11	0.6820	0.6710	0.6710	0.0114	0.0136
02/11/12	0.6795	0.6720	0.6744	0.0085	0.0134
02/11/13	0.6760	0.6550	0.6616	0.0210	0.0138
02/11/14	0.6650	0.6585	0.6627	0.0065	0.0134
02/11/15	0.6701	0.6620	0.6701	0.0081	0.0131
02/11/18	0.6965	0.6750	0.6965	0.0264	0.0138
02/11/19	0.7065	0.6944	0.6944	0.0121	0.0137
02/11/20	0.7115	0.6944	0.7087	0.0171	0.0139
02/11/21	0.7168	0.7100	0.7124	0.0081	0.0136
02/11/22	0.7265	0.7120	0.7265	0.0145	0.0136
02/11/25	0.7265	0.7098	0.7098	0.0167	0.0138
02/11/26	0.7184	0.7110	0.7184	0.0086	0.0135
02/11/27	0.7280	0.7200	0.7228	0.0096	0.0133
02/12/2	0.7375	0.7227	0.7359	0.0148	0.0134
02/12/3	0.7447	0.7310	0.7389	0.0137	0.0134
02/12/4	0.7420	0.7140	0.7162	0.0280	0.0141

灯油

N＝0.0141

アカウント・サイズ　$1,000,000

1ポイントのドル価格＝42,000
（ドル建て価格で42,000ガロンの契約）

$$\text{ユニット・サイズ}=\frac{0.01\times\$1{,}000{,}000}{0.0141\times42{,}000}=16.88$$

２００２年12月４日のＮ値０・０１４１を使った12月６日のユニット・サイズは上のようになる。端数の契約はできないので、切り捨てで16枚となる。

あなたはこう尋ねるかもしれない。

「どのくらいの頻度でＮ値とユニット・サイズを計算すればいいのか？」

タートルたちは毎週月曜日に、取引した先物契約それぞれについてＮ値とユニット・サイズを記した表を配られていた。

ポジション・サイズの重要性

多様化とは、多くの手段にリスクを分散し、良好な取引をつかむ機会を増すことによって、利益獲得のチャンスを増やす試みだ。適切な多様性を得るには、多くの異なる手段に対して、まったく同じとはいかないまでも同等の賭けを行なう必要がある。

タートル・システムは、市場の変動性を使ってそれぞれの市場に内在するリスクを計測した。次にそのリスク測定値を使って、一定の値のリスク（あるいは変動性）を増減の単位としてポジションを作った。これによって多様化の利点が活かされ、勝ちトレードが負けトレードを相殺する可能性が高まった。

トレーディング資金が不充分だと、多様性の獲得がかなりむずかしくなることに注意してほしい。もし先の例で、10万ドルのアカウントを使ったらどうなるだろうか。1・688の端数を切り捨てると1になるので、ユニット・サイズはたった1枚だ。小さなアカウントでは調整の単位が大きすぎて、多様化の効果が大幅に減ってしまう。

リスクの尺度としてのユニット

タートルたちは、ユニットをポジション・サイズの基本尺度として使った。ユニットは変動リスクに合わせて調整されるので、ひとつのポジションだけでなく、ポートフォリオ全体のポジションのリスク尺度にもなった。

タートルたちは、常時4つのレベルで維持できるユニット数の限度を定めたリスク管理の規則をあたえられた。要するに、これらの規則はトレーダーが負うことのできる総リスクを制御するもので、これらの限度は長引く損失期間中および異常な価格変動期間中の損失を最小限にした。

異常な価格変動の一例として、1987年10月の株式市場の大暴落の翌日が挙げられる。米国連邦準備理事会は、一夜のうちに金利を数パーセント引き下げ、株式市場と国の信頼性を高めようとした。タートルたちは、金利先物を売り持ちでロードしていた。ユーロダラー、財務省短期証券、そして債券。翌日の損失は莫大だった。ほとんどのケースで、アカウントの持ち分の40から60パーセントが1日で失われた。しかし、もしポジションの上限がなかったなら、これらの損失はもっと大きかったはずだ。

設けられた上限は次のとおり。

レベル	種類	最大ユニット
1	単一の市場	4
2	密接に相互関連する市場	6
3	ゆるやかに相互関連する市場	10
4	単一の方向、買い持ちまたは売り持ち	12

- 単一の市場……1市場につき最大4ユニット。
- 密接に相互関連する市場……密接に相互関連する市場では、どちらか一方向で最大6ユニットを限

度とした（すなわち買い持ち6ユニットまたは売り持ち6ユニット）。密接に相互関連する市場のグループには、灯油と原油、金と銀、1グループとしての通貨、財務省短期証券とユーロダラーなどの金利先物、その他があった。

●ゆるやかに相互関連する市場……ゆるやかに相互関連する市場では、どちらか一方向で最大10ユニットを限度とした。ゆるやかに相互関連する市場には、金と銅、銀と銅、そしてさまざまな穀物の組み合わせがあった。ただしポジション限度の問題から、タートルは穀物を取引しなかった。

●単一の方向……買い持ちまたは売り持ちの一方向の最大合計ユニット数は、12ユニットとした。したがって理論的には、買い持ち12ユニットと売り持ち12ユニットを同時に持つこともできた。

タートルたちは、ひとつのリスクレベルについて最大限のユニット数を持つことを**ロードする**といった。つまり、円をロードするといえば、日本円の契約を最大の4ユニット持つことであり、完全にロードするといえば、12ユニット持つことを意味した。

トレーディング・サイズの調整

何カ月ものあいだ、市場にトレンドが生まれないことがある。そういう時期には、アカウントの持ち分を大幅に減らしてしまう可能性もある。

大きな勝ちトレードを手じまいしたあとは、ポジション・サイズの計算に使う持ち分のサイズを増やしたいと思うかもしれない。

タートルたちは、最初の持ち分にもとづいて残高が動く普通のアカウントでは取引しなかった。わたしたちは、最初の持ち分がゼロで、特定のアカウント・サイズをともなうアカウントをあたえられた。

たとえば、1983年2月に取引を始めたとき、多くのタートルは100万ドルのアカウント・サイズを受け取った。このアカウント・サイズは毎年の初めに調整された。これは、リチャード・デニスの主観的な評価によるトレーダーの成功に応じて、上方または下方に調整された。増加や減少はたいてい、前年中にアカウントに加わった利益や損失を反映したものだった。

タートルたちは、元のアカウントを10パーセント失うごとに、アカウントのサイズを20パーセント減らすように指示された。したがって、それまで100万ドルのアカウントで取引していたタートルが10パーセント、つまり10万ドル失えば、年間の最初の持ち分に達するまでは80万ドルのアカウントで取引を始める。もしさらに10パーセント失えば（80万ドルの10パーセントで8万ドル、合計18万ドルの損失）、アカウント・サイズをさらに20パーセント減らすので、アカウント・サイズは64万ドルとなる。

アカウントの上下動によって持ち分を増減する戦略としては、ほかにもっと優れたものもあるだろう。これらはあくまでタートルが使っていた規則だ。

参入

たいていのトレーダーは、あるトレーディングシステムについて考えるとき、参入シグナルを中心に考える。トレーダーは、どのトレーディングシステムにおいても、参入が最も重要な側面だと信じている。

タートルが、リチャード・ドンチアン考案のチャネル・ブレイクアウト・システムにもとづくきわめてシンプルな参入システムを使っていたことを知ったら、みなは驚くかもしれない。

タートルたちは、2種類の、別々だが関連したブレイクアウト・システム用の規則をあたえられ、それぞれをシステム1、システム2と呼んだ。どちらのシステムに持ち分をいくら配分するかは、完全な自由裁量に任されていた。すべての持ち分をシステム2で取引する人もいたし、システム1とシステム2を50パーセントずつに分けて使う人もいたし、ほかにもさまざまな配分を選ぶ人がいた。2種類のシステムは、次のとおり。

システム1：20日ブレイクアウトにもとづく短期システム
システム2：55日ブレイクアウトにもとづくさらにシンプルな長期システム

ブレイクアウト

ブレイクアウトとは、一定の日数の最高値または最安値を更新した価格と定義される。したがって、20日ブレイクアウトとは、過去20日間の最高値または最安値を更新することと定義される。

タートルたちは常に、ブレイクアウトが起こったその日に取引し、引けや翌日の寄り付きを待ったりはしなかった。寄り付きギャップについては、市場がブレイクアウトの価格を通過して寄り付けば、寄り付きでポジションを取った。

システム１による参入

タートルたちは、価格が過去20日間の最高値または最安値を1ティック更新すれば参入した。価格が過去20日間の最高値を上回れば、該当商品を1ユニット購入して買い持ちを開始する。価格が過去20日間の最安値を下回れば、1ユニット空売りして売り持ちを開始する。

ただし、前回のブレイクアウトが勝ちトレードになっていたなら、システム1のブレイクアウト参入シグナルは無視される。特に注意してほしいのは、このテストでは、前回のブレイクアウトを規則に従って実際に採用したか除外したかにかかわらず、そのブレイクアウトを該当市場の前回のブレイクアウトと見なすということだ。ブレイクアウトが生じた日以降、10日の退出で利益をあげる前に、価格がポジションの逆方向に2N動いたなら、このブレイクアウトは負けブレイクアウトと見なされる。

前回のブレイクアウトの方向は、この規則とは関係ない。したがって、買い持ちの負けブレイクアウトと、売り持ちの負けブレイクアウトのどちらが起こった場合でも、次回の新しいブレイクアウトを、その方向（買い持ちまたは売り持ち）にかかわらず、有効な参入シグナルとして採用してよかった。

しかし、前回のトレードが勝ちで、システム1の参入ブレイクアウトが除外された場合は、大きな動きを逃さないために、55日ブレイクアウトで参入が行なわれる。この55日ブレイクアウトは、安全保障のブレイクアウト・ポイントと見なされた。

トレーダーがポジションを持っていない場合は、どの時点でも、売り持ちの参入を誘発する価格と、買い持ちの参入を誘発する高めの価格が必ずあるものだ。

前回のブレイクアウトが負けなら、参入シグナルは20日ブレイクアウトで現在の価格に近くなり、勝ちなら、参入シグナルは55日ブレイクアウトで、現在の価格とはおそらくかなりの開きがあるだろう。

システム2による参入

価格が過去55日の最高値または最安値を1ティック更新すれば、参入を決行した。価格が過去55日の最高値を上回れば、該当商品を1ユニット購入して買い持ちを開始する。価格が過去55日の最安値を下回れば、１ユニット空売りして売り持ちを開始する。
システム２では、前回のブレイクアウトの勝ち負けにかかわらず、すべてのブレイクアウトが採用される。

ユニットの追加

タートルたちはブレイクアウトで１ユニットを買い持ちし、最初の参入後、２分の１Ｎ上昇するごとにポジションを追加していった。この２分の１Ｎ間隔は、前回注文したときの実際の執行価格にもとづいていた。したがって、最初のブレイクアウト注文が２分の１Ｎずれに執行された場合、新たな注文はブレイクアウト価格を１Ｎ超えたところとなる。２分の１Ｎのずれと追加ポジションに適用される２分の１Ｎ分の合計である。

ユニット数の最大許容限度に達するまで、これが繰り返される。市場がすばやく動けば、１日のうちに最大の４ユニットまで追加することもできた。

以下に例を挙げる。

●金

N＝2.50

55日ブレイクアウト＝310

第1ユニット購入	310.00
第2ユニット	$310.00+\frac{1}{2}\times2.50=311.25$
第3ユニット	$311.25+\frac{1}{2}\times2.50=312.50$
第4ユニット	$312.50+\frac{1}{2}\times2.50=313.75$

●原油

N＝1.20

55日ブレイクアウト＝28.30

第1ユニット購入	28.30
第2ユニット	$28.30+\frac{1}{2}\times1.20=28.90$
第3ユニット	$28.90+\frac{1}{2}\times1.20=29.50$
第4ユニット	$29.50+\frac{1}{2}\times1.20=30.10$

一貫性

タートルたちは、首尾一貫して参入シグナルを受け取るよう教えられた。1年間の利益のほとんどが、ほんのふたつか3つの大きな勝ちトレードによってもたらされることもあるからだ。ひとつのシグナルを除外したり逃したりすれば、その年のリターンに大きな影響をあたえるかもしれない。

最高の取引記録を持つタートルたちは、首尾一貫して参入の規則を適用した。最低の記録を持つタートルたちと、プログラムから脱落した人たちは、規則が示したときに首尾一貫してポジションを取ることを怠ったのだ。

ストップ

こんな言い回しがある。

「経験豊富《オールド》なトレーダーがいて、無鉄砲《ボールド》なトレーダーがいる。しかし、経験豊富で無鉄砲《オールド・ボールド》なトレーダーはいない」

ストップを使わないトレーダーのほとんどは、破産する。タートルたちは常にストップを使った。たいていの人にとっては、負けポジションから脱け出してトレードがうまくいかなかったと認めるよりも、負けトレードが好転するという希望にしがみつくほうがずっと楽なのだ。

ひとつはっきりさせておきたいことがある。システムの規則が実行を命じたら、負けポジションから脱け出すことは不可欠だ。損切りをしないトレーダーは、長期的には成功しない。ベアリングズ銀行やロングターム・キャピタル・マネジメント社など、制御が利かなくなって金融機関の健全性をそこなうまでに至ったトレーディングの例はほぼすべて、莫大な損失に発展しうる取引に関わっていた。損失が小さいうちに切り上げることをしなかったからだ。

損切りをするうえで最も重要なことは、ポジションを取る前に脱け出すポイントを決めておくことだ。市場がその価格まで動いたら、例外なしで、毎回必ず脱け出さなければならない。この方式が揺らぐと、いずれ最悪の事態を招くことになる。

読者は、本章と10章のわたしの解説が矛盾することに気づいたかもしれない。10章でわたしは、ストップを加えるとシステムのパフォーマンスが悪くなることがあるので、つねに必要とは限らないと指摘した。しかし、先に概説したストップなしでうまく働くシステムには、実のところ潜在的なストップがある。価格がポジションの逆方向に動けば、移動平均がクロスして損失が限定されるポイントがやってくるからだ。つまりある意味で、ストップは存在する。トレーダーの目に見えたり、意識にのぼったりすることがないだけだ。

たいていの人にとっては、負けトレードから退出する価格ポイントを持つ心理的安心感は重要になる。特に初心者にとってはそうだろう。苦痛が終わるポイントについて明確な考えのないままポジションが不利に動くのを眺めることになれば、心理的な動揺を生じてもおかしくない。

タートルのストップ

ストップを持っていたからといって、必ずしもタートルたちが実際にブローカーにストップ注文を出していたわけではない。

タートルたちは非常に大きなポジションを取っていたので、ブローカーにストップ注文を出してポジションやトレーディング戦略を公に知られたくなかった。そこでわたしたちは、ヒットすれば指値注文または成り行き注文を使って退出する一定の価格を決めるように奨励された。

これらのストップでは、議論の余地なく退出しなければならなかった。ある商品の価格がストップ価格に達すれば、毎回必ず、いっさいの例外なしに退出した。

ストップの設置

タートルたちは、ポジションのリスクにもとづいてストップを設置した。いかなるトレードも、2パーセントを超えるリスクを負ってはならなかった。

1Nの価格変動はアカウントの持ち分の1パーセントに相当するので、2パーセントのリスクを許容する最大ストップは、2Nの価格変動となる。タートルのストップは、買い持ちでは参入の2N下、売り持ちでは参入の2N上に設定された。

ポジション全体のリスクを最小限に保つために、ユニットを追加する際には、古いほうのユニット

表B

	参入価格	ストップ
第1ユニット	28.30	25.90

	参入価格	ストップ
第1ユニット	28.30	26.50
第2ユニット	28.90	26.50

	参入価格	ストップ
第1ユニット	28.30	27.10
第2ユニット	28.90	27.10
第3ユニット	29.50	27.10

	参入価格	ストップ
第1ユニット	28.30	27.70
第2ユニット	28.90	27.70
第3ユニット	29.50	27.70
第4ユニット	30.10	27.70

のストップを2分の1N引き上げた。つまり原則として、ポジション全体のあらゆるストップは、最新のユニットから2Nの位置に置かれる。ただし、スキッド（訳註：理論的な執行価格と実際の約定価格との差）を生じるすばやい市場や寄り付きギャップのせいで、新しいユニットに大きな価格差がついた場合には、ストップにも差を設けた。

表Bを例を挙げよう。

原油
N＝1・20
55日ブレイクアウト
＝28・30
（表B参照）

表C

	参入価格	ストップ
第1ユニット	28.30	27.70
第2ユニット	28.90	27.70
第3ユニット	29.50	27.70
第4ユニット	30.80	28.40

表Cは、市場が30・80までギャップアップして寄り付いたので、第4ユニットが高めの価格で追加された場合だ。

もうひとつのストップ戦略：ホイップソー（2人挽きのこぎり）

タートルたちは、もうひとつのストップ戦略についても教わった。これは収益性が高かったが、損失もずっと大きく、勝ち／負けの比率が低くなるので実行がむずかしかった。この戦略は**ホイップソー**と呼ばれた。

各取引に2パーセントのリスクを負わせる代わりに、ストップを2分の1Nに置いてアカウントリスクを0・5パーセントとする。あるユニットにストップがかかった場合、市場が元の参入価格に達すれば、そのユニットをふたたび参入させる。数人のタートルは、この方式を使って成功を収めた。

ホイップソーには、新しいユニットを加える際に古いユニットのストップを変える必要がないという付加的な利点もある。総リスクが最大の4ユニットで2パーセントを超えることがないからだ。

たとえば、ホイップソー・ストップを使うと、原油の参入ストップは次のようになる（表D参照）。

表D

	参入価格	ストップ
第1ユニット	28.30	27.70

	参入価格	ストップ
第1ユニット	28.30	27.70
第2ユニット	28.90	28.30

	参入価格	ストップ
第1ユニット	28.30	27.70
第2ユニット	28.90	28.30
第3ユニット	29.50	28.90

	参入価格	ストップ
第1ユニット	28.30	27.70
第2ユニット	28.90	28.30
第3ユニット	29.50	28.90
第4ユニット	30.10	29.50

原油
N＝1・20
55日ブレイクアウト＝28・30

タートル・システム・ストップの利点

タートルのストップはNにもとづいていたので、市場の変動性に合わせて調整された。変動性の高い市場のほうがストップ幅が広くなるが、ユニットごとの契約枚数は少なくなる。これによって、すべての参入にともなうリスクが均等になることで、分散が進み、リスク管理がさらに堅固になった。

退出

「利食いをすれば破産はしない」という言い習わしもある。しかしタートルたちは、この主張には賛成しない。早すぎる勝ちポジションからの退出、つまり早すぎる〝利食い〟は、トレンドフォロー・システムを使うトレーディングで最もありがちな間違いのひとつだ。

価格がまっすぐに上昇することはない。したがってトレンドに乗るつもりなら、価格が不利に動いても見送る必要がある。トレンド初期には往々にして、10から30パーセントというまずまずの利益が小さな損失となって消えていくのを眺めることになる。トレンド中間期には、80から100パーセント積み上げられた利益が、30から40パーセント減少するのを眺めることになるかもしれない。ポジションを軽くして〝利益を確定〟したいという衝動は、抑えきれないほど強くなる可能性がある。

タートルたちは、どこで利食いするかが勝ちと負けを大きく分けることを知っていた。

タートル・システムはブレイクアウトで参入する。ほとんどのブレイクアウトは、トレンド形成には至らない。つまり、タートルが行なう取引のほとんどは、損失に終わるのだ。勝ちトレードが平均してこれらの損失を相殺するほどの利益をあげなければ、タートルは資金を失ってしまう。利益が見込めるトレーディングシステムはどれでも、それぞれに最適な退出ポイントを持つ。

タートル・システムについて考えてみよう。1Nの利益で勝ちポジションから退出し、2Nの損失で負けポジションから退出するなら、負けトレードの損失を相殺するには2倍の数の勝ちトレードが必要になる。

トレーディングシステムの成分のあいだには、複雑な関係がある。つまり、参入や資金管理やその他の要素を考慮に入れずに、利益が出ているポジションからの正当な退出を考えることはできないということだ。

勝ちポジションからの適切な退出は、トレーディングにおいて最も重要でありながら、最も軽視されている側面のひとつだ。しかしそれは、勝ちと負けを大きく分ける可能性がある。

タートルの退出

システム1の退出は、買い持ちでは10日安値、売り持ちでは10日高値とした。10日ブレイクアウトで価格がポジションに逆行すれば、ポジションのすべてのユニットを退出させる。

システム2の退出は、買い持ちでは20日安値、売り持ちでは20日高値とした。20日ブレイクアウトで価格がポジションに逆行すれば、ポジションのすべてのユニットを退出させる。

参入と同様、タートルたちは通常、前もって退出のストップ注文を出さずに、その日の価格を見守り、退出のブレイクアウト価格で取引が行なわれるとすぐに、退出のための電話をかけ始めた。

むずかしい退出

たいていのトレーダーにとって、タートル・システムの退出は、このシステムの規則のなかで最も困難な部分だろう。10日間あるいは20日間にわたって安値更新を待てば、20、40、あるいは100パーセントもの大きな利益が消え去るのを眺めることになるかもしれない。

どうしても、早めに退出したいという気持ちに傾いてしまう。利益が消え去るのをじっと我慢するには、きびしい自己規律が必要となる。そうすることで初めて、ほんとうに大きな動きが起こったときにポジションを保持できる。大きな勝ちトレードのあいだ、規律を守り規則に従える能力こそ、成功をおさめた経験豊富なトレーダーの証《あかし》なのだ。

戦術

建築家のミース・ファン・デル・ローエは、かつて設計上の制約について語ったときに、「神は細部に宿る」と言った。トレーディングシステムについても同じことがいえる。タートルのトレーディング規則を使う際には、トレーディングの収益性を大きく左右する重要な細部がいくつかある。

注文方法

先ほども触れたように、リチャード・デニスとウィリアム・エックハートは、ストップを使わずに注文するようタートルたちに助言した。わたしたちは、市場を見守り、ストップ価格に達したときに注文を入れるよう指示された。また原則として、成り行き注文より指値注文を行なったほうがよいと教わった。指値注文は、成り行き注文よりも執行がうまくいき、発注時の価格と約定価格のずれが少なくなる利点があるからだ。

どんな市場にも、いつもビッド（買い呼値）とアスク（売り呼値）がある。ビッドとは買い手が買いたい価格のことであり、アスクとは売り手が売りたい価格のことだ。ビッドがアスクよりも高くなれば必ずトレーディングが生じる。成り行き注文は、充分な出来高があればいつでもそのビッドまたはアスクが執行されるので、大口注文の際に不利な価格で執行されることもある。

一般に、ある程度のややランダムな値動きが生じることがあり、これは反発として知られる。指値注文を使うのは、単純に成り行き注文を出すのではなく、反発の下限で注文を出すためだ。指値注文は小口注文なら市場を動かすことはないし、大口注文だとしても、たいていの場合、さほど大きな動きを起こすことはないだろう。

指値注文の最適価格を決められるようになるには、かなりの技能を必要とする。しかし訓練を積めば、市場に近い価格で出した指値注文を使って、成り行き注文よりもうまく取引を執行できるようになるはずだ。

変化の激しい市場

市場はときどき、注文価格を通過して非常にすばやく動くことがあり、そういう場合には指値注文を出しても執行されない。変化の激しい市況では、たった数分間で1枚につき数千ドル動くこともある。

そういうときタートルたちは、パニックを起こさず、市場が取引を再開して安定するまで待ってから注文を出すように忠告された。ほとんどの新米トレーダーは、なかなかこれができない。彼らはパニックにおちいって、成り行き注文を出す。すると間違いなく、それは最悪の時点での注文となり、往々にしてその日の最高値あるいは最安値という最悪の価格での取引に終わってしまうのだ。

変化の激しい市場では、一時的に流動性が枯渇する。相場が急速に上昇している場合、売り手は売るのをやめて、さらなる高値をもとめてじっと待ち、価格が上げ止まるまでは売りを再開しない。こういうシナリオでは、アスクが大幅に上がり、ビッドとアスクのスプレッドが拡大する。

売り手がアスクを引き上げ続けるので、買い手はかなりの高値を支払わざるをえなくなり、ついには価格があまりにも大きくあまりにも速く動きすぎるせいで、新たな売り手が市場に参入してくる。これによって価格が安定し、急速に反転して、ある程度まで落ち込むことが多い。

変化の激しい市場に成り行き注文を入れると、たいていは急騰した最高値、つまり新たな売り手が参入して市場が安定し始めたまさにその時点で執行されてしまう。

タートルたちは、少なくとも一時的な価格反転の兆しが現われるまで待ってから、注文を出した。多くの場合、そのおかげで成り行き注文よりもずっとよい条件で執行することができた。市場がわたしたちのストップ価格を通過しそこで安定したときは市場から退出したが、その場合もパニックを起こすことなく実行に移した。

参入シグナルの同時発生

多くの日々には、市場の動きがほとんどなく、既存のポジションをモニターする以外にやることもほとんどなかった。1件も注文を出さずに数日を過ごしたこともある。そのほかの日々はまずまず多忙で、数時間にわたって断続的にシグナルが発信された。その場合、わたしたちは流れのままに取引を開始し、各商品のポジション限度に達するまで続けた。

それから、あらゆるものごとが同時に起こっているように思える日々があり、1日か2日のうちにポジションなしからロードにまで至ることもあった。このすさまじいペースはしばしば、相互関連する市場からの複数のシグナルによってさらに激しさを増した。

特に、市場が寄り付きギャップで参入シグナルを通過した場合がたいへんだった。同じ日に、原油と灯油と無鉛ガソリンで、寄り付きギャップでの参入シグナルが生じることもある。先物契約では、同じ商品のさまざまな限月ものが同時にシグナルを発するのもきわめてありがちなことだった。そういうときには、効率的にすばやく行動する一方で、パニックにおちいって成り行き注文を出さないように気をつける必要があった。そんなことをすれば間違いなく、きわめて不利な取引の執行に終わってしまうからだ。

強い市場を買え、弱い市場を売れ

シグナルが同時に発信されたときには、わたしたちは常に、グループの中で最も強い市場を買い、最も弱い市場を空売りした。

また、1回につき、ひとつの限月で1ユニットのみ参入するようにした。たとえば2月限、3月限、4月限の灯油を同時に買うことはせず、いちばん強く、出来高と流動性が充分な限月のみを選んだ。

これは非常に重要なことだ。関連グループ内では、最良の買い持ちは最も強い市場となる（ほぼ必ず、同グループ内の弱い市場をしのぐパフォーマンスを見せる）。それとは逆に、売り持ちでの最大の勝ちトレードは、関連グループ内の最も弱い市場から生まれる。

タートルたちは、さまざまな尺度を使って強さと弱さを測った。最もシンプルで一般的な方法は、単純にチャートを見て、どれがいちばん強く（または弱く）〝見える〟かを目視で判断することだった。

数人のタートルは、ブレイクアウト以降に価格が何N進んだかを計測して、Nが最も大きく動いた市場を買っていた。別のタートルは、現在の価格から3カ月前の価格を引いて、現在のNで割って各市場間を平準化していた。最も強い市場がいちばん高い値になり、最も弱い市場がいちばん低い値になった。

手法はどれでもうまく働くだろう。重要なのは、最も強い市場で買い持ちを、最も弱い市場で売り持ちを取ることだ。

期日を迎えた契約の乗り換え

先物契約が期日を迎えたら、新たな契約に乗り換える前に、ふたつの重要な要素を考慮する必要がある。

第1に、期近ものにはよいトレンドがあっても、遠い限月の契約は同レベルの値動きを見せていない事例がたくさんある。その値動きが既存のポジションとしてふさわしくない場合は、新たな契約に乗り換えてはならない。

第2に、期日を迎えた契約の出来高と建玉が下がりすぎないうちに乗り換えを行なわなければならない。どのくらいが下がりすぎなのかは、ユニット・サイズによって異なる。原則としてタートルは、既存のポジションが期日を迎える2、3週間前に、新たな限月ものに乗り換えた。ただし、(現在持っている)期近ものが、ずっと先の限月ものより大幅に優れたパフォーマンスを見せている場合は除外した。

最後に

これが、完全なタートル流トレーディングシステムの規則のすべてだ。おそらくお気づきだと思うが、それほど複雑な規則ではない。

しかし、規則を知るだけで金持ちになれるというものでもない。それに従えなければ意味がないのだ。

リチャード・デニスの言葉を思い出してほしい。

「いつも言うように、わたしのトレーディング規則を新聞で発表したところで、誰も従わないだろう。重要なのは、一貫性と自己規律だ。ほとんど誰だって、わたしたちが教えた内容の8割がたの完成度を持つ規則のリストをつくり出せる。その人たちにできないのは、ものごとが悪い方向へ進んでも、確たる自信を持ってその規則を守ることだ」

おそらく、これが真実であることの最良の証拠は、タートルたちのパフォーマンスだろう。多くのメンバーが、利益をあげられなかった。規則が働かなかったからではない。彼らが規則に従えなかったから、そうなったのだ。

タートルの規則に従うことは、きわめてむずかしい。それらが、あまり頻繁には起こらない大きなトレンドの獲得に頼っているからだ。その結果、勝ち期間のあいだに数カ月、ときには1年や2年が過ぎ去っていくこともある。そういう期間には、システムを疑ったり、規則に従うのをやめたりする理由を簡単に思いつくものだ。もう規則が働かないとしたら？　市場が変わってしまったのだとしたら？　規則から重要な何かが抜け落ちているとしたら？　確実にうまくいくと、どうしてわかる？

第1期のタートルズのひとりは、初年度が終わる前にプログラムから除籍された。当初から、彼らにあたえられる情報が意図的に制限されていると疑い、ついには、隠された秘密があってリチャード・デニスがそれを明かしてくれないと確信するようになったのだ。このトレーダーは、自分自身の疑いと不安感によって規則に従えなくなり、そのせいでパフォーマンスが悪くなるという単純な事実に向き合うことができなかった。

もうひとつの問題は、規則を変えたくなるという傾向だ。タートルの多くは、システムでトレーディングする際のリスクを減らそうとして、少しだけ規則を変更した。ときにはそれが、望みと正反対の効果を生じてしまった。その一例を示そう。

トレーダーはときどき、規則の指定（2分の1Nごとに1ユニット）にすぐさま従うことができず、ポジションを取りそびれてしまう。それは保守的なアプローチに思えるかもしれないが、タートルが使った種類の参入システムでは、ポジションの追加が遅れると、戻しが退出ストップをヒットする可能性が増し、損失を出すことがある。一方、すばやいアプローチなら、ストップをヒットすることなくポジションが戻しを乗り切れる可能性がある。このちょっとした規則の変更が、ある種の市況ではシステムの収益性に重大な影響をおよぼしかねないのだ。

重要なのは、トレーディングシステムの規則に従うのに必要な信頼度を構築すること。それがタートル流システムであれ、似通ったシステムであれ、まったく異なるシステムであれ、過去のトレーディング・データを使って独自に調査を行なうことが必須だ。他人からシステムがうまく働くと聞いただけでは十分ではない。他人が行なった調査結果の概要を読んだだけでは十分ではない。自分でやらなくてはならないのだ。

みずからの手を染め、調査に直接関わろう。取引にのめり込み、日々の持ち分の記録を眺め、システムの取引方法と、損失の規模と頻度に熟練しよう。

過去20年間にも同等の長さの損失期間がたくさんあったと知れば、8カ月の損失期間を乗り切ることがずっと容易になる。すばやくポジションを追加することがシステムの収益性を高める鍵になると知れば、すばやくポジションを追加することがずっと容易になるはずだ。

ルールを守る強い意志こそ成功の鍵――監修者あとがき

本書の著者カーティス・フェイスは、1980年代アメリカで有名になった〝タートル〟という名の先物トレーダー養成プログラムの研修生だった。タートル・プログラムは、伝説のトレーダー、リチャード・デニスがパートナーのウィリアム・エックハートとの間で「優秀なトレーダーを養成することができるか」という賭けをしたことから始まった実験だった。

タートル・プログラムの4年間の実践トレードの結果、プログラムに投入された資金は大きく増加し、賭けは優秀なトレーダーを養成できるとしたデニスの勝利に終わった。タートルの成功は新聞紙上で取り上げられ、大きな反響を呼んだ。しかし、そのトレーディング法については、憶測で語られるのみで、真相はベールに包まれたままだった。

このプログラムで最も優秀な成績を残したフェイスが、長い沈黙を破ってタートルの全貌を公開したのが本書である。タートル研修生時代の講義とトレードの実践を克明に描き、タートルのトレーディング法について詳細に説明している。さらには、タートルのトレーディングの心構えを、読者の実人生の指針として役立たせるという趣旨も盛り込んでいる。

本書全体でマーケットのしくみから、タートル流トレーディング法を中心にトレーダーとして成功する秘訣までをカバーしている。その過程で具体的事例や比喩を用いながら、ひとつひとつ丁寧に解説して読者の理解を助けているので、本書を通読すれば、トレーディングの基本およびトレーダーの心得が自然と身に付くという構成になっている。

タートルの基本的な姿勢は、ゲーム理論を基礎としており、将来を予測するのではなく可能性としてみるというものである。

「過去のことを悔やむことをしない。未来を予測しない。現在における確率で考える」

「タートルは、金《ゴールド》は上がるなどとは、絶対に言わない」

その方法は、エッジ（正の期待値＝優位性）のあるシステムを使うこと、個々の取引のリスク管理および全体の資金管理を徹底することを根本とする。ひとことで言うと、

「破産を回避して市場に参加し続け、システムのエッジにより長期的に利益をあげる」

ということである。

将来を予測しないことの利点は、第一に、予測しないため、予測がはずれるリスクから逃れられること、第二に、予測をしないことで、トレーダーの感情が入る隙がなくなり、裁量により運用が不安定になる事態を回避できることである。

タートルのトレーディング法および著者が改良を加えたものの中で特に強調されているものは、技術面では、①システムのエッジを検証するのに、条件の変化に影響されにくい堅固な尺度（たとえば回帰年間利益率）を使い、その結果にもとづいてシステムを選択すること、②バックテストのサンプルを十分大きくとることにより、そのシステムが過去に示した収益が将来再現される確率を高めること、③リスク管理については、市場間でリスクが平準化するように各市場のトレード単位（ユニット）を定め、また単一市場・市場グループのそれぞれにユニット数の上限を設けること、④コスト抑制のために指値注文をおこなうなど発注に細心の注意を払うこと、などである。

トレーダーの心構えとしては、①システムの発するシグナルに常に従って運用の一貫性を保つこと、②裁量を排し、あらかじめ決められたルールを必ず守ること、などである。

本書はアメリカの先物市場を舞台にしているが、マーケットおよび参加者の行動パターンの基本は洋の東西同じであり、日本のマーケットにも通用するはずである。当翻訳版の読者として次のような人々におすすめしたい。

●現在先物トレーダーとして活動している人

システムに精通したトレーダーは、著者が詳しく解説しているバックデータの緻密な検証方法や堅固な尺度の採用によって、現在使用しているシステムのエッジを改善することが期待できる。

本格的なシステムを使わないトレーダーにとっても、タートルの基本的なルールは自己のトレーディング方法を見直すのに役立つと思われる。

●これから先物トレードを始めようとしている人

トレーディングの基礎知識を習得するとともに、タートルのトレーディング法を理解することにより、トレーディングの実践への第一歩を踏み出すことができよう。

●先物は行わないが、株式投資を行なっている人

株式投資は、レバレッジがないぶんリスクの程度は先物に比べて軽いという違いはあるが、基本的な考え方は共通である。特に投資家行動にあたえる〝認知のゆがみ〟など、心理面の影響についての解説は参考になろう。たとえば、相場格言「損は切れ、利益は伸ばせ」がなぜ実行しにくいかの心理学的意味を知ることができる。

●投資の世界に興味のある一般の読書人

右にあげた人々にも共通であるが、著者のタートル研修生としての活躍を生き生きと描写しており、ひとつのドラマとして読んでも面白い。また、全編を通じて語られる著者の人生観は、タートルのトレーディング法と重ね合わせており、生き方についても指針を示してくれる。「失敗な

しでは学べない」、「自分の行動に責任をとれ」、などの教訓は実人生でも有益であろう。

ところでタートルの中にも、著者のように目覚ましい成功をおさめた研修生ばかりでなく、失敗して早期に除籍されたものも何人かいた。成功と失敗を分けたものは何であろうか。著者によれば、それは決められたルールを守れたか否かということであった。著者がタートルの方法として教えられたトレーディングシステムに一貫して従っていたのに対し、一部の研修生はマーケットの状況が変わって損失が出始めたとき、シグナルに反してポジションを解消してしまった。この結果、その後めぐってきた大きな上げ相場を捉えることができなかったのである。先物取引で成功するには、ルールを守る強い意志を持つということが鍵になる。

飯尾博信、常盤洋二

二〇〇七年九月

〔監修者略歴〕

飯尾博信（いいお・ひろのぶ）
1967年神戸大学経営学部卒業。大和証券入社後調査部で証券アナリスト、その後外国企業アナリスト。88年大和総研設立とともに、ニューヨーク、ロンドンで海外証券調査を担当（現地法人社長）。95年大和グループのエヌ・アイ・エフ・ベンチャーズでベンチャーキャピタリスト、2001年同社常務執行役員。
現在（株）東宣エイディ監査役。日本証券アナリスト協会検定会員。日本ベンチャー学会会員。

常盤洋二（ときわ・ようじ）
1970年一橋大学商学部卒業。米国国際経営大学院（サンダーバード）修士課程修了。
大和証券入社後調査部で証券アナリスト、81年大和投資顧問（現大和住銀投信投資顧問）に転籍、調査全般を担当後、国内・海外年金資金の株式ファンドマネージャー。
現在投資顧問会社監査役。日本証券アナリスト協会検定会員。

楡井浩一（にれい・こういち）
1951年生まれ。北海道大学卒業。英米のノンフィクション翻訳で活躍。主な訳書に、ジョセフ・E・スティグリッツ『世界に格差をバラ撒いたグローバリズムを正す』（徳間書店）、ジャレド・ダイアモンド『文明崩壊』（草思社）ほか多数。

伝説のトレーダー集団
タートル流投資の魔術

第１刷――2007年10月31日
第11刷――2014年４月10日

著　者――カーティス・フェイス
監　修――飯尾博信＋常盤洋二
訳　者――楡井浩一
発行者――平野健一
発行所――株式会社徳間書店
東京都港区芝大門２－２－１　郵便番号105-8055
電話　編集（03）5403-4344　販売（048）451-5960
振替00140-0-44392

印　刷――本郷印刷（株）
カバー印刷――真生印刷（株）
製　本――大口製本印刷（株）

ISBN978-4-19-862426-2